AF238028

ACCESO GRATIS *a la Lectura en la Nube*

Para visualizar el libro electrónico en la nube de lectura envíe junto a su nombre y apellidos una fotografía del código de barras situado en la contraportada del libro y otra del ticket de compra a la dirección:

ebooktirant@tirant.com

En un máximo de 72 horas laborables le enviaremos el código de acceso con sus instrucciones.

DERECHO PROCESAL FISCAL
2ª edición

DERECHO PROCESAL FISCAL
2ª edición

Juan Antonio Aguilar Cervantes

**UNIVERSIDAD
PANAMERICANA®**

tirant lo blanch
Ciudad de México, 2021

© Juan Antonio Aguilar Cervantes

© EDITA: TIRANT LO BLANCH
DISTRIBUYE: TIRANT LO BLANCH MÉXICO
Río Tiber 66, Piso 4
Colonia Cuauhtémoc
Alcaldía Cuauhtémoc
CP 06500 Ciudad de México
Telf: +52 1 55 65502317
infomex@tirant.com
www.tirant.com/mex/
www.tirant.es
ISBN: 978-84-1378-985-9
MAQUETA: Tink Factoría de Color

Si tiene alguna queja o sugerencia, envíenos un mail a: *atencioncliente@tirant.com*. En caso de no ser atendida su sugerencia, por favor, lea en *www.tirant.net/index.php/empresa/politicas-de-empresa* nuestro procedimiento de quejas.

Responsabilidad Social Corporativa: http://www.tirant.net/Docs/RSCTirant.pdf

Para: María, el amor de mi vida,
Y a mis hijos: Toño, lo que siempre soñé,
María, que activó una parte de mi corazón,
y Camila, que me enseñó a ser papá.

Índice

3. FACULTADES DE COMPROBACIÓN DE LA AUTORIDAD FISCAL

4. ACUERDOS CONCLUSIVOS

5. OPERACIONES INEXISTENTES

6. NORMA GENERAL ANTI-ABUSO (5-A CFF)

7. GARANTÍA DEL INTERÉS FISCAL

8. PROCEDIMIENTO ADMINISTRATIVO DE EJECUCIÓN

9. RECURSO DE REVOCACIÓN

10. JUICIO CONTENCIOSO ADMINISTRATIVO FEDERAL

Prólogo

Una de las mayores satisfacciones de quienes nos dedicamos a la docencia, es ver materializado el esfuerzo del profesor en el aprendizaje y crecimiento de sus alumnos, es así como a través de la trayectoria del Maestro Juan Antonio Aguilar Cervantes, autor de la presente obra, observamos esta maravillosa experiencia, ello es así, toda vez que es licenciado en Derecho por la Universidad Panamericana, titulado con mención *Magna Cum Laude*, continuando con sus estudios de posgrado, especializándose en impuestos y concluyendo la Maestría en Derecho Fiscal dentro de la propia Universidad; asimismo, formó parte del Programa de Perfeccionamiento de Alta Dirección en el IPADE.

Su vasta experiencia, no sólo como catedrático dentro del claustro de profesores de su Alma Mater, sino también como abogado postulante en la materia fiscal, hacen de Juan Antonio un especialista erudito de la materia, garantizando así que todo ese conocimiento adquirido no sólo en el aula de estudio, sino a través de la *expertis* que da la experiencia dentro del litigio fiscal, se encuentre perfectamente ensamblado para dar creación a la presente obra.

Hace más de 16 años, preparando sus clases para el Posgrado de Impuestos en la Universidad Panamericana campus Guadalajara, Juan Antonio comenzó a escribir un texto a manera de guía para que sus alumnos tuviesen un material de apoyo, didáctico y útil, que los adentrase en el fascinante tema del Derecho Procesal Fiscal. Al paso del tiempo, esta guía fue adquiriendo la forma de este espléndido libro de texto.

Con esta breve reseña de la persona del autor y de la historia sobre el origen del presente libro, viene a mi memoria la frase de aquel filósofo griego que dice:

> *"Largo es el camino de la enseñanza por medio de las teorías; breve y eficaz por medio de ejemplos".*
> Séneca

Sin duda, esta obra fusiona estos dos conceptos, pues en ella no se realiza una mera transcripción de artículos o jurisprudencias, sino que relata las experiencias de más de 20 años del autor en su exitoso ejercicio profesional en el mundo del litigio fiscal.

Hablando ahora de la obra de Toño, puedo advertir de inmediato que en este trabajo el autor aborda dos enfoques principales dentro del Derecho Procesal en Materia Fiscal; por una parte, expone los derechos de los contribuyentes ante la autoridad fiscal dentro del marco normativo enfocado a la contienda en Tribunales y, por el otro, presenta lo referente a estos derechos de la parte oficiosa o no contenciosa que precede a la anterior.

Bajo esta idea, la estructura del libro se divide en nueve capítulos, a través de los cuales el lector conocerá los conceptos elementales, el fundamento legal y la revisión puntual a la jurisprudencia aplicable al caso para tener una mejor comprensión del tema que aborda cada uno de los capítulos.

De esta forma, las páginas de este libro, con fina redacción —cosa que se agradece al autor—, se realiza un recorrido sobre los temas fundamentales del Derecho Fiscal, como lo son: el derecho de petición, la devolución de impuestos, la prescripción, la caducidad, el pago en parcialidades, las resoluciones fictas, las condonaciones, entre otros, los que se abordan dentro de los 2 primeros capítulos, todo ello con la finalidad de fijar algunos tópicos que generan un sin número de controversias entre la Administración Fiscal y los obligados tributarios.

Con agudo tino, y debido a su importancia, las facultades de comprobación de la autoridad fiscal se exponen y analizan en un muy completo y extenso Capítulo 3.

Los acuerdos conclusivos, las operaciones inexistentes, las garantías del interés fiscal y el Procedimiento Administrativo de Ejecución se encuentran contenidos dentro de los capítulos del 4 al 7, cerrando con este punto lo que el autor identifica como la parte oficiosa que precede al litigio entre el contribuyente y la autoridad fiscal.

Con base en todo lo anterior, el autor encara los medios ordinarios de defensa, en primer lugar, con el recurso de revocación (que forma parte todavía del procedimiento oficioso) y el juicio contencioso administrativo, los cuales expone magistralmente en los capítulos finales 8 y 9, respectivamente.

Consecuentemente, esta obra resulta muy completa y útil para analizar los derechos sustantivos de los contribuyentes, así como la parte del debido proceso en la materia tributaria.

Como bien sabemos, la importancia de los recursos económicos que todo Estado requiere para llevar acabo sus funciones, descansa en la aportación que los particulares obligadamente tenemos por principio constitucional, de acuerdo a nuestra capacidad económica. Esta obligación contributiva contenida en la Constitución Mexicana, en su artículo 31, fracción IV, establece una relación bilateral, tanto para los gobernados al aportar al gasto público, como a las autoridades, al exigir que estas contribuciones sean proporcionales, equitativas y se fijen expresamente en la ley.

Por tanto, esta dualidad de contribuir al gasto público, por un lado, y la recaudación del mismo, por otro, debe lograrse bajo estos principios rectores de justicia tributaria, siendo que para cumplir con estos principios fundamentales, la relación existente entre el contribuyente y la autoridad fiscal, debe darse con estricto apego al marco jurídico, apoyándose desde luego con los criterios jurisprudenciales emitidos por nuestra honorable Suprema Corte de Justicia de la Nación y otros tribunales.

De esta manera, la presente obra no sólo es ampliamente recomendada para las personas que se dedican al litigio o proporcionan asesorías fiscales, sino que, gracias a su practicidad, conlleva a que estudiantes y los profesionales que deseen ampliar su conocimiento sobre esta materia, puedan recurrir a esta obra, con la clara convicción de que cualquier duda les será disipada.

Por todo ello, felicito sinceramente al autor, no sólo por compartir su conocimiento y experiencia sobre el tema procesal fiscal en este libro, sino también por crear una obra didáctica, práctica, de claro entendimiento que, desde luego, abona a la defensa del contribuyente.

Finalmente, quiero dar testimonio de mi más profundo y sentido agradecimiento a Toño por permitirme ser partícipe de su creación y poder compartir con ustedes los lectores estas breves líneas para invitarlos a profundizar en el estudio del por demás apasionante Derecho Procesal Fiscal, sobre todo en este tiempo de reflexión, por el cual atraviesa el mundo entero frente a esta crisis sanitaria provocada por el COVID-19, en que me siento por demás afortunado y gustoso de contribuir en esta magnífica obra que sin duda aportará una valiosa herramienta para lograr la anhelada justicia tributaria.

Dr. Miguel de Jesús Alvarado Esquivel
Profesor de Universidad Panamericana
Magistrado Presidente del Tercer Tribunal
Colegiado en Materia Administrativa del Primer Circuito

Ciudad de México, julio de 2020

1. INTRODUCCIÓN

La materia de Derecho Procesal Fiscal se divide en dos grandes temas, a saber:

1. Parte Oficiosa, y

2. Parte Contenciosa.

La parte Oficiosa es aquélla que se lleva entre el fisco y los contribuyentes para la consecución de determinados fines, sin llegar a la contienda o litigio. Normalmente es la fase preparatoria o antecedente de la parte contenciosa, pero a veces no necesariamente se llega al litigio, ya que el contribuyente se puede autocorregir en la parte oficiosa, o bien, la autoridad puede determinar que no hay observaciones.

Por otro lado, la parte contenciosa es aquélla en la que existe una contienda, es decir, un conflicto entre las autoridades fiscales y los contribuyentes, que se va a dirimir ante el Tribunal Federal de Justicia Administrativa[1].

Esta parte contenciosa, anteriormente se encontraba regulada en el Título VI del Código Fiscal de la Federación, pero desde el 1° de enero de 2006, se regula en la Ley Federal de Procedimiento Contencioso Administrativo[2]. Sin embargo, los litigios que se hayan iniciado, entendiéndose por iniciados, aquéllos cuya Demanda de Nulidad se haya interpuesto antes del 31 de diciembre de 2005, se regirán por las disposiciones del Código Fiscal de la Federación[3], hasta su conclusión, situación que hoy en día, resulta prácticamente imposible.

Antes de entrar al estudio de la Parte Oficiosa, se hace necesario —por cuestiones didácticas— tocar dos temas muy importantes, uno relativo a la parte contenciosa (causales de ilegalidad de un acto administrativo) y el otro (resoluciones de la autoridad materia de impugnación), que en sentido estricto, debe incluirse en la parte oficiosa.

Lo anterior es así, ya que muchos términos y situaciones que ocurren dentro de la Parte Oficiosa, sobre todo por lo que se refiere a las facultades de las autoridades, no tendrían sentido o no se entenderían sin antes tocar estos dos temas, que a continuación se exponen:

---

[1]   En lo sucesivo "TFJA".
[2]   En lo sucesivo "LFPCA".
[3]   En lo sucesivo "CFF".

1.1. RESOLUCIONES MATERIA DE IMPUGNACIÓN

Son cuatro las resoluciones definitivas de la autoridad que se pueden combatir a través de los medios ordinarios de defensa (Recurso de Revocación o Juicio Contencioso Administrativo Federal), a saber:

1. *Determinación de créditos fiscales.* Se presenta cuando la autoridad fiscal fija en cantidad líquida una contribución o aprovechamiento omitido. Lo anterior puede derivar del ejercicio de las facultades de comprobación contenidas en las diferentes fracciones del artículo 42 del CFF o bien, en términos del artículo 41 del propio CFF.

2. *Negativa de devoluciones de contribuciones o impuestos.* Algunas disposiciones fiscales otorgan a los contribuyentes el derecho de solicitar la devolución de cantidades pagadas indebidamente, luego, cuando la autoridad las niega por cualquier razón, dicha resolución es susceptible de impugnarse vía Recurso de Revocación o Juicio de Nulidad.

3. *Imposición de sanciones.* Normalmente van junto con una determinación de impuestos omitidos, aunque en ocasiones pueden imponerse única y exclusivamente por situaciones de carácter formal (*v.gr.* omisión de la presentación de una declaración o aviso), o bien, se pueden imponer sanciones administrativas (*v.gr.* inhabilitación de un servidor público, o una multa impuesta por la Comisión Nacional Bancaria y de Valores).

4. *Cualquier resolución que cause un agravio en materia fiscal.* Esto es, cualquier resolución definitiva, distinta de las señaladas en los 3 numerales precedentes, que cause un perjuicio jurídico a los contribuyentes en materia fiscal, será susceptible de combatirse a través de los medios ordinarios de defensa. *v.gr.* Cuando la autoridad fiscal emite un oficio, revocando la autorización para recibir donativos de una persona moral; cuando se cometen violaciones dentro del procedimiento administrativo de ejecución, etc.

Resulta importante mencionar que anteriormente, las respuestas recaídas a las consultas se podían impugnar, sin embargo a partir del año 2007, dichas respuestas no son impugnables, sino que solo se podrá impugnar la resolución definitiva en la que la autoridad aplique el criterio contenido en dicha respuesta. Lo anterior, se encuentra previsto en el artículo 34 del CFF.

El segundo tema, que en sentido estricto forma parte del tema contencioso que se hace necesario estudiar antes de entrar al estudio de la parte oficiosa, es el relativo a:

1.2. CAUSALES DE ILEGALIDAD DEL ACTO ADMINISTRATIVO

Las causales de ilegalidad encuentran su fundamento en el artículo 51 de la LFPCA, antes previsto en el diverso 238 del CFF.

1. *Incompetencia.* Para determinar si una autoridad es competente o no, hay que atender a la Ley y al Reglamento Interior del Servicio de Administración Tributaria[4], así como a los Acuerdos de circunscripción territorial. Recordando el principio de legalidad, consistente en que las autoridades única y exclusivamente pueden hacer lo que la ley de manera expresa les permite.

El SAT es un órgano desconcentrado de la Secretaría de Hacienda y Crédito Público. Esta forma de organización que pertenece a las Secretarías de Estado, tiene por objeto la más eficaz atención y eficiente despacho de los asuntos de su competencia. Los órganos desconcentrados tienen autonomía de gestión y no tienen personalidad jurídica ni patrimonio propio[5], jerárquicamente están subordinados a las dependencias de la administración pública a que pertenecen, y sus facultades son específicas para resolver sobre la materia y ámbito territorial que se determine en cada caso por la ley.

Ahora bien, dentro de esta fracción, podemos observar lo siguiente:

La ley distingue 3 supuestos que se actualizan de manera secuencial a saber:

1. Las autoridades que *ordenan* el procedimiento del que deriva la resolución,

2. Las autoridades que *tramitan* dicho procedimiento, o bien

3. Las autoridades que *dictan* la resolución impugnada.

De modo tal que, tenemos que pueden darse diversos supuestos de incompetencia, esto es, la autoridad que resulta incompetente puede ser la que dicta la resolución combatida, la que ordena el procedimiento oficioso, o bien la que tramita el procedimiento del que deriva la resolución que se va a impugnar. En este orden de ideas, es importante mencionar que no solamente se debe revisar la competencia de la autoridad que dicta la resolución combatible, sino que igualmente se tienen que revisar las facultades de las autoridades que participan desde la emisión de la orden de revisión, hasta la que concluye el procedimiento oficioso.

De igual forma, es importante precisar que en términos de lo dispuesto por el artículo 51 de la LFPCA y diversas tesis de jurisprudencia, en un Juicio de Nulidad, el TFJA de oficio y por ser un tema de orden público, podrá hacer valer la

---

4   En lo sucesivo "SAT".

5   Naturaleza debatida por algunos doctrinarios, toda vez que el SAT comúnmente es parte en juicio, situación que le podría reconocer personalidad.

incompetencia de la autoridad, declarando la nulidad lisa y llana de la resolución impugnada, situación que dicho sea de paso, rara vez ocurre.

2. *Ausencia de fundamentación y/o motivación.*

La fracción II, del artículo 51 de la LFPCA, dice a la letra:

> *"Se declarará que una resolución administrativa es ilegal cuando se demuestre alguna de las siguientes causales:*
> *II. Omisión de los requisitos formales exigidos por las leyes, siempre que afecte las defensas del particular y trascienda al sentido de la resolución impugnada, inclusive la ausencia de fundamentación y motivación."*

Para entender cabalmente la fracción antes transcrita, resulta importante definir qué entiende la ley por omisión de requisitos formales.

En este sentido, tenemos que acudir a lo que dispone el artículo 38 del CFF, mismo que establece los requisitos formales de los actos administrativos, a saber:

> *"**Artículo 38**.- Los actos administrativos que se deban notificar deberán tener, por lo menos, los siguientes requisitos:*
> *I. Constar por escrito en documento impreso o digital.*
> *Tratándose de actos administrativos que consten en documentos digitales y deban ser notificados personalmente o por medio del buzón tributario, deberán transmitirse codificados a los destinatarios.*
> *II. Señalar la autoridad que lo emite.*
> *III. Señalar lugar y fecha de emisión.*
> *IV. Estar fundado, motivado y expresar la resolución, objeto o propósito de que se trate.*
> *V. Ostentar la firma del funcionario competente. En el caso de resoluciones administrativas que consten en documentos digitales, deberán contener la firma electrónica avanzada del funcionario competente, la que tendrá el mismo valor que la firma autógrafa.*
> *VI. Señalar el nombre o nombres de las personas a las que vaya dirigido. Cuando se ignore el nombre de la persona a la que va dirigido, se señalaran los datos suficientes que permitan su identificación.*
> *Para la emisión y regulación de la firma electrónica avanzada de los funcionarios pertenecientes al Servicio de Administración Tributaria, serán aplicables las disposiciones previstas en el Capítulo Segundo, del Título I denominado "De los Medios Electrónicos" de este ordenamiento.*
> *En caso de resoluciones administrativas que consten en documentos impresos, el funcionario competente podrá expresar su voluntad para emitir la resolución plasmando en el documento impreso un sello expresado en caracteres, generado mediante el uso de su firma electrónica avanzada y amparada por un certificado vigente a la fecha de la resolución.*
> *Para dichos efectos, la impresión de caracteres consistente en el sello resultado del acto de firmar con la firma electrónica avanzada amparada por un certificado vigente a la fecha de la resolución, que se encuentre contenida en el documento impreso, producirá los mismos efectos que las Leyes otorgan a los documentos con firma autógrafa, teniendo el mismo valor probatorio.*
> *Asimismo, la integridad y autoría del documento impreso que contenga la impresión del sello resultado de la firma electrónica avanzada y amparada por un certificado vigente a la fecha de la resolución, será verificable mediante el método de remisión al documento original con la clave pública del autor.*

El Servicio de Administración Tributaria establecerá los medios a través de los cuales se podrá comprobar la integridad y autoría del documento señalado en el párrafo anterior.

Si se trata de resoluciones administrativas que determinen la responsabilidad solidaria se señalará, además, la causa legal de la responsabilidad.

Adicionalmente, los funcionarios de la Secretaría de Hacienda y Crédito Público y del Servicio de Administración Tributaria, podrán utilizar su firma electrónica avanzada en cualquier documento que emitan en ejercicio de sus atribuciones, además de las resoluciones administrativas que se deban notificar, siendo aplicable para tal efecto lo dispuesto en los párrafos segundo a sexto del presente artículo."

Es importante mencionar que cuando se actualiza la causal de ilegalidad comentada, esto es, cuando estamos en presencia de una ausencia de fundamentación o motivación, dará lugar a una nulidad para efectos de que la autoridad emita un nuevo acto fundando y/o motivando la resolución; y además dicho acto de autoridad se encuentra castigado como falta grave por la Ley del SAT y también por la LFPCA. Lo anterior, puede dar lugar a la indemnización de gastos y perjuicios (Artículo 34 de la Ley del SAT) o a la indemnización de daños y perjuicios a cargo de la autoridad, según lo dispone el artículo 6º de la LFPCA, vía incidental.

3. *Vicios de procedimiento.* Se hace necesario distinguir si el vicio es en el transcurso del procedimiento o antes del inicio, ya que si se cometen los vicios antes, no se puede ordenar la reposición del procedimiento, toda vez que en estricto sentido no sería un vicio de procedimiento, luego, si se da antes del inicio y si se trata de facultades discrecionales, un tribunal no puede obligar a una autoridad a ejercer sus facultades discrecionales.

Un vicio de procedimiento puede ser que no se señalen los testigos en el transcurso de una Visita Domiciliaria por causa imputable a la autoridad administrativa, o que no se señale la causa de sustitución cuando ésta sea ordenada por la propia autoridad y no por el contribuyente. Dicha causal de ilegalidad dará lugar a una nulidad para efectos de que la autoridad reponga el procedimiento a partir de la violación cometida, y posteriormente emita una nueva resolución.

4. *Indebida fundamentación y motivación.* En este caso estamos en presencia de una violación de fondo prevista en la fracción IV del artículo 51 de la LFPCA, que a la letra dispone:

"Artículo 51.- Se declarará que una resolución administrativa es ilegal cuando se demuestre alguna de las siguientes causales:

(...)

IV. Si los hechos que la motivaron no se realizaron, fueron distintos o se apreciaron en forma equivocada, o bien si se dictó en contravención de las disposiciones aplicadas o dejó de aplicar las debidas, en cuanto al fondo del asunto".

(...)"

Resulta trascendental distinguir en primer término, la indebida motivación (*Si los hechos que la motivaron no se realizaron, fueron distintos o se apreciaron en forma equivocada)* de la indebida fundamentación *(si se dictó en contravención de las disposiciones aplicadas o se dejaron de aplicar las debidas).* Una vez hecha esta distinción, cabe diferenciar en relación a la indebida fundamentación, lo siguiente:

– Cuando una resolución se dicta en contravención de las disposiciones aplicadas, o bien,

– Cuando se dejan de aplicar las debidas.

Lo anterior es así, toda vez que ambos supuestos son distintos, ya que en el primer caso, la autoridad fundó su resolución en un artículo inaplicable, y en el segundo supuesto, dejó de aplicar la disposición que procedía o debía. Ahora bien, resulta posible que en un caso se presenten los dos supuestos.

En el supuesto de que se actualice esta causal de ilegalidad de fondo, estaremos en presencia de una nulidad lisa y llana, y la autoridad ya no podrá —con base en los mismos hechos— emitir otra resolución, aunque si se trata de facultades discrecionales, y no han caducado, puede llevar a cabo otra revisión, pero deberá observar hechos distintos que no hayan sido objeto de la *litis*, supuesto que analizaremos más adelante cuando abordemos a fondo el tema de la visita domiciliaria.

Cabe mencionar que aunque se dicte una nulidad lisa y llana, el TFJA, puede dictar una sentencia para determinados efectos, *v.gr* una devolución de una contribución pagada de manera indebida; lo anterior es así ya que no bastará con que el TFJA decida que dicha resolución es nula de manera lisa y llana, sino que deberá imprimir a la sentencia el efecto de devolver la contribución pagada de manera indebida para dejar a salvo el derecho del contribuyente. Es una de las facultades de plena jurisdicción con las que cuenta el TFJA. De hecho, nuestro Tribunal es de naturaleza mixta, ya que cuenta con facultades de mera anulación y de plenitud de jurisdicción, toda vez que poco a poco —desde su creación— se le ha ido dotando de mayores facultades.

5. *Desvío de poder.* Esta es una disposición copiada del Derecho Francés que en nuestro orden jurídico resulta ser letra muerta, y se traduce en el ejercicio de potestades administrativas para fines distintos de los fijados por el ordenamiento jurídico. Decimos lo anterior, ya que al día de hoy no he sido testigo de una sentencia en la que se declare la nulidad de una resolución con fundamento en la fracción V del artículo 51 de la LFPCA.

Así por ejemplo, un superior de un funcionario que abre al inferior un expediente disciplinario, no porque el inferior haya cometido una infracción, sino por enemistad, constituye un supuesto de desvío de poder.

Estas causales de ilegalidad, deben plantearse en la demanda de nulidad de manera ordenada, poniendo en primer lugar las que pueden dar lugar a una nulidad lisa y llana y posteriormente las que pueden dar lugar a una nulidad para efectos, en la inteligencia de que el estudio de la competencia es preferente, al igual que el de ausencia de fundamentación y motivación, que incluso pueden ser estudiados de oficio por el TFJA, de conformidad con lo que establece el artículo 51 de la LFPCA.

Lo anterior cobra importancia, en virtud de que cuando se estudia uno de los conceptos de impugnación que conducen a declarar la nulidad lisa y llana, el TFJA ya no estará obligado a analizar los demás, atendiendo al principio de mayor beneficio para el contribuyente.

Ahora bien, para los efectos de lo dispuesto por las fracciones II y III del presente artículo, se considera que no afectan las defensas del particular ni trascienden al sentido de la resolución impugnada, entre otros, los vicios siguientes:

a) Cuando en un citatorio no se haga mención que es para recibir una orden de visita domiciliaria, siempre que ésta se inicie con el destinatario de la orden.

b) Cuando en un citatorio no se haga constar en forma circunstanciada la forma en que el notificador se cercioró que se encontraba en el domicilio correcto, siempre que la diligencia se haya efectuado en el domicilio indicado en el documento que deba notificarse.

c) Cuando en la entrega del citatorio se hayan cometido vicios de procedimiento, siempre que la diligencia prevista en dicho citatorio se haya entendido directamente con el interesado o con su representante legal.

d) Cuando existan irregularidades en los citatorios, en las notificaciones de requerimientos de solicitudes de datos, informes o documentos, o en los propios requerimientos, siempre y cuando el particular desahogue los mismos, exhibiendo oportunamente la información y documentación solicitados.

e) Cuando no se dé a conocer al contribuyente visitado el resultado de una compulsa a terceros, si la resolución impugnada no se sustenta en dichos resultados.

f) Cuando no se valore alguna prueba para acreditar los hechos asentados en el oficio de observaciones o en la última acta parcial, siempre que dicha prueba no sea idónea para dichos efectos.

Todos estos aspectos, se incorporaron a la LFPCA derivado de casos que terminaron en jurisprudencias o bien, criterios tanto del Poder Judicial Federal como del TFJA.

El Tribunal podrá hacer valer de oficio, por ser de orden público, la incompetencia de la autoridad para dictar la resolución impugnada o para ordenar o tramitar el procedimiento del que derive y la ausencia total de fundamentación o motivación en dicha resolución.

Cuando resulte fundada la incompetencia de la autoridad y además existan agravios encaminados a controvertir el fondo del asunto, el Tribunal deberá analizarlos y si alguno de ellos resulta fundado, con base en el principio de mayor beneficio, procederá a resolver el fondo de la cuestión efectivamente planteada por el actor.

2. PARTE OFICIOSA

2.1. INTRODUCCIÓN

La Parte Oficiosa se divide en dos partes, a saber:

1. Las facultades con las que cuenta la autoridad. Esto es, todos los medios que tiene el fisco para revisar el correcto cumplimiento de las obligaciones fiscales de los contribuyentes. Para esto tenemos que decir que el Fisco cuenta con tres grandes facultades:

a) Facultad de comprobación.

b) Facultad liquidadora o determinadora, y

c) Facultad sancionadora.

Solo una de estas 3 grandes facultades no caduca en términos del artículo 67 del CFF, que es la de comprobación, ya que el fisco puede revisar el ejercicio que estime pertinente, sin embargo el objeto del ejercicio de sus facultades de comprobación es verificar el correcto cumplimiento de las disposiciones fiscales y de no ser así, terminar liquidando y/o sancionando a los contribuyentes. En este orden de ideas, puede suceder que el fisco revise a un contribuyente siete años hacia atrás y efectivamente pueda emitir una liquidación, ya que la caducidad tiene varias causales de suspensión (*v.gr.* el ejercicio de las facultades de comprobación, la interposición de medios de defensa, etc.), supuestos que analizaremos más adelante en el presente libro.

2. Por otro lado, la otra perspectiva de la parte oficiosa, la constituye los derechos que tienen los contribuyentes frente al fisco, a través de diferentes medios o figuras jurídicas previstas en nuestra legislación y que de manera específica se encuentran reguladas en el CFF, tales como, el planteamiento de consultas, solicitudes de devolución, negativa y confirmativa ficta, etc.

Ahora bien, para efectos didácticos distinguiremos este apartado en dos temas: Instancias no reguladas expresamente en la legislación fiscal (teniendo como único subtema el derecho de petición) e Instancias Reguladas expresamente en la legislación fiscal, teniendo como subtemas, los siguientes:

1. Consulta.

2. Devolución.

3. Declaratoria de prescripción.

4. Declaratoria de caducidad.

5. Condonación de multas.

6. Prórrogas de pago y pago en parcialidades.

7. Negativa y Confirmativa Ficta.

8. Reconsideración Administrativa.

9. Justicia de Ventanilla.

10. Instancia para desvirtuar Última Acta Parcial u Oficio de Observaciones.

11. Recurso Administrativo (Revocación).

2.2. DERECHO DE PETICIÓN

El derecho de petición encuentra su fundamento en el artículo 8° de la Constitución Política de los Estados Unidos Mexicanos[6], que dice a la letra:

> *"Los funcionarios y empleados públicos respetarán el ejercicio del derecho de petición,* **siempre que ésta se formule por escrito, de manera pacífica y respetuosa;** *pero en materia política solo podrán hacer uso de ese derecho los ciudadanos de la República.*
> **A toda petición deberá recaer un acuerdo escrito de la autoridad a quien se haya dirigido, la cual tiene la obligación de hacerlo conocer en breve término al peticionario.**"
> (El resaltado es nuestro)

Ahora bien, antes de entrar de lleno al estudio pormenorizado del precepto transcrito y hacer las críticas y consideraciones correspondientes, nos parece conveniente desarrollar el derecho humano contenido en el artículo 8° de nuestra Constitución.

Ignacio Burgoa nos dice, respecto al derecho humano de petición, que es una garantía de libertad y el maestro Dionisio Kaye, agrega —correctamente— que también es de seguridad. De libertad porque el derecho de petición permite a los ciudadanos dirigirse a las autoridades y poder ejercitar ante ellas cualquiera de sus derechos consignados en las leyes, porque a través del derecho de petición es como el gobernado puede sentirse seguro de que será escuchado y obtendrá una respuesta.

Este derecho de petición surge como la exclusión o negación de la llamada *vindicta privada*, en cuyo régimen a cada cual le era dable hacerse justicia por su propia mano. Ahora, las personas deben dirigirse al poder público para que éste intervenga en un caso en concreto. Lo anterior es consecuencia de una exigencia jurídica y social en un régimen de legalidad.

---

[6]   En lo sucesivo CPEUM.

En México, desde la Constitución de Apatzingán (1814) se consignó la libertad de petición, según se lee del artículo 37 de dicho ordenamiento que dispone: "A ningún ciudadano debe coartarse la libertad de reclamar sus derechos ante los funcionarios de la autoridad pública". En el Acta de Reformas de 1847, también se reconoció el derecho de petición, y fue corroborado expresamente por la Constitución de 1857 en su artículo 8, que corresponde al artículo 19 del proyecto respectivo. Los demás ordenamientos constitucionales que rigieron en México, con excepción de la Constitución de Apatzingán y del Acta de Reformas de 1847, no lo consagraron en forma categórica como garantía individual o del gobernado, sino que lo suponían de manera tácita, al haber instruido la garantía de libertad genérica.

Ahora bien, de manera natural y como una de las características que poseemos los seres humanos, gozamos de libertad, así como de inteligencia y voluntad.

En este orden de ideas, la libertad individual, como elemento inseparable de la personalidad humana, se convirtió, pues, en un derecho público cuando el Estado se obligó a respetarla y a reconocerla, tal y como se desprende de la lectura del artículo 8° de la CPEUM.

Ahora bien, dentro de nuestro sistema constitucional el derecho humano o la garantía de libertad se llevó a cabo en relación con cada facultad libertaria específica (derecho de petición, libertad de trabajo, libertad de tránsito, libertad de imprenta, libertad religiosa, libertad de expresión, libertad de reunión y asociación, de posesión y portación de armas, etc.). Este es el método adoptado por nuestra Constitución, la cual no consagra un derecho humano genérico de libertad, como lo hacía la declaración francesa de 1789, sino que consigna varias libertades específicas a título de derechos subjetivos públicos. Una de ellas es precisamente el derecho de petición, consagrada en el artículo 8° de la CPEUM.

En este sentido, tenemos un derecho por parte de los gobernados de dirigirse por escrito de manera respetuosa y pacífica al ente político y sus órganos autoritarios, y por otro lado, las autoridades tendrán la obligación de contestar de manera escrita dicha petición en un término breve.

La existencia de este derecho como garantía individual es la consecuencia de una exigencia de seguridad jurídica y de derecho social en un régimen de estricta legalidad"[7].

En efecto, el gobernado sabe perfectamente que al cumplir con los requisitos que establece el multicitado artículo 8° Constitucional (dirigirse de manera escri-

---

[7]   Kaye, Dionisio J. Derecho Procesal Fiscal, Editorial Themis. 6ª edición. Febrero 2000. Páginas 121-123.

ta, respetuosa y pacífica) va a obtener por parte de la autoridad una contestación por escrito en un breve término.

Esta petición (en materia fiscal) puede adoptar la forma de una consulta, una solicitud de devolución o la interposición de un recurso o una solicitud de autorización. Y aquí la autoridad tendrá una obligación de hacer, consistente en contestar la petición formulada.

Lo anterior no significa que la contestación a la petición formulada necesariamente deba ser favorable al gobernado. En este sentido la Suprema Corte de Justicia de la Nación (en lo sucesivo SCJN), ya se pronunció al respecto y comentó:

> *"Las garantías del artículo 8º Constitucional tienden a asegurar un proveído sobre lo que se pide y no a que se resuelvan las peticiones en determinado sentido"*

Esto es, la autoridad sí estará obligada a contestar la petición que se formule por escrito de manera pacífica y respetuosa, pero no se encuentra obligada a resolver dicha petición en uno u otro sentido.

> *"Claro está que en un régimen de Derecho como el nuestro, toda resolución de cualquier autoridad debe estar pronunciada conforme a la ley y, principalmente, de acuerdo con la Constitución. No obstante lo anterior, en caso de que el acuerdo que recaiga a una instancia sea notoriamente ilegal o no esté fundado en ley, la autoridad que lo dicta NO ESTARÁ VIOLANDO EL ARTÍCULO 8º Constitucional, puesto que éste exige simplemente que exista una resolución y no que deba ser dictada legalmente, teniendo el perjudicado expeditos sus derechos de impugnarla como corresponda"*[8].

Dicho en otras palabras, la autoridad —constitucionalmente hablando— única y exclusivamente se encuentra obligada a contestar las peticiones por escrito y en un breve término, pero no le exige que dicha contestación se ajuste a la ley ordinaria, luego, si la resolución que recae a la petición se estima ilegal, el gobernado tendrá los medios ordinarios de defensa para combatir dicha resolución, por resultar ilegal pero NO INCONSTITUCIONAL, en su caso. Cabe señalar que actualmente no existe posibilidad de impugnar a través de los medios ordinarios de defensa una respuesta recaída a una consulta en materia fiscal, que sea desfavorable para el contribuyente.

Solamente sería inconstitucional, que la autoridad no conteste por escrito en un breve término las consultas planteadas, en este sentido, el gobernado sí podría acudir a un juicio de amparo indirecto para combatir el actuar de la autoridad que vulneraría el derecho humano consagrado en el multicitado artículo 8º de Nuestra Carta Magna.

---

[8]   Ibid, p. 124.

La Corte ha definido el "breve término" como aquél en que racionalmente puede conocerse una petición y acordarse.

Pero consideramos que este plazo varía dependiendo del caso en concreto, ya que habrá unos asuntos que por su dificultad requieran más tiempo que otros.

En este sentido, en nuestra materia, los artículos 37 y 131 del Código Fiscal de la Federación establecen el término de 3 meses para contestar las instancias o peticiones y para resolver el recurso administrativo, respectivamente.

Asimismo, dichas respuestas o resoluciones no solamente deben ser emitidas, sino notificadas al gobernado, ya que ningún caso tendría que efectivamente la autoridad resuelva la petición o recurso pero que no la haga del conocimiento del particular, y por otro lado, la resolución debe ser congruente con lo solicitado, con independencia de que sea legal o no.

Por último y respecto a la limitante que establece el artículo 8° Constitucional en el sentido de que en materia política solo pueden ejercitar el derecho de petición los ciudadanos mexicanos (Art. 34 CPEUM. Hombres y mujeres mexicanos mayores de 18 años y con un modo honesto de vivir), se desprende que la autoridad no estará obligada a contestar las consultas de índole política que formulen los mexicanos no ciudadanos o los extranjeros.

Pero de ahí en fuera e interpretado a *contario sensu*, toda consulta que no verse sobre cuestiones políticas deberá ser resuelta por las autoridades con independencia de que la formulen extranjeros, mexicanos ciudadanos o mexicanos no ciudadanos.

Corrobora todo lo que hasta aquí se ha dicho, la siguiente tesis de jurisprudencia de nuestro poder judicial federal:

> *Época: Novena Época*
> *Registro: 162603*
> *Instancia: Tribunales Colegiados de Circuito*
> *Tipo de Tesis: Jurisprudencia*
> *Fuente: Semanario Judicial de la Federación y su Gaceta*
> *Tomo XXXIII, marzo de 2011*
> *Materia(s): Constitucional*
> *Tesis: XXI.1o.P.A. J/27*
> *Página: 2167*
> **DERECHO DE PETICIÓN. SUS ELEMENTOS.**
> *El denominado "derecho de petición", acorde con los criterios de los tribunales del Poder Judicial de la Federación, es la garantía individual consagrada en el artículo 8o. de la Constitución Política de los Estados Unidos Mexicanos, en función de la cual cualquier gobernado que presente una petición ante una autoridad, tiene derecho a recibir una respuesta. Así, su ejercicio por el particular y la correlativa obligación de la autoridad de producir una respuesta, se caracterizan por los elementos siguientes: A. La petición: debe formularse de manera pacífica y respetuosa, dirigirse a una autoridad y recabarse la constancia de que fue entregada; además de que el peticionario ha de proporcionar el domicilio para recibir la respuesta. B. La respuesta: la autoridad debe emitir un acuerdo*

en breve término, entendiéndose por éste el que racionalmente se requiera para estudiar la petición y acordarla, que tendrá que ser congruente con la petición y la autoridad debe notificar el acuerdo recaído a la petición en forma personal al gobernado en el domicilio que señaló para tales efectos, sin que exista obligación de resolver en determinado sentido, esto es, el ejercicio del derecho de petición no constriñe a la autoridad ante quien se formuló, a que provea de conformidad lo solicitado por el promovente, sino que está en libertad de resolver de conformidad con los ordenamientos que resulten aplicables al caso, y la respuesta o trámite que se dé a la petición debe ser comunicada precisamente por la autoridad ante quien se ejercitó el derecho, y no por otra diversa.

PRIMER TRIBUNAL COLEGIADO EN MATERIAS PENAL Y ADMINISTRATIVA DEL VIGÉSIMO PRIMER CIRCUITO.

Amparo en revisión 225/2005. **********. 2 de junio de 2005. Unanimidad de votos. Ponente: Guillermo Sánchez Birrueta, secretario de tribunal autorizado por el Pleno del Consejo de la Judicatura Federal para desempeñar las funciones de Magistrado. Secretaria: Gloria Avecia Solano.

Amparo directo 229/2005. José Domingo Zamora Arrioja. 2 de febrero de 2006. Unanimidad de votos. Ponente: Jorge Carreón Hurtado. Secretaria: Gloria Avecia Solano.

Amparo en revisión 23/2006. Saúl Castro Hernández. 2 de febrero de 2006. Unanimidad de votos. Ponente: Jorge Carreón Hurtado. Secretaria: Gloria Avecia Solano.

Amparo en revisión 361/2006. Sixto Narciso Gatica Ramírez. 28 de septiembre de 2006. Unanimidad de votos. Ponente: Jorge Carreón Hurtado. Secretaria: Gloria Avecia Solano.

Inconformidad 2/2010. Amanda Flores Aguilar. 11 de agosto de 2010. Unanimidad de votos. Ponente: María Adriana Barrera Barranco. Secretaria: María Trifonía Ortega Zamora.

(TMX 48887)

2.3. CONSULTA

Consultar en materia fiscal es someter una duda sobre la materia, al parecer de la autoridad fiscal, con el propósito de que ésta emita su dictamen.

En efecto, como todos sabemos, la legislación fiscal mexicana no es la más sencilla, máxime que comúnmente año con año se presentan reformas en las diversas leyes tributarias, luego, resulta muy frecuente que los ordenamientos jurídicos puedan dar lugar a diversas interpretaciones o que las distintas autoridades fiscales, apliquen diversos criterios de interpretación sobre dichas normas de carácter fiscal.

Ante esta situación y antes de aplicar una interpretación subjetiva, es necesario y preferible, acudir ante las autoridades fiscales a realizar consultas sobre la interpretación o aplicabilidad de determinada norma fiscal.

En este orden de ideas, antes de entrar de lleno al estudio del artículo 34 del CFF, es importante mencionar los requisitos que deben cubrir los contribuyentes para dirigirse a la autoridad hacendaria. En este sentido, los artículos 18 y 18-A del CFF establecen los requisitos que deben contener las promociones, a saber:

1. Toda promoción dirigida a las autoridades fiscales, deberá presentarse a través del buzón tributario mediante documento digital que contenga firma electró-

nica avanzada; con excepción de los contribuyentes que se dediquen a actividades agrícolas, ganaderas, pesqueras o silvícolas, salvo que una organización (autorizada mediante reglas de carácter general) agrupe a estos contribuyentes para que a nombre de éstos presenten declaraciones, avisos, solicitudes y demás documentos que exijan las disposiciones fiscales.

2. El nombre, la denominación o razón social, y el domicilio fiscal manifestado al registro federal de contribuyentes, para el efecto de fijar la competencia de la autoridad.

3. Señalar la autoridad a la que se dirige y el propósito de la promoción.

4. Señalar correo electrónico para recibir notificaciones.

Cuando no se cumpla los requisitos señalados en los numerales 2 y 3, las autoridades fiscales requerirán al promovente a fin de que en un plazo de 10 días cumpla con el requisito omitido. En caso de no subsanarse la omisión en dicho plazo, la promoción se tendrá por no presentada, así como cuando se omita señalar la dirección de correo electrónico.

Cuando el promovente que cuente con un certificado de firma electrónica avanzada, acompañe documentos distintos a escrituras o poderes notariales, y éstos no sean digitalizados, la promoción deberá presentarla en forma impresa, cumpliendo con los demás requisitos, debiendo incluir su dirección de correo electrónico. Las escrituras o poderes notariales deberán presentarse en forma digitalizada, cuando se acompañen a un documento digital.

En caso de incumplimiento de estos requisitos, se requerirá al promovente para que en 10 días cumpla con el requisito omitido. Si no se subsana la omisión, se tendrá por no presentada, pero si la omisión consiste en no haber usado la forma oficial aprobada, las autoridades deberán especificar en el requerimiento la forma respectiva.

Lo dispuesto en este numeral 18 del CFF no es aplicable a las declaraciones, solicitudes de inscripción o avisos al RFC a que se refiere el artículo 31 del CFF.

En el caso de **consultas y solicitudes de autorización o de régimen**, además de los requisitos del artículo 18 del CFF, se deben cumplir los del diverso precepto 18-A, que son los siguientes:

1. Señalar números telefónicos del contribuyente y el de los autorizados.

2. Señalar nombres, direcciones y el registro federal de contribuyentes o número de identificación fiscal tratándose de residentes en el extranjero, de todas las personas involucradas en la solicitud o consulta planteada.

3. Describir las actividades a las que se dedica el interesado.

4. Indicar el monto de la operación u operaciones objeto de la promoción.

5. Señalar todos los hechos y circunstancias relacionados con la promoción, así como acompañar los documentos e información que soporten tales hechos o circunstancias.

6. Describir las razones de negocio que motivan la operación planteada.

El tema de la descripción de las razones de negocio —que puede ir de la mano con el tema relativo al monto de la operación y de la regla general anti-abuso— es muy importante para plantear una consulta, habida cuenta de que con estos datos, el fisco puede advertir si el único fin de la consulta o estrategia es pagar menos impuestos. De hecho debe existir una razón de negocio que justifique la consulta, de ahí la importancia de no hacer planeaciones fiscales con el único fin de eludir o evadir impuestos.

En este sentido, cabe señalar que existe una gran diferencia entre elusión y evasión fiscal, ya que mediante la primera se busca un menor impacto fiscal implementando una estrategia utilizando los medios que la ley otorga, y la evasión fiscal se traduce en actuar al margen de la ley.

Justo respecto de este tema, profundizamos en el capítulo denominado: Regla General Anti-Abuso, al que remito a su lectura.

7. Indicar si los hechos o circunstancias sobre los que versa la promoción han sido previamente planteados ante la misma autoridad u otra distinta, o han sido materia de medios de defensa ante autoridades administrativas o jurisdiccionales y, en su caso, el sentido de la resolución.

Lo anterior es así, ya que puede suceder que una consulta haya sido planteada y resuelta en contra de los intereses del contribuyente, luego, combatida ante el TFJA y resuelta. Siendo así, para evitar que el asunto se estudie por segunda ocasión y que eventualmente puedan existir contradicciones, se debe manifestar tal circunstancia.

8. Indicar si el contribuyente se encuentra sujeto al ejercicio de las facultades de comprobación por parte del Servicio de Administración Tributaria o por las Entidades Federativas coordinadas en ingresos federales, señalando los periodos y las contribuciones objeto de la revisión. Asimismo, deberá mencionar si se encuentra dentro del plazo para que las autoridades fiscales emitan la resolución a que se refiere el artículo 50 de este Código (6 meses contados a partir del levantameinto del Acta Final o 20 días despúes del levantamiento del Oficio de Observaciones).

De igual forma, si no se cumplen dichos requisitos, se requerirá al contribuyente para que en el plazo de 10 días subsane las omisiones.

Es muy importante cuidar que se cumplan con todos estos requisitos, ya que la ley sí señala el plazo en el que los contribuyentes deben subsanar las omisiones, pero no señala el término que tienen las autoridades para requerir a los contribuyentes.

2.3.1. *Artículo 34 del Código Fiscal de la Federación*

Dicho precepto aparece por primera vez en el CFF de 1938.

Ahora bien, el precepto vigente, dice a la letra:

> **"Artículo 34.** *Las autoridades fiscales solo estarán obligadas a contestar las consultas que sobre situaciones reales y concretas les hagan los interesados individualmente.*
>
> *La autoridad quedará obligada a aplicar los criterios contenidos en la contestación a la consulta de que se trate, siempre que se cumpla con lo siguiente:*
>
> *I. Que la consulta comprenda los antecedentes y circunstancias necesarias para que la autoridad se pueda pronunciar al respecto.*
>
> *II. Que los antecedentes y circunstancias que originen la consulta no se hubieren modificado posteriormente a su presentación ante la autoridad.*
>
> *III. Que la consulta se formule antes de que la autoridad ejerza sus facultades de comprobación respecto de las situaciones reales y concretas a que se refiere la consulta.*
>
> *La autoridad no quedará vinculada por la respuesta otorgada a las consultas realizadas por los contribuyentes cuando los términos de la consulta no coincidan con la realidad de los hechos o datos consultados o se modifique la legislación aplicable.*
>
> *Las respuestas recaídas a las consultas a que se refiere este artículo no serán obligatorias para los particulares, por lo cual éstos podrán impugnar, a través de los medios de defensa establecidos en las disposiciones aplicables, las resoluciones definitivas en las cuales la autoridad aplique los criterios contenidos en dichas respuestas.*
>
> *Las autoridades fiscales deberán contestar las consultas que formulen los particulares en un plazo de tres meses contados a partir de la fecha de presentación de la solicitud respectiva.*
>
> *El Servicio de Administración Tributaria publicará mensualmente un extracto de las principales resoluciones favorables a los contribuyentes a que se refiere este artículo, debiendo cumplir con lo dispuesto por el artículo 69 de este Código."*

La primera crítica que nos parece conveniente realizar en relación al artículo 34 del CFF, consiste en que tal y como se desprende del artículo 8° Constitucional, solamente nos exige que nos dirijamos por escrito, de manera respetuosa y pacífica a la autoridad, pero el precepto constitucional jamás prevé la obligación de formular consultas reales y concretas, luego, estimamos que el citado artículo 34 del CFF deviene en inconstitucional, por exigir requisitos no previstos en el numeral constitucional del que depende.

Efectivamente, la Constitución no nos exige que se presenten consultas sobre situaciones reales y concretas, en este sentido consideramos que si un contribuyente desea realizar una consulta abstracta y general y la autoridad de conformidad con el 34 del CFF no la contesta, podría acudir a un juicio de amparo indirecto demandando la constitucionalidad de dicho precepto, y de esa forma poder obtener una respuesta por parte de la autoridad.

Asimismo, no se debe confiar en las consultas verbales emitidas por funcionarios de la Secretaría de Hacienda y Crédito Público o del Servicio de Administración Tributaria, porque no quedaría constancia de lo anterior, luego, no podrían surtir efectos.

En este sentido, las consultas que se hagan a las autoridades tienen que ser sobre una situación real y concreta que le concierne a un contribuyente, ya sea persona física o moral, en contraposición de una consulta general y abstracta sobre una situación futura, más allá del apunte que hayamos realizado con anterioridad en el sentido de que la Constitución Federal no exige dichos requisitos, ya que por una cuestión práctica, es preferible plantear desde un inicio una consulta que sea real y concreta.

2.3.2. Silencio de la Autoridad

En caso de que la autoridad sea omisa en resolver la consulta planteada, el contribuyente tendrá la siguiente opción:

Promover una demanda de amparo indirecto por violación al artículo 8º de la CPEUM.

Anteriormente (hasta el 31 de diciembre de 2006), se podía presentar una Demanda de Nulidad negativa ficta ante el silencio de la autoridad para resolver una consulta, sin embargo a partir del 1º de enero de 2007 ya no existe esa posibilidad, toda vez que la resolución a esas consultas no vincula a los contribuyentes.

2.3.3. Respuesta favorable y vigencia

Si la autoridad emite una respuesta expresa, debe reunir los requisitos del artículo 16 Constitucional (Garantía de legalidad) requisitos que recoge el artículo 38 del CFF (emitido por autoridad competente, por escrito, fundado y motivado, etc.)

En caso de que la respuesta sea favorable habrá que atender al tipo de respuesta para ver la vigencia de la misma, esto es, *v.gr.* si le definen al contribuyente que determinado producto es un alimento para efectos del Impuesto al Valor Agregado[9], no tendrá que acudir a la autoridad cada año, ya que por su naturaleza tendrá vigencia definitiva.

Lo anterior es así, ya que de conformidad con el artículo 36 Bis del CFF las resoluciones favorables tienen una vigencia de un ejercicio, que surtirán efectos

---

[9]   IVA en lo sucesivo.

en el ejercicio fiscal en el que se otorguen o en el ejercicio inmediato anterior, cuando se hubiera solicitado la resolución, y ésta se otorgue en los 3 meses siguientes al cierre del mismo. Lo dispuesto en el citado numeral (36 Bis del CFF) no será aplicable en tratándose de las autorizaciones para pago en parcialidades, aceptación de garantías del interes fiscal, las que obliga la ley para la deducción en inversiones de activo fijo, y la autorización para ser sociedades integradas o integradoras.

De modo tal que, si no se actualiza alguno de los supuestos de excepción previstos en dicho numeral, el contribuyente tendrá que acudir año con año a la administración competente a que le confirmen el criterio obtenido.

Asimismo, de conformidad con el artículo 35 del CFF, las autoridades fiscales darán a conocer a las diversas dependencias el criterio que deben seguir en cuanto a la aplicación de las disposiciones fiscales sin que nazcan obligaciones, solo derechos para los particulares cuando se publiquen en el Diario Oficial de la Federación. También el numeral 33 del CFF dispone que las autoridades darán a conocer a los particulares los criterios internos para la interpretación y aplicación de las disposiciones fiscales.

Aunque estos criterios sean internos y solo generen derechos para el particular, si las autoridades no los cumplen, los contribuyentes sí pueden demandar la nulidad de una resolución en la que la autoridad no respete esos criterios internos por vulnerar lo dispuesto en el artículo 33 y/o 35 del CFF, porque dichos criterios sí le imponen a la autoridad la obligación de acatarlos, en virtud de que está obligada a acatar la ley.

2.3.4. *Consultas sobre metodología para precios en operaciones con partes relacionadas*

Menciona el numeral citado, que las autoridades fiscales **PODRÁN** resolver las consultas relativas a la metodología utilizada en la determinación de los precios o montos de las contraprestaciones, en operaciones con partes relacionadas (Artículo 179 de la Ley del Impuesto sobre la Renta).

Se debe presentar la información, datos y documentos necesarios para la emisión de la resolución correspondiente.

Dichas resoluciones tendrán una vigencia de 5 años, surtiendo sus efectos en el ejercicio inmediato anterior al en que se soliciten, en el que se soliciten y en los 3 siguientes.

La vigencia podrá ser mayor cuando deriven de un procedimiento amistoso, en los términos de un Tratado Internacional de que México sea parte.

Para determinar si un precio cumple con los requisitos de ley, se puede solicitar un APA (*Advanced Price Agreement*) esto es, un acuerdo anticipado de precios, para determinar el precio comparable. Hay APA's bilaterales y unilaterales.

Realmente, el tema de determinar el precio comparable es sumamente complicado, ya que en la determinación de dicho precio se involucran economistas, administradores, actuarios, mercadólogos, etc., siendo una cuestión bastante compleja.

El plazo que tiene la autoridad para responder, será de 8 meses, según lo dispone el segundo párrafo del artículo 37 del CFF, y cabe mencionar que en algunos casos este plazo resulta insuficiente.

CRÍTICAS AL ARTÍCULO 34-A DEL CFF:

En primer término, dicho precepto no debió utilizar el término "podrán", sino "deberán", ya que si fuera una facultad discrecional de la autoridad resolver las consultas planteadas, se vulneraría el artículo 8° Constitucional.

No es óbice de lo anterior, el hecho de que en ocasiones se ha interpretado el término "podrán" como facultad reglada y no discrecional. En este orden de ideas, resulta preferible que el precepto sea expreso en indicar que la facultad debe ser reglada y no discrecional. Se debería utilizar mejor la expresión "deberán".

Por otro lado, el numeral criticado resulta de dudosa constitucionalidad porque no dan a conocer los datos que los terceros le proporcionan a la autoridad, luego, el contribuyente no se puede defender, violando así la garantía de audiencia.

Resulta importante recordar de nueva cuenta, que a partir del 1° de enero de 2007 fue reformado el artículo 34 del CFF, y desde ese ejercicio cuando las respuestas recaídas a dichas consultas son desfavorables a los intereses de los contribuyentes, ya no podrán impugnarse a través de los medios ordinarios de defensa. En este orden de ideas, lo que podrá combatirse serán las resoluciones definitivas independientes que dicten las autoridades cuando apliquen los criterios contenidos en dichas respuestas, *v.gr.* Cuando la autoridad fiscal determine un crédito fiscal derivado de una visita domiciliaria, en la que apliquen el criterio que dio lugar a la consulta planteada.

2.4. DEVOLUCIÓN

El fundamento legal lo encontramos en el artículo 22 del Código Fiscal de la Federación.

Antes de entrar de lleno al estudio de dicho numeral, resulta conveniente hacer algunas precisiones y consideraciones, a saber:

Es muy común que los contribuyentes al momento de pagar sus contribuciones se encuentren con que han realizado un pago de lo indebido o tengan un saldo a favor, por la complejidad en el cálculo de las contribuciones previstas en las leyes fiscales, o porque los pagos provisionales fueron mayores al pago definitivo anual (*v.gr.* Impuesto Sobre la Renta). En estos casos, los sujetos pasivos del tributo podrán solicitar la devolución de las contribuciones pagadas de manera indebida junto con sus accesorios.

En este sentido, resulta oportuno distinguir entre los conceptos anteriormente mencionados:

– **Pago de lo Indebido**: Se refiere a todas aquellas cantidades que el contribuyente enteró en exceso, es decir, montos que el particular no adeudaba a la autoridad fiscal pero que se dieron por haber pagado una cantidad mayor a la que le impone la ley de la materia.

– **Saldo a favor**: Por su parte, esta figura no deriva de un error de cálculo, aritmético o de apreciación de los elementos que constituyen la obligación tributaria a cargo del contribuyente, sino que éste resulta de la aplicación de la mecánica establecida en la ley de la materia de que se trate.

Ahora bien, independientemente de que la ley distinga entre saldos a favor y pagos de lo indebido, consideramos que todos son pagos de lo indebido, ya que el saldo a favor se genera precisamente porque se hizo un pago de lo indebido, sea cual fuere el caso.

En este sentido, es común que las autoridades nieguen las devoluciones, no obstante que los contribuyentes tengan derecho a las mismas.

Resulta lamentable que muchos contribuyentes no conocen los medios de defensa que tienen a su alcance para combatir una negativa de devolución o que conociéndolos no tienen los medios para defenderse, o bien, optan por no solicitar la devolución por no querer tener un litigio con el fisco, luego, resulta ser que existen casos en que dichas negativas son consentidas. Lo ideal para combatir esta práctica del fisco, es impugnar de manera debida dichas resoluciones que causan un agravio en materia fiscal.

Aunque el CFF mencione que las devoluciones pueden hacerse de oficio, se recomienda que las mismas se realicen a petición de parte, en caso de que el fisco no devuelva de manera voluntaria.

Cabe señalar, que en tratándose de saldos a favor que no sean de una cuantía importante que sean generadas por personas físicas en sus declaraciones anuales, la autoridad hacendaria normalmente devuelve en tiempo y de oficio.

Anteriormente, el artículo 22 establecía la obligación a cargo de los contribuyentes de garantizar el monto que tenían derecho a que se les devolviera, resultando a todas luces inconstitucional por desproporcional, pero cabe señalar que afortunadamente dicha obligación ya desapareció.

Por último, el pago bajo protesta como tal, ya no está regulado en el CFF, pero en ocasiones el contribuyente para evitar la contingencia de la causación de recargos y la actualización de las contribuciones debidas, derivadas de la determinación de un crédito fiscal, opta por pagarlo, pero con la impugnación a través de los medios ordinarios de defensa se entiende hecho el pago bajo protesta y de ninguna forma se puede entender como consentido el acto, ya que el único caso en que se entiende consentido el acto de autoridad, es cuando no se interponen en tiempo los medios de defensa. Si se gana el juicio, el pago se convertirá en indebido y el contribuyente tendrá derecho a la devolución. En este sentido, se recomienda hacer valer el derecho a la devolución, desde el momento en que se interpone el primer medio ordinario de defensa.

Ahora bien, el artículo 22 del CFF, dispone que las autoridades están obligadas a devolver las cantidades pagadas indebidamente, los saldos a favor y las que procedan de conformidad con las leyes fiscales.

2.4.1. Contribuciones Retenidas

Las contribuciones retenidas se devolverán a los contribuyentes a quienes se hubiera retenido la contribución de que se trata, *v. gr.* En el caso de los trabajadores que pagan el impuesto sobre la renta vía retención que efectúa el patrón, en dicho supuesto los que tienen derecho a la devolución son los trabajadores y no así, el patrón.

2.4.2. Impuestos Indirectos

En tratándose de contribuciones indirectas (*v. gr.* IVA e IEPS) la devolución se hace a quien paga el impuesto trasladado a quien lo causó, siempre que no lo hayan acreditado. Por lo tanto el contribuyente, esto es, quien trasladó el impuesto en forma expresa y por separada o incluido en el precio, no tiene derecho a la devolución. Esto se traduce, en que el que absorbió la carga (económica) tributaria, es quien tiene derecho a solicitar la devolución, es decir, el consumidor final, siempre que el causante no lo haya acreditado.

Tratándose de impuestos indirectos en la importación, procede la devolución al contribuyente, siempre y cuando la cantidad pagada no se hubiere acreditado.

Lo anterior, se aplicará sin perjuicio del acreditamiento de los impuestos indirectos a que tengan derecho los contribuyentes, de conformidad con lo dispuesto en las leyes que los establezcan.

El procedimiento para tener derecho a una devolución de IVA, es el siguiente:

Impuesto a cargo del contribuyente.

Menos: Impuesto trasladado al contribuyente.

Impuesto pagado en importación de bienes o servicios.

Igual: Diferencia a cargo.

Menos: Retenciones efectuadas al contribuyente.

Igual: Impuesto a pagar o saldo a favor.

2.4.3. Contribuciones calculadas por ejercicios

Menciona el artículo 22 del CFF, que solo se puede solicitar la devolución del saldo a favor cuando se haya presentado la declaración del ejercicio, siempre que se trate de contribuciones que se calculan por ejercicios, *v.gr.* Impuesto Sobre la Renta.

Estimamos que lo anterior no está regulado de manera correcta, en virtud de que no se menciona nada al respecto de las contribuciones que se causan y enteran mensualmente, *v.gr.* IVA.

Excepción a la regla: Salvo que se trate del cumplimiento de una resolución o sentencia firmes, de autoridad competente, en cuyo caso, puede solicitarse la devolución independientemente de la presentación de la declaración. *v.gr.* Una sentencia firme que decrete la devolución de un impuesto, ya sea por el TFJA o por un Tribunal Colegiado de Circuito, o bien, una resolución dictada en cumplimiento de una sentencia que ordene la devolución de una contribución.

2.4.4. Pago de lo indebido por cumplimiento de acto de autoridad

En este caso, el derecho a la devolución nace cuando *el acto se anule. v.gr.* Una liquidación emitida por la autoridad hacendaria, y el contribuyente en lugar de garantizar, opta por pagar las contribuciones supuestamente omitidas, posteriormente el TFJA anula dicha resolución. En este supuesto, cuando la sentencia causa ejecutoria, nace el derecho para el contribuyente de solicitar la devolución.

Aquí la crítica viene a propósito de que el artículo 22 del CFF limita el derecho del contribuyente a obtener la devolución cuando el acto se ANULE, ya que solo el TFJA puede anular los actos, y el contribuyente puede optar por interponer Recurso de Revocación o Juicio de Nulidad, y en caso de que opte por el primer medio de defensa, nunca podrá obtener una resolución que anule el acto, sino en todo caso una que revoque el acto, luego, debió utilizar el artículo en cuestión el término: "insubsistente", en lugar de utilizar la palabra "anule". Esto es, nos parece que debió decir: "Cuando dicho acto queda insubsistente", tal y como lo decía anteriormente.

Si estamos en presencia de diferencias por errores aritméticos, la autoridad requerirá al contribuyente para que mediante escrito y en un plazo de 10 días, aclare dichos datos, apercibiéndole que de no hacerlo, se le tendrá por desisido de la solicitud. Dicho requerimiento suspende el plazo de 40 días para efectuar la devolución.

2.4.5. *Plazo para efectuar la devolución*

El término es de 40 días siguientes a la fecha en que se presentó la solicitud de devolución ante la autoridad fiscal competente con todos los datos, incluyendo la CLABE bancaria de 18 dígitos en los casos en que se pueda hacer la transferencia bancaria, el nombre de la Institución Financiera, así como los demás informes y documentos que señale el Reglamento.

2.4.6. *Requerimiento por parte de las autoridades*

Continúa diciendo el artículo 22 del CFF, lo siguiente:

> *"… Las autoridades fiscales, para verificar la procedencia de la devolución, podrán requerir al contribuyente, en un plazo no mayor de veinte días posteriores a la presentación de la solicitud de devolución, los datos, informes o documentos adicionales que considere necesarios y que estén relacionados con la misma. Para tal efecto, las autoridades fiscales requerirán al promovente a fin de que en un plazo máximo de veinte días cumpla con lo solicitado, apercibido que de no hacerlo dentro de dicho plazo, se le tendrá por desistido de la solicitud de devolución correspondiente. Las autoridades fiscales solo podrán efectuar un nuevo requerimiento, dentro de los diez días siguientes a la fecha en la que se haya cumplido el primer requerimiento, cuando se refiera a datos, informes o documentos que hayan sido aportados por el contribuyente al atender dicho requerimiento. Para el cumplimiento del segundo requerimiento, el contribuyente contará con un plazo de diez días y le será aplicable el apercibimiento a que se refiere este párrafo. Cuando la autoridad requiera al contribuyente los datos, informes o documentos, antes señalados, el período transcurrido entre la fecha en que se hubiera notificado el requerimiento de los mismos y la fecha en que éstos sean proporcionados en su totalidad por el contribuyente, no se computará en la determinación de los plazos para la devolución antes mencionados."*

El periodo transcurrido entre la fecha en que se notificó el requerimiento y la fecha en el que se desahoga, no se computa para el cómputo del plazo para la devolución.

De lo anterior se desprende que el término se suspende y no se interrumpe. *v.gr.* van 10 días de los 40, requieren al contribuyente y lo desahoga 10 días después, luego, quedarán solamente 30 días para que la autoridad devuelva.

2.4.7. *Cantidad menor a la solicitada*

Una vez revisada la documentación, la autoridad puede devolver una cantidad menor a la solicitada. Se entiende negada la cantidad que no se devuelva, debiendo fundar y motivar lo anterior, y evidentemente esta resolución será susceptible de impugnarse a través de los medios ordinarios de defensa, salvo que se trate de errores aritméticos o de forma.

2.4.8. *Devolución Negada*

En ocasiones, la autoridad tiene al contribuyente como desistido de una devolución, sin que este lo haya realizado. Ante tal circunstancia, se puede interponer un medio de defensa, entendiendo este "desistimiento" como una negativa a la devolución. Parece que la autoridad lleva a cabo dicha estratiega, teniendo como desistido al contribuyente, para omitir el pago de los intereses que se generan por el impago de esa devolución.

2.4.9. *Se tiene por no presentada*

A partir del 1º de enero de 2021, se adicionó un párrafo al artículo 22 del CFF, que dispone a la letra:

> *"Se tendrá por no presentada la solicitud de devolución, en aquellos casos en los que el contribuyente, o bien, el domicilio manifestado por éste, se encuentren como no localizados ante el Registro Federal de Contribuyentes. Cuando se tenga por no presentada la solicitud, la misma no se considerará como gestión de cobro que interrumpa la prescripción de la obligación de devolver."*

Esto es, en el supuesto de que el contribuyente o el domicilio fiscal manifestado se encuentren como no localizados, la solicitud se tendrá como no presentada y no interrumpirá el plazo de cinco años de prescripción para solicitar la devolución.

Nos parece correcta esta adición, ya que es muy grave la no localización de un contribuyente, que incluso, actualiza uno de los supuestos de responsabilidad solidaria para los accionistas, gerentes, directores generales o administradores únicos, prevista en el artículo 26 del CFF.

2.4.10. *No inician facultades de comprobación*

El hecho de que las autoridades requieran datos, informes o documentos con motivo de una solicitud de devolución no significa que estén iniciando el ejercicio de sus facultades de comprobación (en estricto sentido, y que tenga como propósito la determinación de un crédito fiscal), ya que dichas facultades solo se realizan para verificar la procedencia de la devolución.

De igual forma, el citado artículo 22 del CFF en su noveno párrafo dispone lo siguiente:

> *"Cuando con motivo de la solicitud de devolución la autoridad inicie facultades de comprobación con el objeto de comprobar la procedencia de la misma, los plazos a que hace referencia el párrafo sexto del presente artículo se suspenderán hasta que se emita la resolución en la que se resuelva la procedencia o no de la solicitud de devolución. El citado ejercicio de las facultades de comprobación, se sujetará al procedimiento establecido en el artículo 22-D de este Código"*

Por su parte, el artículo 22-D del CFF, dispone lo siguiente:

> *Artículo 22-D. Las facultades de comprobación, para verificar la procedencia de la devolución a que se refiere el noveno párrafo del artículo 22 de este Código, se realizarán mediante el ejercicio de las facultades establecidas en las fracciones II ó III del artículo 42 de este Código. La autoridad fiscal podrá ejercer las facultades de comprobación a que se refiere este precepto por cada solicitud de devolución presentada por el contribuyente, aun cuando se encuentre referida a las mismas contribuciones, aprovechamientos y periodos, conforme a lo siguiente:*
>
> *I. El ejercicio de las facultades de comprobación deberá concluir en un plazo máximo de noventa días contados a partir de que se notifique a los contribuyentes el inicio de dichas facultades. En el caso en el que la autoridad, para verificar la procedencia de la devolución, deba requerir información a terceros relacionados con el contribuyente, así como en el de los contribuyentes a que se refiere el apartado B del artículo 46-A de este Código, el plazo para concluir el ejercicio de facultades de comprobación será de ciento ochenta días contados a partir de la fecha en la que se notifique a los contribuyentes el inicio de dichas facultades. Estos plazos se suspenderán en los mismos supuestos establecidos en el artículo 46-A de este Código.*
>
> *II. La facultad de comprobación a que se refiere este precepto se ejercerá únicamente para verificar la procedencia del saldo a favor solicitado o pago de lo indebido, sin que la autoridad pueda determinar un crédito fiscal exigible a cargo de los contribuyentes con base en el ejercicio de la facultad a que se refiere esta fracción.*
>
> *III. En el caso de que la autoridad solicite información a terceros relacionados con el contribuyente sujeto a revisión, deberá hacerlo del conocimiento de este último.*
>
> *IV. Si existen varias solicitudes del mismo contribuyente respecto de una misma contribución, la autoridad fiscal podrá ejercer facultades por cada una o la totalidad de solicitudes y podrá emitir una sola resolución.*
>
> *V. En caso de que las autoridades fiscales no concluyan el ejercicio de las facultades de comprobación a que se refiere el presente artículo en los plazos establecidos en la fracción I, quedarán sin efecto las actuaciones que se hayan practicado, debiendo pronunciarse sobre la solicitud de devolución con la documentación que cuente.*
>
> *VI. Al término del plazo para el ejercicio de facultades de comprobación iniciadas a los contribuyentes, la autoridad deberá emitir la resolución que corresponda y deberá notificarlo al contribuyente dentro de un plazo no mayor a veinte días hábiles siguientes. En caso de ser favorable la autoridad efectuará la devolución correspondiente dentro de los diez días siguientes a aquel en el que se notifique la resolución respectiva. En el caso de que la devolución se efectúe fuera del plazo mencionado se pagarán los intereses que se calcularán conforme a lo dispuesto en el artículo 22-A de este Código.*

Lo anterior, permite a la autoridad ampliar arbitrariamente los plazos para devolver al contribuyente las cantidades pagadas de manera indebida. Además encontramos una facultad especial (diferente de las señaladas en el numeral 42 del CFF) de la autoridad, ya que ahora tendrá además, 90 días para verificar la procedencia de una devolución, que podrá duplicarse en caso de que se requiera información a terceros o se actualicen los supuestos del apartado B del artículo 46-A del CFF.

Por su parte, el décimo primer párrafo del mencionado artículo 22 dispone lo siguiente:

"Si concluida la revisión efectuada en el ejercicio de facultades de comprobación para verificar la procedencia de la devolución, se autoriza ésta, la autoridad efectuará la devolución correspondiente dentro de los 10 días siguientes a aquél en el que se notifique la resolución respectiva. Cuando la devolución se efectúe fuera del plazo mencionado se pagarán intereses que se calcularán conforme a lo dispuesto en el artículo 22-A de este Código."

Lo anterior, significa que la autoridad no tendrá que pagar intereses a los contribuyentes por el tiempo transcurrido durante el ejercicio de su facultad especial, cuestión que nos parece totalmente injusta deviniendo en inconstitucional. Ya que es totalmente discrecional el ejercicio de esta facultad y el contribuyente va a quedar en un estado de indefensión, de cara al cobro de estos intereses.

Sigue diciendo el citado precepto en sus párrafos décimo tercero y décimo cuarto:

"Cuando en el acto administrativo que autorice la devolución se determinen correctamente la actualización y los intereses que en su caso procedan, calculados a la fecha en la que se emita dicho acto sobre la cantidad que legalmente proceda, se entenderá que dicha devolución está debidamente efectuada siempre que entre la fecha de emisión de la autorización y la fecha en la que la devolución esté a disposición del contribuyente no haya trascurrido más de un mes. En el supuesto de que durante el mes citado se dé a conocer un nuevo índice nacional de precios al consumidor, el contribuyente tendrá derecho a solicitar la devolución de la actualización correspondiente que se determinará aplicando a la cantidad total cuya devolución se autorizó, el factor que se obtenga conforme a lo previsto en el artículo 17-A de este Código, restando la unidad a dicho factor. El factor se calculará considerando el periodo comprendido desde el mes en que se emitió la autorización y el mes en que se puso a disposición del contribuyente la devolución.

El monto de la devolución de la actualización a que se refiere el párrafo anterior, deberá ponerse, en su caso, a disposición del contribuyente dentro de un plazo de cuarenta días siguientes a la fecha en la que se presente la solicitud de devolución correspondiente; cuando la entrega se efectúe fuera del plazo mencionado, las autoridades fiscales pagarán intereses que se calcularán conforme a lo dispuesto en el artículo 22-A de este Código. Dichos intereses se calcularán sobre el monto de la devolución actualizado por el periodo comprendido entre el mes en que se puso a disposición del contribuyente la devolución correspondiente y el mes en que se ponga a disposición del contribuyente la devolución de la actualización."

En términos de lo dispuesto en la transcripción anterior, se entenderá que la devolución está debidamente realizada si no transcurre más de un mes entre la autorización de la misma y la fecha en que esté a disposición del contribuyente.

De igual forma, en el párrafo décimo quinto, dispone lo siguiente:

> *"Cuando las autoridades fiscales procedan a la devolución sin ejercer las facultades de comprobación a que se hace referencia en el párrafo noveno del presente artículo, la orden de devolución* **no implicará resolución favorable al contribuyente**, *quedando a salvo las facultades de comprobación de la autoridad. Si la devolución se hubiera efectuado y no procediera, se causarán recargos en los términos del artículo 21 de este Código, sobre las cantidades actualizadas, tanto por las devueltas indebidamente como por las de los posibles intereses pagados por las autoridades fiscales, a partir de la fecha de la devolución."*

De la transcripción anterior, se desprende lo siguiente:

2.4.11. *No constituye resolución favorable*

La orden de devolver cantidades derivadas de la presentación de **declaraciones con saldo a favor no constituye una resolución favorable, según lo dispone la primera parte del párrafo transcrito, cuestión que se estima peligrosa.**

Esto implica que para revocar una devolución, la autoridad no necesitará acudir al TFJA a través del juicio de lesividad para dejar sin efectos dicha devolución. Esta es la interpretación legal del artículo en comento, sin embargo, consideramos que tiene sus tintes de inconstitucionalidad, ya que se transgrede la garantía de seguridad jurídica, en virtud de que resulta a todas luces lógico, que la orden de devolver cantidades a los contribuyentes, aunque provengan de la presentación de una declaración que contenga un saldo a favor, resulta una resolución favorable, y que si la autoridad pretende dejarla sin efectos, no lo puede hacer de *motu proprio*, sino que tendría que acudir al TFJA para intentar revocar dicha orden de devolución. Solo bastará que el fisco lo revise, para revocar la devolución y en consecuencia, cobrarle al contribuyente actualización, recargos y multas, obteniendo un mayor beneficio que si se la hubiese negado, siendo totalmente inconstitucional.

2.4.12. *Actualización de la Devolución*

Procede desde el mes en que se realizó el pago de lo indebido o se presentó la declaración que contenga el saldo a favor y hasta aquél en el que la devolución esté a disposición del contribuyente.

Por último, es preciso mencionar que la obligación de devolver a cargo del fisco, prescribe en 5 años, de la misma forma en que prescribe el crédito fiscal.

La devolución puede hacerse de oficio (con la sola presentación de la declaración) o a petición del interesado. Para estos efectos, la solicitud de devolución que presente el particular, se considera como gestión de cobro que interrumpe la prescripción, excepto cuando el particular se desista de la solicitud.

Los requerimientos a que hace referencia el arículo 22 del CFF, se formularán en documento digital, que se notificará al contribuyente vía buzón tributario, y deberá atenderse por este mismo medio.

2.4.13. *Artículo 22-A. Intereses a cargo del Fisco por devoluciones extemporáneas*

Se causan a partir del vencimiento del plazo que tienen las autoridades para devolver, conforme a una tasa igual a la de los recargos por mora, que se aplica sobre la devolución actualizada.

La primera crítica que encontramos en esta disposición, es la siguiente: ¿Porqué los intereses se cuentan a partir del plazo que tenía la autoridad para devolver y no a partir de que se hizo el pago de lo indebido?

Lo estimamos injusto, toda vez que la autoridad tuvo el dinero desde que se efectuó el pago de lo indebido.

Ahora bien, por otro lado, en caso de que la solicitud sea negada, se combata y se gane el juicio, los intereses se cuentan:

a) Tratándose de saldos a favor o cuando el pago de lo indebido se determinó por el contribuyente, a partir de que se negó la autorización o venció el plazo de 40 días, lo que ocurra primero.

Crítica: La misma que se hizo en el párrafo anterior.

b) Cuando el pago de lo indebido se hubiese determinado por la autoridad, se contarán a partir de que se pagó dicho crédito. *v.gr.* El pago bajo protesta, esto es, paga el contribuyente pero combate dicho entero a través de los medios de defensa.

Esta disposición nos parece correcta.

Pero, si no se presentó solicitud de devolución de pago de lo indebido y la devolución deriva de una resolución favorable en un recurso o en un juicio, los intereses se calculan a partir de la interposición del recurso o juicio, por lo que se refiere a los pagos presentados con anterioridad a la interposición de los medios de defensa. Por los pagos posteriores, a partir de que se efectuó el pago.

Crítica: ¿Porqué los pagos realizados con anterioridad, solo causarán intereses a partir de que se interpuso el medio de defensa y no partir de que se realizó el pago?

Ejemplo: Si a un contribuyente le determinan un crédito fiscal e interpone Recurso de Revocación; como no tiene obligación de garantizar hasta en tanto se resuelva el recurso, puede pagar después de la interposición del medio de defensa, luego, el cálculo de los intereses se computa a partir de que pagó y no a partir de que se interpuso el Recurso de Revocación; y por los pagos anteriores a la interposición del medio de defensa, se cuentan a partir de la interposición de los mismos.

O bien, en tratándose de un amparo contra leyes, el contribuyente continuará pagando el impuesto que estima inconstitucional en el transcurso del juicio, y en este caso los intereses se calculan cuando efectuó el pago y no cuando interpuso el medio de defensa. (Esto sí nos parece acorde).

El fisco debe pagar los intereses junto con la contribución actualizada. Si no pagan los intereses o se pagan en cantidad menor, se entenderá negado el derecho a la devolución de los mismos.

Los intereses no pueden exceder de los que se causen en los últimos 5 años.

La devolución se aplica primero a intereses y luego a las cantidades pagadas indebidamente.

2.4.14. Efectos económicos a favor del contribuyente

En este sentido, es importante mencionar que conviene impugnar todas aquéllas resoluciones que nieguen la devolución de contribuciones a las que se tiene derecho, ya que una vez ganado el juicio, el fisco deberá devolver la contribución pagada indebidamente más la actualización e intereses correspondientes, que con el paso del tiempo puede llegar a ser una cantidad importante.

Lo anterior es así, en virtud de que lo que devuelva en primer término el fisco se aplica a accesorios y posteriormente al principal. Lo mismo sucede si se devuelven las cantidades, pero de manera parcial o incompleta.

Obviamente, la autoridad fiscal como un elemento de su política económica, siempre buscará conservar las cantidades que los contribuyentes pagaron de manera indebida para financiarse e incluso invertir dichas cantidades en instrumentos de deuda interna (*v.gr.* CETES) o de deuda externa para obtener beneficios económicos y de esa manera lograr que el gasto público se cubra con recursos fiscales y no tener que acudir al crédito, pero a costa de invertir dinero que en estricto sentido no debería percibir.

2.5. DECLARATORIA DE PRESCRIPCIÓN

En principio la figura jurídica de la prescripción se puede oponer como excepción en los recursos administrativos o juicios, o bien, se puede solicitar a la autoridad la declaratoria de prescripción, vía acción.

Este tema nos atañe en el presente apartado, toda vez que los contribuyentes pueden acudir ante las autoridades administrativas a solicitar que se declare la prescripción de un crédito fiscal, sin embargo, se recomienda hacerlo valer como excepción, en lugar de advertirle al fisco que un crédito fiscal ya prescribió. Se puede presentar en cualquier tiempo siempre que hayan transcurrido los 5 años para que opere.

La resolución a la instancia de declaratoria de prescripción deberá resolverse en el término de 3 meses, de otra forma se considerará una resolución ficta de manera contraria a los intereses del contribuyente, que será susceptible de impugnación. Lo mismo sucede si se resuelve en contra de manera expresa.

Podemos decir que el estudio, tanto de la prescripción como el de la caducidad, no son sencillos y hay que ser bastante finos para entender las diferencias entre ambas figuras y advertir cuando se presenta una u otra.

En palabras del otrora ministro Mariano Azuela: "*dichas figuras no deberían presentarse, ya que una (la prescripción) implica la dolencia del causante en cumplir con las obligaciones tributarias o de cubrir los créditos fiscales establecidos a su cargo, o bien (la caducidad) representa la indiferencia de las autoridades, en hacer uso de sus facultades, lo que a su vez puede originarse en diversas formas de corrupción o en inadecuada administració*n."[10]

2.5.1. Concepto

> "**PRESCRIPCIÓN**.- es el medio de adquirir bienes o librarse de obligaciones mediante el transcurso de cierto tiempo y bajo las condiciones establecidas en la ley (Art. 1135 Código Civil para el Distrito Federal). A la adquisición de bienes en virtud de la posesión, se llama prescripción positiva; la liberación de obligaciones por no exigirse su cumplimiento se llama prescripción negativa."[11]

La que resulta objeto de nuestro estudio es la segunda de ellas, esto es, la prescripción negativa, que consiste en la extinción de una obligación tributaria por el transcurso de 5 años, según lo dispone el artículo 146 del CFF.

Prescribe el crédito fiscal y la prescripción se puede llegar a interrumpir o a suspender.

Implica necesariamente la extinción de un **crédito fiscal**, este último concepto se define como la obligación fiscal de determinar en cantidad líquida el impuesto a pagar.

---

[10]   Ibid, p. 185.
[11]   Ibid, p. 186.

Presupone la existencia de una cantidad líquida exigible y notificada al contribuyente. O bien, que se encuentre determinada por el fisco, combatida por el contribuyente, que este último pierda el juicio en todas sus instancias y una vez que causa ejecutoria la sentencia en contra del contribuyente, el fisco no lleve a cabo el Procedimiento Administrativo de Ejecución dentro del término de 5 años.

Se requiere que a partir del día 31 que le notificaron a un contribuyente la resolución combatible, transcurran 5 años sin que medie requerimiento de pago o exista un reconocimiento expreso por parte del deudor.

La prescripción surge como una figura jurídica que crea seguridad y certeza al contribuyente o al fisco (en devoluciones) para que tanto las obligaciones del contribuyente y las del fisco, no sean indefinidas.

La prescripción es una de las formas en que se puede extinguir la obligación tributaria, así como también existe el pago, la condonación, la cancelación, la compensación, el acreditamiento, etc.

Esta es una de las diferencias con la caducidad, ya que la caducidad no es una forma de extinguir la obligación tributaria.

2.5.2. Inicio de la Prescripción

A partir de la fecha en la que el pago pudo ser legalmente exigido.

Si lo determina la autoridad, al día 31 siguiente al de la notificación de la resolución determinante.

Algunos autores mencionan que no importa que la autoridad no conozca el crédito fiscal para que corra el término de la prescripción, cuestión con la que no estamos de acuerdo, porque es *conditio sine quanon* para que opere la prescripción, que exista un crédito fiscal y que lo conozca tanto la autoridad como el contribuyente, para que comience a correr el término. Ejemplo: Solicitud de pago en parcialidades.

Un contribuyente no puede autodeterminarse sin hacerlo del conocimiento del fisco, ya que eso no sería una autodeterminación, sino simplemente un cálculo interno. Ya que si no se autodetermina correctamente, empieza a correr la caducidad y no la prescripción, habida cuenta que todavía no hay un crédito fiscal determinado y exigible.

2.5.3. Plazo para que opere

El plazo es de 5 años, y el crédito fiscal puede consistir en impuestos, derechos, productos y aprovechamientos (multas). Incluye el crédito principal y sus accesorios (actualización, recargos, gastos de ejecución).

2.5.4. *Interrupción y Suspensión*

A) El plazo de 5 años para que opere, se **interrumpirá** en los siguientes casos:

1) Con cada gestión de cobro del acreedor, notificada o hecha saber al deudor; entendiéndose por gestión de cobro: cualquier actuación de la autoridad dentro del Procedimiento Administrativo de Ejecución[12].

2) Por el reconocimiento expreso o tácito del deudor respecto de la existencia del crédito. Si el contribuyente paga una vez que ya transcurrieron los 5 años, el pago es bueno. En ocasiones la autoridad y algunos tribunales han interpretado que al realizar el pago, el contribuyente renuncia a la prescripción y que ya no la puede hacer valer, aunque desde nuestro punto de vista la prescripción ya se configuró y no se interrumpiría aunque el pago sí sería bueno e imposible de obtener su devolución.

B) Asimismo, el plazo de prescripción se **suspenderá** en los siguientes casos:

1) Cuando se suspenda el PAE en los términos del artículo 144 CFF, esto es, cuando le requieren de pago al contribuyente a través del PAE, pero se garantiza el interés fiscal, esto ocasionará que se suspenda el PAE, consecuentemente el término de la prescripción igualmente se suspenderá.

2) Cuando el contribuyente hubiera desocupado su domicilio fiscal sin haber presentado el aviso de cambio correspondiente, y

3) Cuando hubiera señalado de manera incorrecta su domicilio fiscal.

En este orden de ideas, es importante precisar que la interrupción ocasiona que el plazo se inicie de nueva cuenta, es decir, se inicie desde cero, mientras que la suspensión implica una pausa en el plazo, mismo que reanudará al finalizar la causal de suspensión.

Resulta preciso comentar que el plazo para que se configure la prescripción, en ningún caso podrá exceder de 10 años contados a partir de que el crédito fiscal pudo ser legalmente exigido, incluyendo cuando dicho plazo se hubiese interrumpido. En este plazo, no se contarán los periodos de suspensión, esto es, cuando estemos en presencia de esta figura (suspensión), puede presentarse el supuesto de que a pesar del transcurso de los 10 años o más, no se configure la prescripción.

En el X artículo transitorio de 2014, se le otorga —de manera indebida— un plazo adicional de dos años al fisco, para exigir el pago de créditos exigibles con anterioridad al 2015.

---

12   PAE en lo sucesivo.

Dicho artículo es del tenor siguiente:

> El plazo para el cómputo de la prescripción a que se refiere el párrafo quinto del artículo 146 del Código Fiscal de la Federación, será aplicable para los créditos fiscales que hayan sido exigidos a partir del 1 de enero de 2005.
>
> Tratándose de los créditos fiscales exigibles con anterioridad al 1 de enero de 2005, el Servicio de Administración Tributaria tendrá un plazo máximo de dos años para hacer efectivo el cobro de dichos créditos contados a partir de la entrada en vigor del presente Decreto, siempre que se trate de créditos que no se encuentren controvertidos en dicho periodo; de controvertirse, el plazo máximo de dos años será suspendido.
>
> La aplicación de la presente fracción no configurará responsabilidad administrativa para servidores públicos encargados de la ejecución y cobro de créditos fiscales, siempre y cuando realicen las gestiones de cobro correspondientes.

2.6. DECLARATORIA DE CADUCIDAD

También la caducidad se puede hacer valer vía excepción o acción.

Sin embargo, el mismo comentario en relación a la prescripción merece este tema, ya que resulta mejor hacerlo valer como excepción que solicitar la declaratoria de caducidad. Esto es, si exige la autoridad el pago de créditos en los que ha operado la caducidad, el particular puede interponer Recurso de Revocación o Juicio Contencioso Administrativo Federal.

En el presente, no abordaremos el tema de la caducidad de la instancia para efectos procesales; sino la caducidad de las facultades de la autoridad hacendaria.

2.6.1. Concepto

CADUCIDAD.- Deriva del término latino "*cado*" que significa caer, terminar, extinguir, perder fuerza o vigor. La caducidad es la cesación de efectos por no hacer valer un derecho durante el tiempo que señala la ley; es pues, un medio de extinción de derechos por efecto de su no ejercicio, durante el tiempo que para hacerlo concede la ley.

Caducan las facultades sancionadora y determinadora o liquidadora del fisco, **no así la facultad de comprobación** (artículo 67 del Código Tributario). Las autoridades pueden revisar lo que les parezca conveniente, solo que el objetivo de las revisiones es terminar con una liquidación y/o una sanción.

La caducidad por regla general, se SUSPENDE y NUNCA SE INTERRUMPE.

Mediante la caducidad, se pretende poner fin a largos e interminables procedimientos administrativos que afectan la seguridad jurídica de los particulares, al tener certeza que las autoridades hacendarias no podrán ejercer sus facultades al término de cinco años. En principio, lo dicho anteriormente constituye precisamente la finalidad de la figura jurídica de la caducidad, sin embargo, hoy en día con las causales de suspensión, las facultades de la autoridad —incluso— se pueden ir al término máximo de 10 años para que caduquen.

De hecho, es muy raro que en un asunto se haga valer la caducidad, por tantas causales de suspensión previstas para dicha figura jurídica.

Se estableció por primera vez en la Ley del Impuesto Sobre la Renta de 1963 en el artículo 13, posteriormente el CFF de 1967 la previó en el artículo 88, y finalmente el Código Fiscal vigente publicado en el DOF el 31 de diciembre de 1981 y reformado para 2014, regula esta figura en el artículo 67.

2.6.2. *A partir de qué momento se cuenta la caducidad*

1. A partir de que se presentó la declaración del ejercicio, cuando se tenga obligación de hacerlo.

Tratándose de contribuciones con cálculo mensual definitivo, el plazo se computará a partir de la fecha en que debió haberse presentado la información que sobre estos impuestos se solicite en la declaración del ejercicio del impuesto sobre la renta.

CRÍTICA: No estamos de acuerdo que se cuente a partir de la declaración anual de ISR, en tratándose de contribuciones como el IVA que se calculan mensual y no anualmente. Con esto, se le da un mayor plazo a las facultades de la autoridad. Se debe de contar a partir del 17 de cada mes por el que se tiene la obligación de hacer el pago, no a partir de la presentación de la declaración del ejercicio de ISR.

Sigue diciendo la ley, que en estos casos las facultades se extinguen por años de calendario completos, incluyendo aquéllas facultades relacionadas con la exigibilidad de obligaciones distintas de las de presentar la declaración del ejercicio.

En el caso de que se presenten declaraciones complementarias, el plazo empezará a computarse a partir del día siguiente a aquel en que se presentan, por lo que hace a los conceptos modificados en relación a la última declaración de esa misma contribución del ejercicio. Esto es, los renglones o contribuciones no modificados continúan con el cómputo normal, desde la presentación de la declaración normal.

2. A partir de que se presentó o debió haberse presentado declaración o aviso que corresponda a una contribución que no se calcule por ejercicios o a partir de que se causaron las contribuciones cuando no exista la obligación de pagarlas mediante declaración.

3. A partir de que se hubiere cometido la infracción a las disposiciones fiscales; pero si la infracción fuese de carácter contínuo o continuado (*v.gr.* tenencia ilegal de mercancías), el término correrá a partir del día siguiente al en que hubiese

cesado la consumación o se hubiese realizado la última conducta o hecho, respectivamente.

4. De que se levante acta de incumplimiento de la obligación garantizada, en un plazo que no excederá de 4 meses, contados a partir del día siguiente al de la exigibilidad de las fianzas a favor de la Federación, constituidas para garantizar el interés fiscal, la cual será notificada a la afianzadora.

Esto es, cuando se notifica un crédito fiscal, se tiene que garantizar el interés fiscal para que no se ejecute dicho crédito. Una de las formas para garantizar el interés fiscal es la fianza expedida por una Compañía Afianzadora, si es así, será responsable subsidiaria del pago de ese crédito y si la requieren porque el contribuyente perdió el juicio y no quiere pagar y se hace exigible la misma, deben las autoridades, una vez que se hace exigible, levantar acta de incumplimiento de la obligación garantizada. En este orden de ideas, una vez levantada el Acta de incumplimiento, comienza a correr el término de 5 años para que caduquen las facultades de la autoridad, para sancionar a la Afianzadora.

Nos parece que se refiere a la facultad sancionadora, porque el crédito fiscal ya está determinado; lo que falta es que se pague.

5. A partir de que concluya el mes en el cual el contribuyente deba realizar el ajuste previsto en el artículo 5o., fracción VI, cuarto párrafo de la Ley del Impuesto al Valor Agregado, tratándose del acreditamiento o devolución del impuesto al valor agregado correspondiente a periodos preoperativos.

2.6.3. *Plazo de 10 años*

Opera como una sanción.

En lugar de 5, el plazo de la caducidad será de 10, cuando:

1. El contribuyente no presente su solicitud en el Registro Federal de Contribuyentes (en lo sucesivo RFC). Obviamente es más difícil revisar y en consecuencia liquidar y sancionar a quien no está inscrito en el RFC que a quien sí lo está.

2. No lleve contabilidad o no la conserve, durante el plazo que establece el artículo 30 del CFF.

3. Así como por los ejercicios en los que no presente alguna declaración del ejercicio, estando obligado a ello.

4. O no se presente en la declaración del ISR, la información que respecto del IVA o el IEPS se solicite en dicha declaración. En este caso, el plazo de 10 años se computa a partir del día siguiente a aquel en que debió presentarse la declaración con la información solicitada.

Estos casos en los que el término de la caducidad se amplía a 10 años, nos parece que encuentra perfectamente sustento, habida cuenta de que no se puede tratar igual los contribuyentes incumplidos que a los cumplidos.

Si el contribuyente posteriormente de manera ESPONTÁNEA presenta la declaración omitida sin que medie requerimiento, el plazo será de 5 años a partir de que la presentó, sin que en ningún caso este plazo de 5 años sumado al tiempo transcurrido entre la fecha en que tenía obligación de presentarla y la fecha en que la presentó de manera espontánea, exceda de 10 años.

Para efectos de este artículo, las declaraciones del ejercicio no comprenden las de pagos provisionales.

2.6.4. *Responsables Solidarios*

Igualmente el plazo de caducidad será de 5 años respecto de liquidadores o síndicos, de Directores, Gerentes o Administradores, de socios o accionistas y de los asociantes en Asociación en Participación, a partir de que la garantía del interés fiscal resulte insuficiente.

Respecto a lo anterior, es importante mencionar que la responsabilidad solidaria de los socios o accionistas, únicamente comprende la cantidad que se hubiere causado en relación con las actividades realizadas por la sociedad cuando aquellos tuvieren esa calidad, en la parte del interés fiscal que no alcance a ser garantizada con los bienes de la misma y además, limitado a la participación que cada socio o accionista tenía en el capital social durante el periodo o fecha de que se trate.

Lo anterior, supeditado a que además, la sociedad incurra en una de las siguientes faltas:

a) No se solicite inscripción en el RFC.

b) Cambio de domicilio sin presentar aviso, siempre que dicho cambio se efectúe después de la notificación del inicio del ejercicio de facultades de comprobación y antes de que se dicte resolución, o cuando el cambio se realice después de que se le hubiera notificado un crédito fiscal y antes de que el mismo se haya cubierto o quedado sin efectos.

c) No lleve contabilidad, la oculte o la destruya.

d) Desocupe el local donde tenga su domicilio fiscal, sin presentar aviso.

e) No se localice en el domicilio fiscal registrado ante el Registro Federal de Contribuyentes.

f) Omita enterar a las autoridades fiscales, las contribuciones que hubiere retenido o recaudado.

g) Se encuentre en el listado definitivo de personas que presuntamente han emitido comprobantes fiscales que amparan operaciones inexistentes a que se refiere el cuarto párrafo del artículo 69-B del Código Fiscal de la Federación[13].

h) Se encuentre en el supuesto a que refiere el octavo párrafo del artículo 69-B, del Código Fiscal de la Federación[14]. Es decir, que sea una empresa receptora de comprobantes fiscales de una empresa listada, sin que hubiera acreditado la efectiva adquisición de bienes o la recepción de los servicios, ni corregido su situación fiscal, cuando en un ejercicio fiscal el monto de los comprobantes fiscales sea superior a $7,804,230.00.

i) Se encuentre en el listado a que se refiere el artículo 69-B Bis, noveno párrafo de este Código, por haberse ubicado en definitiva en el supuesto de presunción de haber transmitido indebidamente pérdidas fiscales a que se refiere dicho artículo. Cuando la transmisión indebida de pérdidas fiscales sea consecuencia del supuesto a que se refiere la fracción III del mencionado artículo, también se considerarán responsables solidarios los socios o accionistas de la sociedad que adquirió y disminuyó indebidamente las pérdidas fiscales, siempre que con motivo de la reestructuración, escisión o fusión de sociedades, o bien, de cambio de socios o accionistas, la sociedad deje de formar parte del grupo al que perteneció.

También serán responsables solidarios los socios, accionistas de la sociedad que adquirió o disminuyó indebidamente las pérdidas fiscales, cuando la transmisión indebida sea consecuencia de la disminución de más del 50 por ciento de la capacidad material de la empresa que declaró las pérdidas fiscales, en ejercicios posteriores al que las obtuvo, como consecuencia de la transmisión de la totalidad o parte de sus activos, reestructuración, escisión o fusión de sociedades, o por la enajenación de activos entre partes relacionadas.

Es importante mencionar que los supuestos descritos del inciso e) al i), entraron en vigor a partir del 1° de enero de 2020.

---

[13]   El párrafo cuarto del artículo 69-B, refiere a los contribuyentes emisores o EFOS. Es decir, el artículo dispone que, si un contribuyente emite comprobantes fiscales sin contar con la capacidad material directa o indirecta para prestar los servicios o producir, comercializar o entregar los bienes, o si se encuentran no localizados, se presumirá la inexistencia de las operaciones amparadas en tales comprobantes. En ese supuesto, el cuarto párrafo del artículo dispone que la autoridad procederá a notificar a los contribuyentes emisores a través del buzón tributario, la página del Servicio de Administración Tributaria, así como mediante publicación en el Diario Oficial de la Federación.

[14]   El párrafo octavo del artículo 69-B, refiere a las empresas receptoras o EDOS. Es decir, a las personas que hayan dado efectos fiscales a los comprobantes expedidos por empresas que facturan operaciones simuladas.

2.6.5. *Suspensión del Plazo*

1. El plazo de caducidad se suspenderá cuando se ejerzan las facultades de comprobación previstas en las fracciones II, III, IV y IX del artículo 42 del CFF (Revisión de Gabinete, Visita Domiciliaria, Revisión de Dictamen y Revisión electrónica). Sin embargo, el antepenúltimo párrafo del artículo 67 del CFF, dispone lo siguiente, a saber:

> *"En todo caso, el plazo de caducidad que se suspende con motivo del ejercicio de las facultades de comprobación, adicionado con el plazo por el que no se suspende dicha caducidad, no podrá exceder de diez años.* **Tratándose de visitas domiciliarias, de revisión de la contabilidad en las oficinas de las propias autoridades o de la revisión de dictámenes, el plazo de caducidad que se suspende con motivo del ejercicio de las facultades de comprobación, adicionado con el plazo por el que no se suspende dicha caducidad, no podrá exceder de seis años con seis meses o de siete años, según corresponda."**

(El resaltado es nuestro)

De la transcripción anterior, podemos hacer las siguientes consideraciones, a saber:

a) En primer término, la citada disposición establece que en ningún caso las facultades de la autoridad pueden ejercerse en un plazo mayor a 10 años, contado a partir de los supuestos que establece la ley.

b) Se menciona que la caducidad, no puede exceder de este término de 10 años, contando aún los plazos por los que se suspende la caducidad con motivo del ejercicio de las facultades de comprobación.

Pero cabe mencionar que sí puede exceder de este plazo de 10 años, *v.gr.* si el motivo por el que se suspende es por la interposición de medios de defensa, ya que eso no depende de la autoridad hacendaria, sino de los contribuyentes y de los tiempos de los Tribunales, que dicho sea de paso, en ocasiones son plazos bastante extensos.

Asimismo, en tratándose de las demás causales de suspensión, excepto facultades de comprobación, el plazo para que se configure la caducidad sí puede exceder de 10 años.

c) Sin embargo, inmediatamente y de manera contradictoria, **pero más específica**, menciona que tratándose del ejercicio de una visita domiciliaria, revisión de gabinete o revisión de dictamen, el plazo de caducidad que se suspende por el ejercicio de dichas facultades, adicionado por el que no se suspende, no puede ser mayor a seis años con seis meses ni de siete años, en su caso.

En este sentido, hay una seria contradicción entre la primera y segunda parte del párrafo que ha quedado transcrito, ya que en un caso (facultades de comprobación) establece el plazo de 10 años contando todo el periodo por el que se suspende la multicitada caducidad y por otro lado, inmediatamente establece un plazo diverso (de 6 años con 6 meses y 7 años, respectivamente) en caso de que se ejerza una visita domiciliaria, revisión de gabinete o revisión de dictamen, que no son otra cosa, sino facultades de comprobación.

De modo tal que, podemos concluir que el legislador fue contradictorio en un sólo párrafo y no deja claro el término máximo para que se configure la caducidad en el caso en que las autoridades lleven a cabo sus facultades de comprobación.

Ahora bien, si entendemos por facultades de comprobación, todas las que establece el artículo 42 del CFF, podríamos concluir entonces que solo respecto de las 3 facultades señaladas en la última parte del párrafo transcrito, sí opera el plazo especial de 6 años con 6 meses y de 7 años, respectivamente, y no el general para todas las facultades de comprobación, caso en el cual será de 10 años.

En este orden de ideas, tal y como reza el principio general de derecho: Regla especial deroga a la general; tenemos que si la autoridad lleva alguna de las tres principales facultades de comprobación: Visita domiciliaria, revisión de gabinete o revisión de dictamen, en ese caso el plazo máximo de caducidad en atención a lo dispuesto en el multicitado numeral 67 del Código Fiscal será de 6 años con 6 meses o de 7 años, y no de 10.

El plazo de caducidad que se suspende con motivo del ejercicio de las facultades de comprobación, inicia con la notificación de su ejercicio y concluye con la notificación de la resolución definitiva o cuando concluya el plazo de 6 meses que tiene la autoridad para notificar una liquidación. De no emitirse la resolución, se entenderá que no hubo suspensión.

De modo tal que, en el párrafo que ha quedado transcrito, tenemos una excepción al plazo máximo de 10 años, de otra forma no se hubiera mencionado de manera expresa. Además en el caso de las visitas que duran dos años (46-A Apartado B del CFF) al legislador se le olvidó el término de 6 meses para emitir y notificar la resolución determinante, luego, solo podrá durar la visita 1 año y medio (en el caso de partes relacionadas), para tener 6 meses para liquidar y que no caduquen sus facultades. Ya que la ley no establece el plazo de 7 años con 6 meses.

2. También se suspende el plazo cuando se interpone algún recurso administrativo o juicio.

3. Cuando las autoridades fiscales no puedan iniciar el ejercicio de sus facultades de comprobación en virtud de que el contribuyente hubiera desocupado su domicilio fiscal sin haber presentado el aviso de cambio correspondiente.

4. Cuando hubiere señalado de manera incorrecta su domicilio fiscal.

En estos dos últimos casos, se reiniciará el cómputo del plazo de caducidad a partir de la fecha en la que se localice al contribuyente.

5. En los casos de huelga, a partir de que se suspenda temporalmente el trabajo y hasta que termine la huelga.

6. En caso de fallecimiento del contribuyente, hasta en tanto se designe al representante legal de la sucesión.

7. Igualmente, se suspenderá el plazo a que se refiere el artículo 67 del CFF, respecto de la sociedad que teniendo el carácter de integradora integre su resultado fiscal en los términos de lo dispuesto por la Ley del Impuesto sobre la Renta, cuando las autoridades fiscales ejerzan sus facultades de comprobación respecto de alguna de las sociedades que tengan el carácter de integrada de dicha sociedad integradora.

2.6.6. Solicitud de declaratoria de Caducidad

Se puede solicitar la declaratoria de caducidad en cualquier tiempo una vez transcurridos los 5 años, si no contesta la autoridad, el contribuyente contará con la negativa ficta.

Solo puede hacerse valer, mientras no se haya determinado el crédito, de otra forma el contribuyente deberá esperarse para hacerla valer vía excepción.

Si la determinación del crédito se conoce hasta que se pretende llevar a cabo el cobro, se puede hacer valer la caducidad por vía de excepción mediante Recurso de Revocación o Juicio de Nulidad.

De hecho, la prescripción y la caducidad (por regla general) no pueden correr paralelas, ya que primero correría la caducidad y luego la prescripción.

2.6.7. Diferencias entre Prescripción y Caducidad

1. La prescripción es susceptible de interrupción y de suspensión. La caducidad únicamente se suspende.

2. La prescripción supone la existencia de un crédito fiscal determinado en cantidad líquida que sea del conocimiento del acreedor y deudor. En la caducidad, todavía no hay un crédito fiscal determinado, en el supuesto de que se haga valer vía acción.

3. Prescribe el crédito fiscal y caducan las facultades determinadora y sancionadora del fisco.

4. La prescripción es una forma de extinción de las obligaciones fiscales, la caducidad no.

2.7. PRÓRROGA DE PAGO Y PAGO EN PARCIALIDADES

Para hablar sobre este tema, debemos estar conscientes de que se trata de aquellas contribuciones que ya se causaron, ya existe la obligación por parte del contribuyente de pagar, y la ley le permite pagar de manera diferida (máximo un año) o en parcialidades (hasta 36 mensualidades). Se trata de impuestos causados, en este sentido no se puede pedir una solicitud de prórroga o de pago en parcialidades tratándose de pagos provisionales, porque estos son un pago a cuenta del impuesto anual que puede o no causarse.

Esto es, se puede tratar de un crédito fiscal determinado por la autoridad y que haya quedado firme, ya sea porque se impugnó y se perdió de manera definitiva, o bien, porque se consintió la determinación.

El artículo 66 del CFF instituye dos figuras con el objeto de poder cubrir lícitamente créditos fiscales que los contribuyentes no cubrieron dentro de los plazos de la ley; la primera es la denominada prórroga; la segunda se denomina pago en parcialidades.

Así las cosas, debemos desprender del artículo 66 del CFF que un contribuyente moroso en el pago de contribuciones tiene por ley el derecho de solicitar un aplazamiento en el cumplimiento de su obligación de pago, solicitando la prórroga o diferimiento para cubrir contribuciones omitidas y sus accesorios hasta por 36 meses

Es más, durante nuestra historia, las autoridades fiscales han desarrollado muchos esquemas de regularización de contribuyentes de hecho y de derecho, todos estos esquemas se han desarrollado sobre la base de pagos a plazos. Ej. PROAFI, en los que se establecían pagos de contado con descuento o pagos a plazos teniendo igualmente el beneficio de descuentos; o las amnistías, como la de 2007 en la que se condonaba el 80% de las contribuciones omitidas, multas, recargos y la correspondiente actualización.

En nuestra opinión, el derecho a solicitar el diferimiento existe en ley y por tanto se puede concluir que los contribuyentes lo pueden ejercer, de tal suerte que pueden solicitarlo en escrito libre que cumpla con los requisitos del 18 y 18-A del CFF, e igualmente cumpliendo con los requisitos que la ley exige para el pago en parcialidades, tales como, garantizar el interés fiscal, siempre que se otorgue el beneficio del pago a plazos.

En la práctica, las autoridades fiscales conciben la figura del diferimiento como sinónimo de la figura del pago en parcialidades"[15].

Cabe mencionar, que hoy en día el pago diferido ya se encuentra regulado en el artículo 66-A del CFF.

---

[15]   Ibid, páginas 156 y 157.

2.7.1. Concepto

Pago en parcialidades.- No constituye en sí mismo una forma de extinción del crédito fiscal, sino que consiste en la suspensión temporal de la obligación para su cumplimiento en forma de tracto sucesivo hacia una fecha futura y, por consiguiente, el diferimiento de la exigibilidad del crédito por la vía económica coactiva.

2.7.2. Plazo para solicitar pago en parcialidades

El pago en parcialidades podrá solicitarse preferentemente en cualquier tiempo antes del requerimiento de pago o entre la fecha en que hubiere surtido efectos la notificación del crédito fiscal, hasta antes de que el mismo pueda hacerse exigible por la vía económica coactiva, *aunque es pertinente aclarar que la ley no prohíbe que esta solicitud pueda ejercerse en cualquier otro momento.*

La prórroga o pago en parcialidades deberá solicitarse por escrito ante las autoridades competentes. Interpuesta la solicitud, la autoridad podrá conceder una prórroga que no excederá de 36 meses. Tratándose de contribuyentes que sin tener derecho al beneficio de pagar en parcialidades las contribuciones omitidas, hubieren hecho uso del mismo, las autoridades fiscales podrán determinar y cobrar el saldo insoluto de las diferencias que resulten de sus declaraciones"[16].

Es importante hacer notar que durante el plazo que dure el trámite para obtener la prórroga o el pago a plazos, el contribuyente deberá pagar mensualmente parcialidades, considerando inclusive los recargos causados.

2.7.3. Cálculo de las parcialidades

Se deberá pagar el 20% del monto total del crédito fiscal al momento de la solicitud de autorización del pago a plazos.

El monto total del adeudo se integrará por la suma de los siguientes conceptos:

1. El monto de las contribuciones omitidas actualizadas desde el mes en que se debieron pagar y hasta aquél en que se conceda la autorización.

2. Las multas que correspondan actualizadas por el mismo período a que se hace referencia en el punto anterior.

3. Los accesorios distintos de las multas que se generen a cargo del contribuyente a la fecha en que se solicite la autorización.

Si no se pagan oportunamente las parcialidades, se pagarán recargos por prórroga sobre la totalidad de la parcialidad no cubierta oportunamente.

---

[16]   Idem, páginas 157 y 158.

Se debe garantizar el interés fiscal, a menos que el SAT dispense esta obligación, mediante reglas de carácter general.

2.7.4. Causas de revocación de la autorización

a) No se otorgue, desaparezca o resulte insuficiente la garantía del interés fiscal, en los casos que no se hubiere dispensado, sin que el contribuyente dé nueva garantía o amplíe la que resulte insuficiente.

b) El contribuyente se encuentre sometido a un procedimiento de concurso mercantil o sea declarado en quiebra.

c) Tratándose del pago en parcialidades, el contribuyente no cumpla en tiempo y monto con tres parcialidades o, en su caso, con la última.

d) Tratándose del pago diferido, se venza el plazo para realizar el pago y éste no se efectúe.

En los supuestos señalados en los incisos anteriores, las autoridades fiscales requerirán y harán exigible el saldo mediante el PAE.

El saldo no cubierto en el pago a plazos se actualizará y causará recargos, de conformidad con lo establecido en los artículos 17-A y 21 del CFF, desde la fecha en que se haya efectuado el último pago conforme a la autorización respectiva.

2.7.5. Contribuciones por las que no procede la autorización

a) Contribuciones que debieron pagarse en el año de calendario en curso o las que debieron pagarse en los seis meses anteriores al mes en el que se solicite la autorización, excepto en los casos de aportaciones de seguridad social.

b) Contribuciones y aprovechamientos que se causen con motivo de la importación y exportación de bienes o servicios.

c) Contribuciones retenidas (*v.gr.* ISR retenido por el patrón), trasladadas (IVA o IEPS) o recaudadas (*v.gr.* ISR recaudado por el Notario Público).

2.8. RESOLUCIONES FICTAS

2.8.1. Negativa Ficta

En nuestro derecho, a partir del CFF de 1938 se recoge esta figura en el artículo 162, y posteriormente en el mismo ordenamiento, pero de 1966, se preservó en su artículo 92 en los siguientes términos:

"Las instancias o peticiones que se formulen a las autoridades fiscales deberán ser resueltas en el término que la Ley fija, o a falta de término establecido, será de 90 días. El silencio de las autoridades fiscales se considerará como resolución negativa ficta cuando no den respuesta en el término que corresponda."

En México, esta figura se copió de la justicia contenciosa administrativa francesa y actualmente se encuentra regulada en el artículo 37 del CFF.

En efecto, existen tres elementos necesarios para que se configure una negativa ficta, a saber:

1. Interposición de una instancia o petición ante autoridad competente.

2. Silencio por parte de la autoridad en el término de 3 meses.

3. Presentación de la Demanda de Nulidad ante el TFJA, o bien, Recurso de Revocación.

De acuerdo a lo anterior, es importante puntualizar que la única figura que vamos a analizar dentro de este apartado y que en estricto sentido no forma parte del Procedimiento Oficioso es la de Resoluciones fictas, ya que si bien es cierto que dicha figura nace dentro del Procedimiento Oficioso, se configura en el Procedimiento Contencioso, tal y como se desarrollará en el presente apartado.

Esto es, con la sola formulación de la instancia y la no respuesta por parte de la autoridad no se configura una resolución ficta, sino que eso solo da lugar al silencio administrativo, que incluso puede impugnarse vía amparo indirecto por violación al artículo 8° Constitucional.

Si media requerimiento por parte de la autoridad, comenzaría a contar el plazo de 3 meses a partir de que se desahogue dicho requerimiento.

Ahora bien, si bien es cierto que lo más recomendable es impugnar una resolución ficta mediante el Juicio de Nulidad, el CFF permite que se impugne igualmente mediante el Recurso de Revocación, excepto —obvio— cuando la resolución ficta la constituye el silencio por parte de la autoridad al no resolver un Recurso de Revocación.

Deberán transcurrir los 3 meses a partir de la interposición de la instancia o recurso planteado y una vez transcurrido dicho término, la demanda se podrá presentar en cualquier tiempo siempre que no exista una resolución definitiva expresa notificada debidamente antes de la presentación de la Demanda de Nulidad respecto a una resolución ficta.

Ejemplo. Si un contribuyente va a presentar la Demanda de Nulidad negativa ficta, y antes de presentarla ante la Oficialía de Partes del Tribunal Federal de Justicia Administrativa, recibe la notificación personal de la resolución expresa, tendrá que combatir dicha resolución y ya no la negativa ficta.

Lo anterior, constituye una excepción al plazo general de 30 días hábiles que se tiene para impugnar una resolución administrativa, vía juicio contencioso administrativo federal.

Se trata de una demanda muy sencilla, en la que se deberá adjuntar el poder notarial (en caso de que sea persona moral, o siendo persona física, la firme su representante) y el acuse de recibo de la promoción o recurso. Esto es, por su naturaleza, en el escrito inicial de demanda —técnicamente— no es posible expresar conceptos de impugnación en contra de la resolución ficta impugnada, con excepción de la falta de fundamentación y motivación, que en ese momento es propia del silencio administrativo.

Ahora bien, de manera distinta, en el caso de recursos de revocación, desde la presentación de la Demanda de Nulidad confirmativa ficta, se podrán hacer valer conceptos de impugnación en contra de la resolución definitiva, origen del Recurso de Revocación, al conocer los fundamentos y motivos.

Esto es, si en lugar de presentar Demanda de Nulidad negativa ficta, el contribuyente insiste en su promoción, tendrá que esperar de nueva cuenta 3 meses, para que la misma sea resuelta o acudir a demandar la resolución ficta.

Si una vez presentada la demanda negativa ficta, la autoridad notifica la resolución expresa, para actuar de manera conservadora y toda vez que los actos administrativos gozan de la presunción de legalidad, sería recomendable impugnar igualmente ante el TFJA dicha resolución expresa y solicitar la acumulación de los juicios.

Cuando se presenta una Demanda de Nulidad negativa ficta, estamos en presencia de uno de los supuestos de ampliación de demanda previsto en la fracción I del artículo 17 de la LFPCA. En este caso, el contribuyente tendrá un plazo de 10 días hábiles contados a partir de que se le notifique la contestación de la demanda (hace las veces de resolución expresa) para ampliar dicha demanda. Es preciso comentar que puede darse el caso de que la autoridad autorice la promoción o la instancia planteada y en la contestación se allane a las pretensiones del demandante. Hasta el momento en que la autoridad conteste la petición, el contribuyente conocerá los fundamentos y motivos de dicha negativa, razón por la cual tendrá derecho a impugnar dicha resolución o contestación a la demanda mediante el escrito de ampliación de demanda.

Si no se amplía la demanda, dada la presunción de legalidad de los actos administrativos (artículo 68 del CFF), el TFJA deberá confirmar la validez de la resolución impugnada.

El efecto de la sentencia del TFJA no debe ser para que resuelva la instancia planteada, sino que al tener todos los elementos para pronunciarse sobre el fondo, debe actuar como tribunal de plena jurisdicción y señalar el efecto de la nulidad, en su caso.

Dicho en otras palabras, en los casos en que se impugna una resolución ficta y se declare la nulidad de la misma, debe ordenarse en la sentencia los términos conforme a los cuales debe emitirse una resolución expresa en acatamiento de la sentencia de que se trate. En caso contrario, es decir, si no se precisan los efectos de la sentencia, si bien éstos pueden inferirse, se estaría ante una deficiencia técnica.

En materia federal estamos en presencia de negativa ficta, pero en el Código Fiscal del Distrito Federal (publicado el 29 de diciembre de 2009) en los artículos 54 y 55, se prevé la figura de la **afirmativa ficta**. El término para que la autoridad local responda será de 4 meses en lugar de 3, y el silencio tiene efectos positivos y benéficos al contribuyente, en determinados casos, no en todos. Esto nos parece muy bueno, porque así se hace más eficiente la autoridad.

Para una mayor claridad en la exposición, se transcriben los preceptos señalados, a saber:

> *"**ARTÍCULO 54.-** Las instancias o peticiones que se formulen a las autoridades fiscales deberán ser resueltas en un plazo de hasta cuatro meses; transcurrido dicho plazo sin que se notifique la resolución expresa, se considerará como resolución afirmativa ficta, que significa decisión favorable a los derechos e intereses legítimos de los peticionarios, por el silencio de las autoridades competentes, misma que tendrá efectos, siempre y cuando no exista resolución o acto de autoridad debidamente fundado.*
>
> *Cuando se requiera al promovente que cumpla los requisitos omitidos o proporcione los elementos necesarios para resolver, el término comenzará a correr desde que el requerimiento haya sido cumplido debidamente.*
>
> ***ARTÍCULO 55.-** No operará la resolución afirmativa ficta tratándose de la autorización de exenciones de créditos fiscales, la caducidad de las facultades de la autoridad, la facultad de revisión prevista en el artículo 111 de este Código, la prescripción o condonación de créditos fiscales, el otorgamiento de subsidios, disminuciones o reducciones en el monto del crédito fiscal, el reconocimiento de enteros, la solicitud de compensación, la devolución de cantidades pagadas indebidamente y consultas.*
>
> *Tampoco se configura la resolución afirmativa ficta, cuando la petición se hubiere presentado ante autoridad incompetente o los particulares interesados no hayan reunido los requisitos que señalen las normas jurídicas aplicables.*
>
> *En los casos en que no opere la afirmativa ficta, el interesado podrá considerar que la autoridad resolvió negativamente e interponer los medios de defensa en cualquier tiempo posterior al plazo a que se refiere el primer párrafo del artículo anterior, mientras no se dicte la resolución, o bien, esperar a que ésta se dicte."*

Cabe señalar, que el artículo 111 del Código Fiscal del Distrito Federal establece la figura de la Reconsideración Administrativa, misma que se encuentra regulada de la misma forma que en materia federal, y que en el siguiente sub-tema explicaremos.

2.8.2. *Confirmativa Ficta*

Para efectos de brindar una mayor claridad en la exposición, debemos tomar en cuenta el contenido del siguiente criterio emitido por el TFJA, mismo que a la letra dispone:

> VII-TASR-8ME-39
> **CONFIRMATIVA FICTA. CONSTITUYE LA RESOLUCIÓN FICTA APLICABLE A LOS RECURSOS QUE NO HAYAN SIDO RESUELTOS DENTRO DEL PLAZO DE TRES MESES QUE PREVÉ EL ARTÍCULO 131 DEL CÓDIGO FISCAL DE LA FEDERACIÓN.**- *Si bien tanto el artículo 37 como el diverso 131 del Código Fiscal de la Federación contemplan la existencia de resoluciones fictas al no resolverse la instancia, petición o recurso dentro del plazo de tres meses,* **tales preceptos, otorgan denominaciones y efectos distintos a esas resoluciones fictas, ya que por cuanto hace al artículo 37 señalado, el mismo contempla que transcurrido el plazo de tres meses sin que se notifique la resolución respectiva, el interesado podrá considerar que la autoridad resolvió negativamente, mientras que el artículo 131 del referido Código Fiscal de la Federación, dispone que ante el silencio de la autoridad de resolver el recurso dentro del plazo de tres meses, significará que se ha confirmado el acto impugnado en dicho medio de defensa, por lo cual el artículo 37 ya citado contempla la configuración de una resolución negativa ficta, al entender que la autoridad resolvió negativamente la instancia o petición, mientras que el diverso 131 prevé propiamente la existencia de una confirmación o confirmativa ficta del acto recurrido.** *Asimismo, los preceptos legales citados se encuentran inmersos en Títulos y Capítulos específicos del Código Fiscal de la Federación, a saber, el artículo 37 se encuentra contemplado dentro del Capítulo Único del Título Tercero denominado "De las Facultades de las Autoridades Fiscales", mientras el artículo 131 se contempla en el Título Quinto denominado "De los Procedimientos Administrativos", en su Capítulo I "Del recurso administrativo", Sección Tercera "Del Trámite y Resolución de los Recursos", por lo que debe concluirse que la figura de la negativa ficta se encuentra contemplada para todas aquellas instancias o peticiones, distintas a los recursos administrativos en donde resulte aplicable las reglas del recurso de revocación que prevé el Código Fiscal de la Federación, mientras que en lo que respecta a tales medios de defensa, se contempla de manera expresa en el Código Federal en cita la figura de la confirmativa ficta, al establecer que ante el silencio de la autoridad de resolver tales medios de defensa dentro del plazo de tres meses, significará que se ha confirmado el acto impugnado en dicho medio de defensa.*
> *Juicio Contencioso Administrativo Núm. 29255/11-17-08-8.- Resuelto por la Octava Sala Regional Metropolitana del Tribunal Federal de Justicia Fiscal y Administrativa, el 30 de agosto de 2013, por unanimidad de votos.- Magistrado Instructor: Rafael Ibarra Gil.- Secretario: Lic. Adrián Ramírez Hernández.*
> *R.T.F.J.F.A. Séptima Época. Año III. No. 29. Diciembre 2013. p. 373*
> (TMX 407756)
> (Énfasis añadido)

En este sentido, tenemos que la figura tutelada en el artículo 37 del CFF es la negativa ficta, misma que significa que tras el silencio durante 3 meses de la autoridad contado a partir de la interposición de la instancia, el interesado o promovente de la misma (distinta a los recursos), podrá considerar que dicha instancia se resolvió de manera negativa.

Por otro lado, el diverso artículo 131 del CFF, contempla la existencia de la confirmativa ficta, figura por la cual se puede considerar que una vez transcurridos tres meses desde la interposición del Recurso de Revocación sin que se haya notificado la resolución al mismo, la autoridad resolvió confirmar la validez del acto recurrido.

En este sentido, es importante distinguir entre confirmativa y negativa ficta, pues una Demanda de Nulidad presentada en contra del silencio de la autoridad ante —por ejemplo— una solicitud de devolución configuraría una **negativa ficta** (niega la devolución), y de manera distinta, la presentación de una Demanda de Nulidad en contra del silencio por 3 meses de la autoridad, al ser omisa en resolver un Recurso de Revocación, configuraría una **confirmativa ficta** (confirma el acto recurrido).

Para que se configure la confirmativa ficta, se necesitan 3 elementos, a saber:

1. Interposición de Recurso de Revocación.

2. Silencio por parte de la autoridad dentro del término de 3 meses.

3. Interponer Demanda de Nulidad confirmativa ficta ante el TFJA.

Por esa razón, la confirmativa ficta nace dentro del Procedimiento Oficioso, pero se configura dentro del Procedimiento Contencioso.

2.9. RECONSIDERACIÓN ADMINISTRATIVA

Esta figura jurídica se encuentra prevista en los últimos dos párrafos del artículo 36 del CFF, que a la letra disponen:

> *"Las autoridades fiscales podrán, discrecionalmente, revisar las resoluciones administrativas de carácter individual no favorables a un particular emitidas por sus subordinados jerárquicamente y, en el supuesto de que se demuestre fehacientemente que las mismas se hubieran emitido en contravención a las disposiciones fiscales, podrán, por una sola vez, modificarlas o revocarlas en beneficio del contribuyente, siempre y cuando los contribuyentes no hubieren interpuesto medios de defensa y hubieren transcurrido los plazos para presentarlos, y sin que haya prescrito el crédito fiscal.*
> *Lo señalado en el párrafo anterior, no constituirá instancia y las resoluciones que dicte la Secretaría de Hacienda y Crédito Público al respecto no podrán ser impugnadas por los contribuyentes."*

En términos generales, podemos decir que esta reconsideración administrativa se interpone, ya sea porque no se impugnó a tiempo una resolución administrativa o no se quiso litigar el asunto con la autoridad ante el TFJA, y a manera de súplica se acude ante la autoridad administrativa con el objetivo de que —discrecionalmente— deje sin efectos una resolución firme.

El aspecto negativo, es que al ser discrecional, depende totalmente de la autoridad. Aunque cabe mencionar, que se podría impugnar a través de demanda de amparo indirecto aquélla resolución que resulte contraria a los intereses del contribuyente y que no esté fundada y motivada o que evidentemente se encuentre indebidamente fundada y motivada, toda vez que la facultad discrecional no puede traducirse en arbitrariedad. Pero, insistimos, esto debe plantearse desde la perspectiva constitucional, porque legalmente esta figura jurídica no constituye instancia y lo que resuelva la autoridad es inatacable mediante los medios ordinarios de defensa.

Se resuelve por el superior jerárquico del que emitió la resolución de mérito, y se tiene que demostrar fehacientemente que la resolución es ilegal.

Sirve de apoyo a lo hasta aquí expuesto, el contenido del siguiente criterio emitido por el Poder Judicial de la Federación, que a la letra dispone:

> *Época: Décima Época*
> *Registro: 2006258*
> *Instancia: Segunda Sala*
> *Tipo de Tesis: Aislada*
> *Fuente: Gaceta del Semanario Judicial de la Federación*
> *Libro 5, abril de 2014, Tomo I*
> *Materia(s): Constitucional*
> *Tesis: 2a. XXXVII/2014 (10a.)*
> *Página: 1007*
>
> **RECONSIDERACIÓN ADMINISTRATIVA. EL PÁRRAFO TERCERO DEL ARTÍCULO 36 DEL CÓDIGO FISCAL DE LA FEDERACIÓN QUE LA PREVÉ, RESPETA EL PRINCIPIO DE SEGURIDAD JURÍDICA Y EL DERECHO DE ACCESO A LA JUSTICIA.**
>
> *El precepto legal referido establece que las autoridades fiscales podrán,* **discrecionalmente, revisar las resoluciones administrativas de carácter individual no favorables a un particular emitida por un subordinado jerárquico y en caso de demostrarse fehacientemente que se dictaron en contravención a las disposiciones fiscales, podrán, por una sola vez, modificarlas o revocarlas en beneficio de los contribuyentes**, *siempre que éstos no hubieren interpuesto medios de defensa, ya hubieren transcurrido los plazos para presentarlos y no haya prescrito el crédito fiscal. Lo anterior evidencia que* **tal reconsideración no constituye una limitante para que los gobernados ejerzan su derecho de acceso a la justicia reconocido por el artículo 17 de la Constitución Política de los Estados Unidos Mexicanos, por el contrario, amplía su oportunidad de defensa al permitir que los que no estuvieron en posibilidad de acceder en su momento ante los órganos jurisdiccionales, acudan a la autoridad administrativa para que efectúe un análisis de la resolución y en caso de demostrar que es contraria a derecho, se modifique o revoque en beneficio del contribuyente**, *siempre y cuando no haya prescrito el crédito fiscal. De ahí que al prever la porción normativa en comento una oportunidad adicional de carácter discrecional, para que el contribuyente pueda acudir ante las autoridades a solicitar que las resoluciones administrativas que no le fueron favorables y que han quedado firmes sean revisadas y, en su caso revocadas, respeta el derecho citado, así como la protección judicial efectiva prevista en los artículos 8, numeral 1 y 25 de la Convención Americana sobre Derechos Humanos.*
>
> *Amparo en revisión 594/2013. Celulosa de Fibras Mexicanas, S.A. de C.V. 12 de febrero de 2014. Unanimidad de cuatro votos de los Ministros Alberto Pérez Dayán, José*

Fernando Franco González Salas, Margarita Beatriz Luna Ramos y Luis María Aguilar Morales. Ausente: Sergio A. Valls Hernández. Ponente: Alberto Pérez Dayán. Secretaria: Irma Gómez Rodríguez.
Esta tesis se publicó el viernes 25 de abril de 2014 a las 09:32 horas en el Semanario Judicial de la Federación.
    (TMX 314323)

Así las cosas, de la transcripción que antecede tenemos que la reconsideración administrativa puede tener lugar siempre y cuando no se hubieren presentado medios de defensa, haya transcurrido el término para su presentación y no haya prescrito el crédito fiscal.

Asimismo, queda claro que esta figura, de ninguna manera puede considerarse como una limitación al acceso a la justicia, sino que, de manera diametralmente opuesta, implica una nueva oportunidad a cargo de los contribuyentes de que discrecionalmente sea revisado el actuar de las autoridades administrativas, ampliando así su esfera de protección y acceso a la justicia. Lo anterior, no se traduce en que la autoridad se encuentre obligada a resolver de manera favorable a los intereses del contribuyente.

Cabe señalar que incluso, en el supuesto de que un contribuyente impugne la notificación a una resolución determinante y la propia resolución (que desconoce) vía juicio contencioso administrativo federal, y los Tribunales decidan en última instancia, que la notificación fue legal, luego, el juicio extemporáneo; pero el gobernado estima que la resolución está dictada en contravención de las disposiciones aplicadas, puede acudir a la reconsideración administrativa, ya que los Tribunales no entraron al estudio del fondo del asunto, al haber sobreseído el juicio de mérito.

2.10. JUSTICIA DE VENTANILLA

También denominado Aclaración de Ventanilla o Procedimiento de Aclaración Administrativa por Ventanilla.

En 1996, se incorporó al CFF la posibilidad de que los contribuyentes puedan revisar ante la propia autoridad de manera ágil y sencilla multas formales, requerimientos, presentación de documentos y declaraciones, así como avisos relacionados con el RFC; para brindarle al contribuyente una solución pronta y expedita, según lo establecía la exposición de motivos.

Es bueno que exista este procedimiento, ya que le sirve a los contribuyentes que no cuentan con los medios o recursos económicos para interponer un Recurso de Revocación o promover un Juicio Contencioso Administrativo Federal en contra de una multa o requerimiento que estiman injusta e ilegal, ya que en este sentido, y al soler ser frecuentes dichos requerimientos, por una cuestión de economía procesal y financiera, esta vía evita que se ventilen juicios o litigios innecesarios.

Se encuentra previsto en el artículo 33-A del CFF.

El plazo para interponer este medio es de 6 días hábiles siguientes al en que surte efectos la notificación.

Las resoluciones materia de impugnación a través de la aclaración de ventanilla, son las previstas en los artículos 41 fracciones I y III, 78, 79 y 81, fracciones I, II y VI del CFF. Tales como, (41, I y III del CFF) la omisión en la presentación de declaraciones periódicas, ya sea provisional o del ejercicio; multas por falta de presentación de dichas declaraciones; multas por omisión de contribuciones por error aritmético (78 del CFF); infracciones relacionadas con el RFC (79 del CFF); y las infracciones relacionadas con pago de contribuciones, presentación de declaraciones, expedición de constancias y no presentar aviso de cambio de domicilio o hacerlo de manera extemporánea no espontánea. (81 del CFF).

Es importante mencionar que el artículo 41 del CFF (Reformado a partir del 1º de enero de 2010) no contiene fracción III, luego, habría que reformar igualmente el artículo 33-A para omitir la referencia a dicha fracción.

La autoridad debe resolver en un plazo de 6 días, contados a partir de que quede integrado debidamente el expediente.

Esta figura jurídica no constituye instancia, esto es, no pueden recurrirse estas resoluciones que resuelvan una aclaración por ventanilla, a través de Recurso de Revocación ni Juicio de Nulidad.

No interrumpen ni suspenden los plazos para que los contribuyentes puedan impugnar a través de los diversos medios de defensa dichas resoluciones.

Las resoluciones no pueden ser impugnadas. Pero consideramos que deben estar fundadas y motivadas, en atención al principio constitucional de fundar y motivar todo acto de autoridad, en caso contrario, existiría la posibilidad de promover un juicio de amparo indirecto.

En ocasiones convendrá mejor presentar Recurso de Revocación o juicio, porque dicha instancia no interrumpe ni suspende términos para su impugnación y se podría vencer el término para combatir las resoluciones de mérito, máxime que generalmente por el monto de dichas sanciones, habrá que combatirlas mediante Juicio Contencioso Administrativo Federal (en la vía sumaria).

2.11. CONDONACIÓN DE MULTAS

Se encuentra prevista en el artículo 74 del CFF.

Se debe tratar de una multa que ya haya quedado firme, ya sea porque no se impugnó, o impugnándola se perdió en definitiva.

Pueden condonarse inclusive multas determinadas por el propio contribuyente. Esto se encuentra previsto en el artículo 76, segundo y tercer párrafos del Código Fiscal de la Federación, en relación con el artículo 17 de la Ley Federal de los Derechos del Contribuyente, y se presenta en los siguientes casos, a saber:

1. Si el contribuyente corrige su situación fiscal, pagará una multa equivalente al 20% de las contribuciones omitidas, cuando el infractor las pague con sus accesorios con posterioridad al inicio del ejercicio de facultades de comprobación y hasta antes de que se le notifique el Acta Final (En Visita domiciliaria), o el Oficio de Observaciones (En tratándose de Revisión de Gabinete).

De igual forma, en términos del artículo 53-B, el contribuyente estará en posibilidad de pagar una multa equivalente al 20% de las contribuciones omitidas, si acepta la preliquidación a la que remite la facultad de comprobación contenida en la fracción IX del artículo 42 del CFF (Revisión Electrónica) y opta por corregir su situación fiscal.

2. Si el infractor paga las contribuciones omitidas junto con sus accesorios, después de que se notifique el acta final o el oficio de observaciones, pero antes de la notificación de la resolución determinante, pagará una multa equivalente al 30% de las contribuciones omitidas.

3. Si el infractor paga las contribuciones omitidas o devuelve el beneficio indebido con sus accesorios dentro de los 45 días siguientes a la fecha en la que surta efectos la notificación de la resolución respectiva, la multa se **reducirá** en un 20% del monto de las contribuciones omitidas. Nos parece que en este caso, se les olvidó adminicular el nuevo plazo (previsto en el 2016) para interponer demanda de nulidad (que ahora es de 30 días); ya que siguen estableciendo el diverso de 45.

Cabe señalar que en este último supuesto, el beneficio no es tan atractivo que en los casos planteados en los numerales 1 y 2, ya que si el contribuyente decide pagar las contribuciones omitidas junto con sus accesorios con posterioridad a la notificación de la resolución determinante (dentro de los 45 días hábiles siguientes), tendrá derecho a una reducción de la multa en un 20%. Esto es, un descuento de la multa originalmente impuesta sobre el 55% de las contribuciones omitidas, en un 20%. Ejemplo: En este caso, si la multa del 55% sobre contribuciones omitidas asciende a 100 pesos, el contribuyente tendría que pagar 80 y no 100.

En este orden de ideas, cuando un contribuyente se autodetermina una multa, no podrá combatirla a través de los diversos medios de defensa, sino que única y exclusivamente la autoridad DISCRECIONALMENTE podrá condonar la totalidad o una parte de la multa, si es que así se solicita y procede.

Esta figura jurídica prevista dentro del CFF, no constituye instancia, luego, lo que se resuelva no puede impugnarse vía Recurso de Revocación o Juicio de Nulidad.

La solicitud puede dar lugar a la suspensión del Procedimiento Administrativo de Ejecución, si así se pide y se garantiza el interés fiscal.

Solo procederá la condonación de multas que hayan quedado firmes y siempre que un acto administrativo conexo no sea materia de impugnación.

2.12. INSTANCIA PARA DESVIRTUAR OFICIO DE OBSERVACIONES O ÚLTIMA ACTA PARCIAL

Una vez levantado el Oficio de Observaciones o la Última Acta Parcial, el contribuyente tiene 20 días hábiles para interponer esta instancia o escrito de inconformidad, para desvirtuar los hechos u omisiones detectados por la autoridad y presentar las pruebas oportunas.

Se puede ampliar este plazo por 15 días, si se solicita en el plazo inicial de 20, y si se está revisando más de un ejercicio.

Normalmente, las autoridades no dejan de emitir una resolución, a pesar de que se desvirtúen los hechos u omisiones y se ofrezcan las pruebas correspondientes, y menos si se trata de una cuestión eminentemente jurídica, *v.gr.* la interpretación de alguna norma o tratado internacional.

Ahora bien, independientemente de lo anterior, resulta conveniente desvirtuar la mayor parte de las partidas observadas por la autoridad hacendaria con el fin de eliminar o por lo menos, disminuir la contingencia.

Esto es, si se trata de una situación de hechos, como un mal cálculo, sí puede tener efectos importantes y de esa forma evitar o disminuir el monto de la liquidación, o bien si estamos en presencia de aportar pruebas documentales, será trascendental aportarlas en esta instancia.

2.12.1. Concepto

Es una instancia de carácter voluntario, de tipo no contencioso, cuyo objeto final sería evitar el surgimiento de una controversia o bien, disminuir la contingencia, antes de acudir a algún medio de defensa. Debemos tener presente que no se trata de un recurso o medio ordinario de defensa.

2.12.2. *Antes podían establecer consecuencias legales*

Anteriormente, la fracción I del artículo 46 reformado a partir del 1º de enero de 1990, señalaba que la autoridad debía en la última acta parcial determinar las consecuencias legales de los hechos u omisiones detectados, las que se podrían hacer constar en la misma acta o en documento por separado.

Lo anterior suponía una facultad otorgada por la ley a los visitadores para liquidar a los contribuyentes, cuestión que era bastante ambiciosa, razón por la cual se eliminó, ya que esto constituía una resolución administrativa definitiva susceptible de impugnarse.

Ahora, solo es un acto más que no constituye una resolución definitiva, razón por la cual, esta instancia no es un recurso, porque no se está combatiendo una resolución definitiva desde el punto de vista administrativo.

Las actas, sólo son constancias de hechos u omisiones encontrados por los visitadores en el desarrollo de la visita domiciliaria.

Cabe mencionar que esta instancia solamente la puede hacer valer el contribuyente y no así un tercero que no tenga representación.

En cuanto a las pruebas que se pueden ofrecer, solamente las documentales tienen cabida, situación que estimamos criticable, toda vez que si se permitiera el ofrecimiento de otro tipo de pruebas, *v.gr.* periciales; podría esclarecerse un punto importante para evitar una liquidación o determinación de un crédito fiscal.

3. FACULTADES DE COMPROBACIÓN DE LA AUTORIDAD FISCAL

El artículo 42 del CFF establece las facultades de comprobación que la autoridad tiene a su favor, y que son las siguientes:

1. Rectificación de errores aritméticos.

2. Revisión de gabinete.

3. Visita domiciliaria.

4. Revisión de dictamen.

5. Revisiones Inmediatas, a saber:

a) Las relativas a la expedición de comprobantes fiscales digitales por Internet y de presentación de solicitudes o avisos en materia del registro federal de contribuyentes;

b) Las relativas a la operación de las máquinas, sistemas y registros electrónicos, que estén obligados a llevar conforme lo establecen las disposiciones fiscales;

c) La consistente en que los envases o recipientes que contengan bebidas alcohólicas cuenten con el marbete o precinto correspondiente o, en su caso, que los envases que contenían dichas bebidas hayan sido destruidos;

d) La relativa a que las cajetillas de cigarros para su venta en México contengan impreso el código de seguridad o, en su caso, que éste sea auténtico;

e) La de contar con la documentación o comprobantes que acrediten la legal propiedad, posesión, estancia, tenencia o importación de las mercancías de procedencia extranjera, debiéndola exhibir a la autoridad durante la visita, y

f) Las inherentes y derivadas de autorizaciones, concesiones, padrones, registros o patentes establecidos en la Ley Aduanera, su Reglamento y las Reglas Generales de Comercio Exterior que emita el Servicio de Administración Tributaria.

6. Practicar avalúo o verificación física de toda clase de bienes, incluso durante su transporte.

7. Recabar de los funcionarios y empleados públicos y de los fedatarios, los informes y datos que posean con motivo de sus funciones.

8. Revisiones Electrónicas.

9. Visitas domiciliarias para verificar el número de operaciones que deban registrarse como ingresos, y en su caso, el valor de actos o actividades, el monto de cada una de ellas, así como la fecha y hora en que se realizaron, *durante el periodo de tiempo que dure la verificación.*

10. Visitas domiciliarias a los asesores fiscales, con el fin de verificar que hayan cumplido con las obligaciones previstas en los artículos 197 a 202 del CFF.

En el presente trabajo, entraremos al estudio de las facultades señaladas en los puntos 2, 3, 4, 5 y 8.

Resulta importante mencionar que estas facultades podrán llevarse a cabo de manera conjunta, indistinta o sucesivamente, entendiéndose que se inician con el primer acto que se notifique al contribuyente. Esto es, en todo caso el citado artículo 42 del Código Fiscal de la Federación, establece que todo acto de comprobación deberá iniciarse directamente con el contribuyente, luego, no podrá iniciarse una visita domiciliaria con una compulsa previa a un tercero, sin haberle notificado directamente la orden de visita domiciliaria al sujeto pasivo del tributo.

Continúa diciendo este precepto lo siguiente:

> *"En el caso de que la autoridad fiscal esté ejerciendo las facultades de comprobación previstas en las fracciones II, III, IV y IX de este artículo y en el ejercicio revisado se disminuyan pérdidas fiscales, se acrediten o compensen saldos a favor o pago de lo indebido o se apliquen estímulos o subsidios fiscales, se podrá requerir al contribuyente dentro del mismo acto de comprobación la documentación comprobatoria con la que acredite de manera fehaciente el origen y procedencia de dichos conceptos, según se trate, independientemente del ejercicio en que se hayan originado los mismos, sin que dicho requerimiento se considere como un nuevo acto de comprobación.*
> *La revisión que de las pérdidas fiscales efectúen las autoridades fiscales sólo tendrá efectos para la determinación del resultado del ejercicio sujeto a revisión."*

Efectivamente, tal y como disponen los dos párrafos que han quedado transcritos, en caso de que la autoridad hacendaria se encuentre revisando a un contribuyente a través de visita domiciliaria, revisión de gabinete, revisión de dictamen o revisión electrónica, con independencia del ejercicio en el que se haya originado la pérdida, podrá revisar la procedencia de dicha pérdida. Pero solo se podrán ir a ese ejercicio para efectos de corroborar el origen de la pérdida, y no podrán revisar alguna cuestión adicional. Sin embargo, viene la pregunta obligada: Para determinar correctamente la procedencia de una pérdida, necesariamente debe revisarse toda la contabilidad de dicho ejercicio (por el que surgió la pérdida), ya que esta se genera porque las deducciones superan a los ingresos declarados, luego, para revisar dicha cuestión, hay que analizar todas las partidas de ingresos y deducciones, y así determinar si esa pérdida es procedente o no.

Tampoco estarán obligados los contribuyentes a proporcionar la documentación antes citada, cuando con anterioridad al ejercicio de las facultades de comprobación, la autoridad fiscal haya ejercido dichas facultades en el ejercicio en las que se generaron las pérdidas fiscales de las que se solicita su comprobación[17].

De igual manera, el último párrafo del citado artículo 42 del CFF, establece que las autoridades fiscales informarán al contribuyente, a su representante legal y, tratándose de personas morales, también a sus órganos de dirección, de los hechos u omisiones que se vayan conociendo en el desarrollo del procedimiento. Lo anterior, de conformidad con los requisitos y el procedimiento que el Servicio de Administración Tributaria establezca mediante reglas de carácter general.

El aviso citado en el párrafo que antecede, se tiene que presentar en los siguientes momentos:

– Visita domiciliaria: 10 días hábiles antes del levantamiento de la última acta parcial.

– Revisión de Gabinete: 10 días hábiles antes de la notificación del Oficio de Observaciones.

– Revisión Electrónica: 10 días hábiles antes de la resolución definitiva.

Facultad para planear y programar actos de fiscalización

Ahora bien, antes de entrar de lleno al estudio de las principales facultades con las que cuenta el fisco, analizaremos lo que dispone el artículo 42-A del CFF, mismo que a la letra dice lo siguiente:

> *"Artículo 42-A.- Las autoridades fiscales podrán solicitar de los contribuyentes, responsables solidarios o terceros, datos, informes o documentos, **para planear y programar actos de fiscalización**, sin que se cumpla con lo dispuesto por las fracciones IV a IX del artículo 48 de este Código.*
> *No se considerará que las autoridades fiscales inician el ejercicio de sus facultades de comprobación, cuando únicamente soliciten los datos, informes y documentos a que se refiere este artículo, pudiendo ejercerlas en cualquier momento."*
> (Énfasis añadido)

Consideramos que el precepto que ha quedado transcrito resulta inconstitucional, por vulnerar la garantía de seguridad jurídica prevista en el artículo 16 Constitucional, en virtud de que el legislador solo puede facultar a las autoridades para emitir los actos de molestia que, en función de la obligación constitucional de los gobernados de contribuir para los gastos públicos, tiendan a verificar su cumplimiento, pues solo en relación con ésta se justifican sus facultades e incluso su existencia, y no así permitirle llevar a cabo un acto de molestia con el único

---

[17] En este sentido, resulta importante acudir al artículo 30 del Código Tributario Federal, que establece la obligación de los contribuyentes respecto del lugar y tiempo para conservar la contabilidad.

propósito de planear y programar actos de fiscalización. Esto es, en todo caso el acto de molestia que lleve a cabo la autoridad deberá guardar relación con la obligación de contribuir a los gastos públicos, de otra forma devendrá en inconstitucional dicho actuar, tal y como se demuestra con la siguiente tesis que a la letra dispone:

"No. Registro: 191,113
Tesis aislada
Materia(s): Constitucional, Administrativa
Novena Época
Instancia: Pleno
Fuente: Semanario Judicial de la Federación y su Gaceta
Tomo: XII, septiembre de 2000
Tesis: P. CLV/2000
Página: 25
FISCALIZACIÓN. LA SOLICITUD DE INFORMACIÓN O DOCUMENTACIÓN PRE-
VISTA POR EL ARTÍCULO 42-A (VIGENTE A PARTIR DEL UNO DE ENERO DE MIL
NOVECIENTOS NOVENTA Y OCHO), DEL CÓDIGO FISCAL DE LA FEDERACIÓN,
PARA PLANEAR Y PROGRAMAR LOS ACTOS RELATIVOS, VIOLA LA GARANTÍA DE
SEGURIDAD JURÍDICA CONSAGRADA EN EL ARTÍCULO 16 CONSTITUCIONAL.
*La garantía de seguridad jurídica que se contiene en el artículo 16, párrafo primero, de la Constitución Federal implica, en principio, que ningún gobernado puede ser molestado sino a través de un mandamiento escrito de autoridad competente, en el que se funde y motive la causa legal del procedimiento. Sin embargo, el legislador no puede facultar a cualquier autoridad para emitir todo tipo de actos de molestia, **sino que está obligado a hacerlo dentro de las facultades y límites que impone el marco jurídico** al que debe sujetarse cada autoridad, en función de las obligaciones que correlativamente tienen los gobernados; de ahí que tratándose de las autoridades fiscales, el legislador **solo puede facultar a éstas para emitir los actos de molestia que, en función de la obligación constitucional de los gobernados de contribuir para los gastos públicos, tiendan a verificar su cumplimiento, pues solo en relación con ésta se justifican sus facultades e incluso su existencia.** En congruencia con lo anterior, es de estimarse que el referido artículo 42-A del Código Fiscal de la Federación, al facultar a las autoridades fiscales para solicitar a los contribuyentes, responsables solidarios o terceros, datos, informes o documentos, con el fin de planear y programar actos de fiscalización, sin que se cumpla con lo dispuesto por las fracciones IV a IX del artículo 48 del propio código **y sin que tal solicitud signifique que las citadas autoridades estén iniciando el ejercicio de sus facultades de comprobación, viola la garantía constitucional de referencia. Ello es así, porque el citado artículo 42-A permite que el contribuyente sea molestado por las autoridades fiscales, sin que el acto de molestia guarde relación alguna con su obligación de contribuir a los gastos públicos.** Esto es, si las facultades de las autoridades fiscales solo se justifican en función de la obligación constitucional de los gobernados de contribuir a los gastos públicos y si la solicitud de datos, informes o documentos a los contribuyentes, responsables solidarios o terceros no está encaminada a verificar el cumplimiento de esa obligación, resulta inconcuso que el aludido artículo 42-A del código tributario es violatorio de la mencionada garantía de seguridad jurídica.*

Amparo en revisión 481/99. Ford Motor Company, S.A. de C.V. 13 de julio de 2000. Unanimidad de diez votos. Ausente: José Vicente Aguinaco Alemán. Ponente: José de Jesús Gudiño Pelayo. Secretario: Miguel Ángel Ramírez González.

Amparo en revisión 1378/99. Climate Systems Mexicana, S.A. de C.V. 13 de julio de 2000. Unanimidad de diez votos. Ausente: José Vicente Aguinaco Alemán. Ponente: Olga Sánchez Cordero de García Villegas. Secretario: José Luis Vázquez Camacho.

El Tribunal Pleno, en su sesión privada celebrada hoy cinco de septiembre en curso, aprobó, con el número CLV/2000, la tesis aislada que antecede; y determinó que la votación es idónea para integrar tesis jurisprudencial. México, Distrito Federal, a cinco de septiembre de dos mil."

(TMX 52877)
(Énfasis añadido)

Una vez que ha quedado analizado el artículo de referencia, entraremos al estudio de las principales facultades de comprobación con las que cuenta la autoridad hacendaria, a saber:

3.1. VISITA DOMICILIARIA

3.1.1. Concepto y Desarrollo

Es aquella revisión practicada por las autoridades competentes que se lleva a cabo en el domicilio fiscal del contribuyente y que tiene por objeto verificar el correcto cumplimiento de las obligaciones fiscales de los sujetos pasivos del tributo.

3.1.2. Orden de visita

En primer lugar, la visita domiciliaria se lleva a cabo por la emisión de una **orden de visita,** que tiene que cubrir con los requisitos que señala el artículo 38 del CFF, transcrito en capítulos anteriores, mismos que deben reunir los actos administrativos que se deban notificar.

En la orden de visita, adicionalmente a estos requisitos se deberán indicar los previstos en el artículo 43 del Código Fiscal de la Federación, y que son los siguientes:

Artículo 43.- (…)

I.- El lugar o lugares donde deba efectuarse la visita. El aumento de lugares a visitar deberá notificarse al visitado.

II.- El nombre de la persona o personas que deban efectuar la visita las cuales podrán ser sustituidas, aumentadas o reducidas en su número, en cualquier tiempo por la autoridad competente. La sustitución o aumento de las personas que deban efectuar la visita se notificará al visitado.

Las personas designadas para efectuar la visita la podrán hacer conjunta o separadamente.

III.- Tratándose de las visitas domiciliarias a que se refiere el artículo 44 de este Código, las órdenes de visita deberán contener impreso el nombre del visitado excepto cuando se trate de órdenes de verificación en materia de comercio exterior y se ignore el nombre del mismo. En estos supuestos, deberán señalarse los datos que permitan su identificación, los cuales podrán ser obtenidos, al momento de efectuarse la visita domiciliaria, por el personal actuante de la visita de que se trate."

Esta fracción III, se adicionó para el año de 2004, debido a que era práctica común de las autoridades fiscales emitir órdenes de visita sin señalar el nombre impreso del visitado, luego, quedaba al arbitrio y capricho de los visitadores o actuarios, señalar el nombre del contribuyente, razón por la cual ahora es necesario que el contribuyente tenga la certeza de que la autoridad facultada para el efecto de emitir órdenes de visita, sea precisamente la que señale el nombre desde un inicio y de forma impresa.

Si se trata de una visita domiciliaria que pretenda revisar al mismo contribuyente por el mismo ejercicio y por las mismas contribuciones, solo podrá versar sobre "hechos diferentes", según lo establece el artículo 53-C del CFF, mismos que se analizarán en capítulos ulteriores del presente libro.

3.1.3. *Elementos más importantes que debe contener una orden de visita*

Los aspectos más importantes que debe contener una orden de visita son los siguientes:

1. Autoridad que la emite y la firma.

2. Fecha de expedición.

3. Objeto de la misma (Contribuciones sujetas a revisión).

4. Ejercicios a revisar.

5. Lugar o lugares donde debe llevarse a cabo.

6. Personas que la van a efectuar (visitadores: de 1 a 5 por lo general).

7. Nombre del visitado.

3.1.4. *Orden de visita ilegal*

Cabe destacar que es de vital importancia que la orden de visita cumpla con estos requisitos, en virtud de que una orden de visita ilegal tiene consecuencias muy importantes, tales como la nulidad de la resolución impugnada, si es que se combate la misma ante el TFJA; sería nulidad sin señalar para qué efecto, porque no estamos hablando de un vicio dentro del procedimiento, debido a que la orden de visita no forma parte del mismo, sino que es un acto anterior que nos da la pauta del inicio del procedimiento —pero se insiste— no forma parte del mismo. En este orden de ideas, sería ilógico que se declarara una nulidad para el efecto de que se reponga el procedimiento, porque al ser ilegal la orden, el mismo no tuvo inicio, y por otro lado sería absurdo que los H. H. Magistrados del Tribunal Federal de Justicia Administrativa dictaran una sentencia en virtud de la cual obligaran a las autoridades fiscales a ejercer sus facultades de comprobación, siendo que las mismas son discrecionales.

La orden de visita no es una resolución definitiva susceptible de impugnarse mediante los medios ordinarios de defensa, sin embargo SÍ puede impugnarse a través de una demanda de amparo indirecto, en caso de que vulnere derechos humanos.

Ahora bien, si no se impugnó en su momento la inconstitucionalidad de una orden de visita vía amparo indirecto, en el momento en que la autoridad emita y notifique la resolución determinante del crédito fiscal, el contribuyente podrá impugnar tanto aspectos de legalidad como de constitucionalidad de la propia orden al momento en que combata de igual forma la resolución determinante del crédito fiscal, ya sea a través de los medios ordinarios de defensa, o en su momento, mediante la demanda de amparo directo, que en su caso se interponga.

3.1.5. Objeto de las órdenes de visita

Toda orden de visita debe tener un objeto, es decir, debe indicar los impuestos y los ejercicios a revisar.

Lo anterior es de vital importancia, debido a que lo usual es que abarque varios impuestos, pero no se pueden revisar impuestos por los que el auditado ni siquiera está obligado a enterar, ya que si la autoridad emite una de esas órdenes llamadas *genéricas,* donde la autoridad enumera todos los impuestos, incluyendo aquéllos que por el giro al cual se dedica la empresa no está obligada a enterar, debe ser declarada **nula** porque viola el artículo 38 del Código Fiscal de la Federación al carecer de *objeto,* mismo que deberá ser manifestado por los contribuyentes en su alta ante el SAT; lo anterior se corrobora con la siguiente tesis de jurisprudencia de la Suprema Corte de Justicia de la Nación que prohíbe las órdenes genéricas siempre y cuando el contribuyente se encuentre registrado en el RFC, y que a la letra dispone:

> *"Novena Época*
> *Instancia: Segunda Sala*
> *Fuente: Semanario Judicial de la Federación y su Gaceta*
> *Tomo: VI, diciembre de 1997*
> *Tesis: 2a./J. 59/97*
> *Página: 333*
> **ORDEN DE VISITA DOMICILIARIA, SU OBJETO**. *Acorde con lo previsto en el artículo 16 constitucional, así como con su interpretación realizada por esta Suprema Corte en las tesis jurisprudenciales cuyos rubros son: "VISITA DOMICILIARIA, ORDEN DE. REQUISITOS QUE DEBE SATISFACER." (tesis 183, página 126, Tomo III, Segunda Sala, compilación de 1995) y "ÓRDENES DE VISITA DOMICILIARIA, REQUISITOS QUE DEBEN*

CONTENER LAS." (tesis 509, página 367, Tomo III, Segunda Sala, compilación de 1995), que toman en consideración la tutela de la inviolabilidad del domicilio y la similitud establecida por el Constituyente, entre una orden de cateo y una de visita domiciliaria, cabe concluir que el objeto no solo debe concebirse como propósito, intención, fin o designio, que dé lugar a la facultad comprobatoria que tienen las autoridades correspondientes, sino también debe entenderse como cosa, elemento, tema o materia, esto es, lo que produce certidumbre en lo que se revisa; con base en esto último, el objeto de la orden de que se trata no debe ser general, sino determinado, para así dar seguridad al gobernado y, por ende, no dejarlo en estado de indefensión. **Por tanto, la orden que realiza un listado de contribuciones o cualquier otro tipo de deberes fiscales que nada tenga que ver con la situación del contribuyente a quien va dirigida, la torna genérica, puesto que deja al arbitrio de los visitadores las facultades de comprobación, situación que puede dar pauta a abusos de autoridad,** *sin que obste a lo anterior la circunstancia de que el visitador únicamente revise las contribuciones a cargo del contribuyente como obligado tributario directo, porque en ese momento ya no se trata del contenido de la orden, sino del desarrollo de la visita, en la inteligencia de que la práctica de ésta debe sujetarse únicamente a lo señalado en la orden y no a la inversa. Esta conclusión, sin embargo, no debe llevarse al extremo de exigir a la autoridad que pormenorice o detalle el capitulado o las disposiciones de las leyes tributarias correspondientes, porque tal exageración provocaría que con una sola circunstancia que faltara, el objeto de la visita se considerara impreciso, lo cual restringiría ilegalmente el uso de la facultad comprobatoria, situación que tampoco es la pretendida por esta Sala de la Suprema Corte de Justicia de la Nación.* **Es necesario precisar que las anteriores consideraciones únicamente son válidas tratándose de órdenes de visita para contribuyentes registrados,** *pues solo de ellos la Secretaría de Hacienda y Crédito Público, de acuerdo con su registro de alta, sabe qué contribuciones están a su cargo, situación que es distinta de los casos de contribuyentes clandestinos, es decir, aquellos que no están inscritos en el Registro Federal de Contribuyentes porque, en estos casos, la orden necesariamente debe ser general, pues no se sabe qué contribuciones están a cargo del destinatario de la orden. También debe señalarse que las contribuciones a cargo del sujeto pasivo, no solo conciernen a las materiales o de pago, sino igualmente a las formales o cualquier otro tipo de deber tributario y, por tanto, debe entenderse por obligado tributario, no solamente al causante o contribuyente propiamente dicho, sino también a los retenedores, responsables solidarios y cualquier otro sujeto que a virtud de las normas tributarias tenga que rendir cuentas al fisco.*

Contradicción de tesis 23/97. Entre las sustentadas por el Tercer y Quinto Tribunales Colegiados, ambos en Materia Administrativa, del Primer Circuito. 26 de septiembre de 1997. Unanimidad de cuatro votos. Ausente: Sergio Salvador Aguirre Anguiano. Ponente: Juan Díaz Romero. Secretario: Edgar Humberto Muñoz Grajales.

Tesis de jurisprudencia 59/97. Aprobada por la Segunda Sala de este Alto Tribunal, en sesión pública de veintiséis de septiembre de mil novecientos noventa y siete, por unanimidad de cuatro votos de los Ministros Juan Díaz Romero, Mariano Azuela Güitrón, Guillermo I. Ortiz Mayagoitia y presidente Genaro David Góngora Pimentel. Ausente: Sergio Salvador Aguirre Anguiano."

(TMX 32627)

En este orden de ideas, es importante señalar que las órdenes de visita genéricas devienen en ilegales en virtud de que se está dejando al arbitrio de los visitadores (que no son autoridades facultadas para tal efecto) el uso de las facultades de comprobación, asunto que podría dar lugar a abusos de autoridad por parte de los mismos, en la inteligencia de que esto procedería única y exclusivamente respecto de contribuyentes dados de alta en el Registro Federal de Contribuyentes, habida cuenta que de esa forma la autoridad conoce perfectamente los impuestos que debe pagar cada sujeto pasivo.

3.1.6. Notificación de una orden de visita

Debe notificarse de manera personal al visitado o al representante legal, y en caso de que no se encuentren, deberá dejar citatorio para el día siguiente a una hora hábil determinada para practicar la diligencia, y en caso de que no se presente el visitado o su representante, se entenderá la visita con el que se encuentre en el domicilio.

Lo anterior encuentra su fundamento en la fracción II del artículo 44 del CFF que en su parte conducente dispone:

> *"**II.** Si al presentarse los visitadores al lugar en donde deba practicarse la diligencia, no estuviere el visitado o su representante, dejarán citatorio con la persona que se encuentre en dicho lugar para que el mencionado visitado o su representante los esperen a la hora determinada del día siguiente para recibir la orden de visita; si no lo hicieren, la visita se iniciará con quien se encuentre en el lugar visitado."*

En este sentido, es importante mencionar que la orden de visita debe contener la fecha en la que se pretenda llevar a cabo la notificación, con independencia de que se encuentre el visitado o representante y se deje o no el citatorio.

3.1.7. Efectos de la notificación de la orden

– Suspende la caducidad. Las facultades de las autoridades fiscales que caducan son *la determinadora y la sancionadora,* en virtud de que la facultad comprobatoria no caduca. Lo anterior se acredita con lo que dispone el artículo 67 del Código Tributario que dice a la letra:

> *"Artículo 67.- Las facultades de las autoridades fiscales para **determinar** las contribuciones omitidas y sus accesorios, así como para **imponer sanciones** por infracciones a dichas disposiciones, se extinguen en el plazo de cinco años contados a partir del día siguiente a aquél en que*
> *(…)*
> *El plazo señalado en este artículo no está sujeto a interrupción y **sólo se suspenderá cuando se ejerzan las facultades de comprobación de las autoridades fiscales a que se refieren las fracciones II, III,** IV y IX del artículo 42 de este Código; cuando se interponga algún recurso administrativo o juicio; o cuando las autoridades fiscales no puedan iniciar el ejercicio de sus facultades de comprobación en virtud de que el contribuyente hubiera desocupado su domicilio fiscal sin haber presentado el aviso de cambio correspondiente o cuando hubiere señalado de manera incorrecta su domicilio fiscal. En estos dos últimos casos, se reiniciará el cómputo del plazo de caducidad a partir de la fecha en la que se localice al contribuyente. Asimismo, el plazo a que hace referencia este artículo se sus-*

penderá en los casos de huelga, a partir de que se suspenda temporalmente el trabajo y hasta que termine la huelga y en el de fallecimiento del contribuyente, hasta en tanto se designe al representante legal de la sucesión. Igualmente se suspenderá el plazo a que se refiere este artículo, respecto de la sociedad que teniendo el carácter de integradora, calcule el resultado fiscal integrado en los términos de lo dispuesto por la Ley del Impuesto sobre la Renta, cuando las autoridades fiscales ejerzan sus facultades de comprobación respecto de alguna de las sociedades que tengan el carácter de integrada de dicha sociedad integradora.

El plazo de caducidad que se suspende con motivo del ejercicio de las facultades de comprobación antes mencionadas inicia con la notificación de su ejercicio y concluye cuando se notifique la resolución definitiva por parte de la autoridad fiscal o cuando concluya el plazo que establece el artículo 50 de este Código para emitirla. De no emitirse la resolución, se entenderá que no hubo suspensión.

En todo caso, el plazo de caducidad que se suspende con motivo del ejercicio de las facultades de comprobación, adicionado con el plazo por el que no se suspende dicha caducidad, no podrá exceder de diez años. Tratándose de visitas domiciliarias, de revisión de la contabilidad en las oficinas de las propias autoridades o de la revisión de dictámenes, el plazo de caducidad que se suspende con motivo del ejercicio de las facultades de comprobación, adicionado con el plazo por el que no se suspende dicha caducidad, no podrá exceder de seis años con seis meses o de siete años, según corresponda.

Las facultades de las autoridades fiscales para investigar hechos constitutivos de delitos en materia fiscal, no se extinguirán conforme a este Artículo.

Los contribuyentes, transcurridos los plazos a que se refiere este Artículo, podrán solicitar se declare que se han extinguido las facultades de las autoridades fiscales."

(El resaltado es nuestro)

– Al ser descubierto vía orden de visita, **el pago ya no será espontáneo,** teniendo lo anterior consecuencias jurídicas de gran importancia, tales como la imposición de multas y sanciones que pueden llegar hasta la prisión por haber actualizado los supuestos de defraudación fiscal.

En este orden de ideas, nos parece conveniente transcribir el artículo 73 del Código Fiscal de la Federación para un mejor entendimiento:

*"Artículo 73.- **No se impondrán multas cuando se cumplan en forma espontánea las obligaciones fiscales fuera de los plazos señalados por las disposiciones fiscales** o cuando se haya incurrido en infracción a causa de fuerza mayor o de caso fortuito. Se considerará que el cumplimiento no es espontáneo en el caso de que:*

*I.- **La omisión sea descubierta por las autoridades fiscales.***

*II.- **La omisión haya sido corregida por el contribuyente después de que las autoridades fiscales hubieren notificado una orden de visita domiciliaria, o haya mediado requerimiento o cualquier otra gestión notificada por las mismas, tendientes a la comprobación del cumplimiento de disposiciones fiscales**.*

III.- La omisión haya sido subsanada por el contribuyente con posterioridad a los diez días siguientes a la presentación del dictamen de los estados financieros de dicho contribuyente formulado por Contador Público ante la Servicio de Administración Tributaria, respecto de aquéllas contribuciones omitidas que hubieren sido observadas en el dictamen.

Siempre que se omita el pago de una contribución cuya determinación corresponda a los funcionarios o empleados públicos o a los notarios o corredores titulados, los accesorios serán a cargo exclusivamente de ellos, y los contribuyentes solo quedarán obligados a pagar las contribuciones omitidas. Si la infracción se cometiere por inexactitud o falsedad de los datos proporcionados por los contribuyentes a quien determinó las contribuciones, los accesorios serán a cargo de los contribuyentes."

A propósito de lo anterior, se transcribe la siguiente tesis aislada del Poder Judicial Federal:

"Novena Época
Instancia: Tribunales Colegiados de Circuito
Fuente: Semanario Judicial de la Federación y su Gaceta
Tomo: IV, agosto de 1996
Tesis: II.2o.P.A.36 A
Página: 643
CONDONACION DE MULTAS FISCALES IMPUESTAS POR OMISION DE OBLIGACIONES FISCALES AL CORREGIRSE EN FORMA ESPONTANEA ANTES DE LA NOTIFICACION DE VISITAS DOMICILIARIAS. *El artículo 73 del Código Fiscal de la Federación, señala que no se impondrán multas cuando se cumplan en forma espontánea las obligaciones fiscales fuera de los plazos señalados por las disposiciones fiscales o cuando se haya incurrido en infracción a causa de fuerza mayor o de caso fortuito. Se considerará que el cumplimiento no es espontáneo en el caso de que: II.- La omisión haya sido corregida por el contribuyente después de que las autoridades fiscales hubieren notificado una orden de visita domiciliaria, o haya mediado requerimiento o cualquier otra gestión notificada por las mismas, tendientes a la comprobación del cumplimiento de disposiciones fiscales. Y si la quejosa en su Demanda de Nulidad señaló que de manera espontánea había corregido la pérdida fiscal manifestada en su declaración anual normal al haber presentado declaración complementaria y dado que la fracción II del precepto legal citado no exime de la multa al contribuyente cuando éste corrija la omisión de sus obligaciones fiscales después de que la autoridad hacendaria notifique una orden de visita domiciliaria; por lo que al corregir la omisión de sus obligaciones fiscales antes de que fuera notificada de la orden de visita domiciliaria, se estima que la declaración anual complementaria fue presentada en forma espontánea, luego entonces es obvio que debe ser condonada de la multa impuesta por la omisión en que había incurrido al haberla corregido de manera espontánea, antes de haber sido notificada de la orden de visita domiciliaria.*
SEGUNDO TRIBUNAL COLEGIADO EN MATERIAS PENAL Y ADMINISTRATIVA DEL SEGUNDO CIRCUITO.
Amparo directo 283/96. Francisco Javier Espinoza de los Monteros. 22 de mayo de 1996. Unanimidad de votos. Ponente: Rogelio Sánchez Alcáuter. Secretario: Eugenio Reyes Contreras."
(TMX 226179)

3.1.8. *Vicios en el citatorio o en la misma orden de visita. Consecuencias*

En efecto, si la sentencia del Juicio Contencioso Administrativo Federal declara que el citatorio de la orden de visita contiene vicios, está hecho indebidamente o que la misma orden contiene vicios que condujeron a los Magistrados del TFJA a declarar la nulidad de la resolución combatida, trae como consecuencia que todo lo actuado quede sin validez, luego, en caso de que sí se deban impuestos, el pago sería espontáneo, con todas las consecuencias jurídicas importantes que lo anterior acarrea.

De la interpretación al primer párrafo de la fracción II del artículo 44 y al último párrafo del diverso 46 del Código Fiscal de la Federación se infiere que las visitas **inician** con el levantamiento del acta parcial de inicio, es decir, con la notificación de la orden y no así con el citatorio de la misma. Para un mejor entendimiento, se transcriben los párrafos en cuestión:

> *"**Artículo 44**.- En los casos de visita en el domicilio fiscal, las autoridades fiscales, los visitados, responsables solidarios y los terceros estarán a lo siguiente:*
>
> *(…)*
>
> *II. Si al presentarse los visitadores al lugar en donde deba practicarse la diligencia, no estuviere el visitado o su representante, dejarán citatorio con la persona que se encuentre en dicho lugar para que el mencionado visitado o su representante los esperen a la hora determinada del día siguiente para recibir la orden de visita; si no lo hicieren, la visita se iniciará con quien se encuentre en el lugar visitado.*

El citatorio debe mencionar que la cita es para entregar una visita domiciliaria por la repercusión que tiene la misma, de otra forma, devendrá en ilegal la notificación de la orden y todo lo actuado será nulo por provenir de un acto viciado de origen.

Por otro lado, resulta importante señalar el carácter con el que se va a revisar al contribuyente, toda vez que puede ser revisado como sujeto directo, responsable solidario o como tercero. En este orden de ideas, cambia mucho la situación dependiendo el carácter con el que se revise a un contribuyente.

Si el visitado presenta cambio de domicilio al recibir el citatorio, la visita se puede llevar a cabo en el nuevo y en el anterior cuando el contribuyente conserva el local anterior, sin que para ello se requiera nueva orden o ampliación de la orden de visita, debiendo hacer constar tales hechos en el acta que levanten, excepto en caso de que los contribuyentes no hayan designado un domicilio fiscal estando obligados a ello, o hubieran designado como domicilio fiscal un lugar distinto al que les corresponda o cuando hayan manifestado un domicilio ficticio, las autoridades fiscales podrán practicar diligencias en cualquier lugar en el que realicen sus actividades o en el lugar que conforme al artículo 10 del Código Tributario Federal, se considere su domicilio, indistintamente.

3.1.9. *Reglas de la Visita Domiciliaria*

En caso de que exista peligro de que el visitado se ausente o pueda realizar maniobras para impedir el inicio o desarrollo de la diligencia, los visitadores podrán proceder al aseguramiento de la contabilidad, en términos del quinto y sexto párrafo del artículo 44 CFF que a la letra disponen:

"Cuando exista peligro de que el visitado se ausente o pueda realizar maniobras para impedir el inicio o desarrollo de la diligencia, los visitadores podrán proceder al aseguramiento de la contabilidad.

En los casos en que al presentarse los visitadores al lugar en donde deba practicarse la diligencia, descubran bienes o mercancías cuya importación, tenencia, producción, explotación, captura o transporte deba ser manifestada a las autoridades fiscales o autorizada por ellas, sin que se hubiera cumplido con la obligación respectiva, los visitadores procederán al aseguramiento de dichos bienes o mercancías."

3.1.10. Identificación de los visitadores y designación de testigos

Al iniciarse la visita, los visitadores deben identificarse ante la persona con quien se entienda la diligencia, y requerirán el señalamiento de dos testigos, y si éstos no son designados o no aceptan servir como tales, los visitadores los designarán, haciendo constar lo anterior en el acta que se levante para tal efecto, sin que lo anterior invalide los resultados de la visita.

Los testigos pueden ser sustituidos, por no comparecer al lugar donde se lleva a cabo la visita, por ausentarse antes de que concluya o bien, por manifestar su voluntad de dejar de ser testigo, siendo así, la persona que atienda la diligencia, deberá designar otros dos, y ante su negativa o impedimento de los designados, los visitadores los nombrarán. Cabe señalar que la sustitución de los testigos, no invalida los resultados de la visita.

Ahora bien, a partir del 1° de enero de 2021, entró en vigor la reforma que sufrió el último párrafo de la fracción III del artículo 44 del CFF, que a la letra dispone:

"Si al cierre del acta que se levante, el visitado o la persona con quien se entendió la diligencia o los testigos se niegan a firmar el acta, o el visitado o la persona con quien se entendió la diligencia se niegan a aceptar copia del acta, dicha circunstancia se asentará en la propia acta, sin que esto afecte la validez y valor probatorio de la misma; dándose por concluida la diligencia"

Esto es, si el visitado, testigos o el tercero con el que se entienda la diligencia, se niegan a firmar el acta, no implicará la invalidez o algún vicio de la visita, siempre que esta circunstancia se asiente en el acta correspondiente.

3.1.11. Auxilio de otras autoridades

Continúa diciendo el artículo 44 del Código Fiscal de la Federación en la última fracción (IV):

"...IV. Las autoridades fiscales podrán solicitar el auxilio de otras autoridades fiscales que sean competentes, para que continúen una visita iniciada por aquéllas notificando

al visitado la sustitución de autoridad y de visitadores. Podrán también solicitarles practiquen otras visitas para comprobar hechos relacionados con la que estén practicando."

Esto es, en el supuesto de que un contribuyente una vez que ha recibido el citatorio para notificar una visita domiciliaria, presente cambio de domicilio y dicho cambio traiga como consecuencia que el contribuyente deba ser revisado por una administración del SAT distinta a aquella que ordenó la auditoría; la autoridad competente (*v. gr.* La Administración Desconcentrada "2" de Auditoría del SAT) podrá solicitar el auxilio de la diversa (Administración Desconcentrada "3" del SAT) para continuar con la visita domiciliaria, notificando dicha sustitución y la de los visitadores respectivos.

3.1.12. Obligación de los Visitados

Por su parte, el artículo 45 del Código Fiscal de la Federación, dispone a la letra:

> **"Artículo 45.** *Los visitados, sus representantes o la persona con quien se entienda la visita en el domicilio fiscal, están obligados a permitir a los visitadores designados por las autoridades fiscales el acceso al lugar o lugares objeto de la misma, así como mantener a su disposición la contabilidad y demás papeles que acrediten el cumplimiento de las disposiciones fiscales de los que los visitadores podrán sacar copias para que previo cotejo con sus originales se certifiquen por éstos y sean anexados a las actas finales o parciales que levanten con motivo de la visita. También deberán permitir la verificación de bienes y mercancías, así como de los documentos, estados de cuentas bancarias, discos, cintas o cualquier otro medio procesable de almacenamiento de datos que tenga el contribuyente en los lugares visitados.*
>
> *Cuando los visitados lleven su contabilidad o parte de ella con el sistema de registro electrónico, o microfilmen o graben en discos ópticos o en cualquier otro medio que autorice el Servicio de Administración Tributaria mediante reglas de carácter general, deberán poner a disposición de los visitadores el equipo de cómputo y sus operadores, para que los auxilien en el desarrollo de la visita, así como entregar a la autoridad los archivos electrónicos en donde conste dicha contabilidad.*
>
> *En el caso de que los visitadores obtengan copias certificadas de la contabilidad deberán levantar acta parcial al respecto, la cual deberá reunir los requisitos que establece el artículo 46 de este Código, con la que podrá terminar la visita domiciliaria en el domicilio o establecimientos del visitado, pudiéndose continuar el ejercicio de las facultades de comprobación en el domicilio del visitado o en las oficinas de las autoridades fiscales, donde se levantará el acta final, con las formalidades a que se refiere el citado artículo.*
>
> *Lo dispuesto en el párrafo anterior no es aplicable cuando los visitadores obtengan copias de sólo parte de la contabilidad. En este caso, se levantará el acta parcial señalando los documentos de los que se obtuvieron copias, pudiéndose continuar la visita en el domicilio o establecimientos del visitado. En ningún caso las autoridades fiscales podrán recoger la contabilidad del visitado."*

En estos primeros párrafos del artículo anteriormente transcrito, se establece la obligación a cargo de los contribuyentes de permitir a los visitadores el acceso al establecimiento en donde deba efectuarse la auditoría, así como a la contabilidad que deba revisarse.

Posteriormente el precepto en cita, establece la obligación a cargo del contribuyente visitado de dar acceso a los visitadores a los lugares objeto de la visita, así como mantener a su disposición la contabilidad y demás documentos que acrediten el cumplimiento de sus obligaciones fiscales, ya sea que los mismos se encuentren en papel, debiendo permitir la expedición de copias certificadas, o bien, de encontrarse en medios digitales (como establece la reforma al Código Fiscal de la Federación de 2013 y que entró en vigor a partir del 1º de julio de 2014), permitir el acceso y verificación de discos, cintas o cualquier otro medio procesable de almacenamiento de datos que tenga el contribuyente y de igual forma, poner a disposición de los visitadores el equipo de cómputo y sus operadores para que los auxilien en el desarrollo de la visita, así como para entregar a la autoridad los archivos electrónicos que contengan la contabilidad.

Es importante destacar que en ningún supuesto los visitadores o autoridades fiscales podrán recoger o secuestrar la contabilidad de los contribuyentes. Esto es, solo están facultados para sacar copias en los casos que la ley indica, pero jamás llevarse la contabilidad en original a las oficinas hacendarias.

3.1.13. Actas debidamente circunstanciadas

Toda acta de visita deberá estar debidamente circunstanciada, estableciendo los hechos u omisiones detectadas. Hasta el ejercicio de 2020, los visitadores solamente estaban facultados para asentar hechos u omisiones en las actas que iban levantando.

No obstante lo anterior, a partir del 1º de enero de 2021, entró en vigor la reforma que sufrió la fracción IV del artículo 46 del CFF, que a la letra dispone:

> *"Los visitadores tendrán la facultad para realizar la valoración de los documentos o informes obtenidos de terceros en el desarrollo de la visita, así como de los documentos, libros o registros que presente el contribuyente dentro de los plazos establecidos en el párrafo anterior para desvirtuar los hechos u omisiones mencionados en la última acta parcial. La valoración comprenderá la idoneidad y alcance de los documentos, libros, registros o informes de referencia, como resultado del análisis, la revisión, la comparación, la evaluación o la apreciación, realizadas en lo individual o en su conjunto, con el objeto de desvirtuar o no los citados hechos u omisiones".*

En efecto, a partir del ejercicio de 2021, los auditores tienen mayores facultades, en atención a las reformas que sufrió este numeral.

De la lectura a este párrafo, se desprende con claridad meridiana, que los visitadores pueden valorar pruebas.

No obstante lo anterior, de igual forma se adicionaron dos párrafos al artículo 46 del CFF, quedando como sigue:

> *"Para los efectos de este artículo, se entenderá por circunstanciar detallar pormeno-*
> *rizadamente toda la información y documentación obtenida dentro de la visita domici-*
> *liaria, a través del análisis, la revisión, la comparación contra las disposiciones fiscales,*
> *así como la evaluación, estimación, apreciación, cálculo, ajuste y percepción, realizado*
> *por los visitadores, sin que se entienda en modo alguno que la acción de circunstanciar*
> *constituye valoración de pruebas.*
>
> *La información a que se refiere el párrafo anterior será de manera enunciativa mas no*
> *limitativa, aquélla que esté consignada en los libros, registros y demás documentos que*
> *integran la contabilidad, así como la contenida en cualquier medio de almacenamiento*
> *digital o de procesamiento de datos que los contribuyentes sujetos a revisión tengan en*
> *su poder, incluyendo los objetos y mercancías que se hayan encontrado en el domicilio*
> *visitado y la información proporcionada por terceros".*

En la última parte del primer párrafo que ha quedado transcrito, notamos una contradicción en esta reforma, ya que ahora menciona de manera expresa que la circunstanciación que lleven a cabo los auditores, no constituye una valoración de pruebas, cuando en el párrafo inmediato anterior que quedó transcrito, sí lo permite.

En este orden de ideas, podemos observar que el legislador dispuso que los auditores deben analizar pormenorizadamente toda la información y documentación que tengan a su alcance y —de manera puntual— compararla con las disposiciones fiscales.

Será muy interesante ver cómo aplican a partir del año 2021 esta disposición, porque prácticamente la Última Acta Parcial y el Acta Final, serán o deberán ser una especie de resoluciones determinantes. Siendo basante ambicioso para las autoridades, pero igualmente difícil de cumplirse de manera cabal, y sobre todo, legalmente por los visitadores quienes tendrán a su alcance estas nuevas facultades.

Asimismo, estaremos pendientes de cómo aplican estas disposiciones que son contradictorias y sí efectivamente llevan a cabo la valoración de pruebas e incluso señalan las consecuencias jurídicas de determinados hechos u omisiones detectadas, fundando y motivando dichos actos.

Si bien es cierto que los hechos u omisiones detectados por los visitadores hacen prueba de los mismos, también lo es que el contribuyente contará con la instancia para desvirtuar la última acta parcial, el Recurso de Revocación y el Juicio de Nulidad para desvirtuar tales hechos u omisiones. Dicho en otras palabras, lo asentado por los visitadores no es definitivo en atención a la garantía de audiencia con que contamos los contribuyentes y al principio de *litis* abierta. Sin embargo, es de especial relevancia lo que se asiente en dichas actas, de ahí la importancia de ser asesorado desde un inicio no solo por contadores, sino también por abogados.

La fracción II del artículo 46 del CFF, menciona lo siguiente:

> *"**II.** Si la visita se realiza simultáneamente en dos o más lugares, en cada uno de ellos*
> *se deberán levantar actas parciales, mismas que se agregarán al acta final que de la visita*
> *se haga, la cual puede ser levantada en cualquiera de dichos lugares. En los casos a que*

se refiere esta fracción, se requerirá la presencia de dos testigos en cada establecimiento visitado en donde se levante acta parcial cumpliendo al respecto con lo previsto en la fracción II del Artículo 44 de este Código."

Una vez levantada el acta final no pueden levantarse actas complementarias sin que exista nueva orden de visita. Esto es, a pesar de que no haya precluído el término de duración de la visita, en caso de que ya se haya levantado el Acta Final, no podrán levantar actas complementarias con posterioridad al levantamiento de esta última.

Menciona la fracción III del Artículo 46 del Código Fiscal de la Federación, lo siguiente:

*"**III.-** Durante el desarrollo de la visita los visitadores a fin de asegurar la contabilidad, correspondencia o bienes que no estén registrados en la contabilidad, podrán, indistintamente, sellar o colocar marcas en dichos documentos, bienes o en muebles, archiveros u oficinas donde se encuentren, así como dejarlos en calidad de depósito al visitado o a la persona con quien se entienda la diligencia, previo inventario que al efecto formulen, siempre que dicho aseguramiento no impida la realización de las actividades del visitado. Para efectos de esta fracción, se considera que no se impide la realización de actividades cuando se asegure contabilidad o correspondencia no relacionada con las actividades del mes en curso y los dos anteriores. En el caso de que algún documento que se encuentre en los muebles, archiveros u oficinas que se sellen, sea necesario al visitado para realizar sus actividades, se le permitirá extraerlo ante la presencia de los visitadores, quienes podrán sacar copia del mismo."*

3.1.14. Señalamiento de hechos u omisiones

Si la autoridad conoce hechos u omisiones que puedan entrañar el incumplimiento de obligaciones fiscales, lo hará saber al contribuyente de manera circunstanciada. Asimismo, también consignará en actas los hechos u omisiones que se conozcan de terceros, a través de compulsas. Lo anterior puede ser a través de una o varias actas e inclusive dentro del Última Acta Parcial.

En el momento en que se notifica la última acta parcial, el contribuyente contará con 20 días para presentar la instancia para desvirtuar la última acta parcial (tema tratado anteriormente), plazo que se puede ampliar por 15 más cuando se trate de más de un ejercicio revisado o fracción de este, siempre que se presente el aviso dentro de los 20 iniciales; aunque cabe mencionar que si se revisan impuestos de causación anual (ISR) no pueden revisarse fracciones.

La manera en que debe contarse el término de los 20 días, lo ilustra las siguientes tesis del Poder Judicial Federal:

"No. Registro: 188,135
Tesis aislada
Materia(s): Administrativa
Novena Época
Instancia: Tribunales Colegiados de Circuito

Fuente: Semanario Judicial de la Federación y su Gaceta
Tomo: XIV, diciembre de 2001
Tesis: VI.2o.A.29 A
Página: 1783

PRÓRROGA EN LAS VISITAS DOMICILIARIAS. PROCEDENCIA Y CÓMPUTO DEL PLAZO DE VEINTE DÍAS (INTERPRETACIÓN DE LA PARTE FINAL DEL SEGUNDO PÁRRAFO DEL ARTÍCULO 46-A DEL CÓDIGO FISCAL DE LA FEDERACIÓN).- *En relación al término para concluir visitas domiciliarias, el artículo 46-A del Código Fiscal de la Federación, en lo conducente, indica que deberán concluir dentro de un plazo máximo de seis meses contados a partir de que se notifique a los contribuyentes el inicio de las facultades de comprobación; en tanto que en la parte final de su segundo párrafo señala que dicho intervalo se entenderá prorrogado hasta que transcurra el periodo a que se refiere el segundo párrafo de la fracción IV del artículo 46 del citado ordenamiento legal; este último espacio se refiere a los veinte días que deben transcurrir, cuando menos, entre la última acta parcial y el acta final, en el que el contribuyente visitado podrá optar entre desvirtuar los hechos u omisiones observados en la precitada acta parcial o autocorregir su situación fiscal. Ahora bien, esa prórroga no procede en todas las visitas domiciliarias, sino únicamente cuando el plazo de los veinte días rebase el de los seis meses establecidos para la conclusión de la visita, y tal prórroga solo consistirá en el tiempo necesario para completar el lapso para desvirtuar los hechos u omisiones que se refieren en la última acta parcial o para autocorregirse el contribuyente visitado, que puede ser de veinte o menos días, según el caso, es decir, depende de la fecha en que se notificó la última acta parcial. También se aplica el mismo criterio a la revisión de la contabilidad de los contribuyentes que se efectúe en las oficinas de las propias autoridades.*

SEGUNDO TRIBUNAL COLEGIADO EN MATERIA ADMINISTRATIVA DEL SEXTO CIRCUITO.

Amparo directo 79/2001. Distribuidora Química Haca de Puebla, S.A. de C.V. 23 de marzo de 2001. Unanimidad de votos. Ponente: Antonio Meza Alarcón. Secretario: Gerardo Rojas Trujillo.

Nota: Por ejecutoria de fecha 30 de enero de 2004, la Segunda Sala declaró inexistente la contradicción de tesis 68/2003-SS en que participó el presente criterio."
(TMX 29326)

"No. Registro: 182,058
Tesis aislada
Materia(s): Administrativa
Novena Época
Instancia: Tribunales Colegiados de Circuito
Fuente: Semanario Judicial de la Federación y su Gaceta
Tomo: XIX, febrero de 2004
Tesis: I.7o.A.114 A
Página: 1172

VISITA DOMICILIARIA. EL PLAZO DE VEINTE DÍAS A QUE SE REFIERE LA FRACCIÓN IV DEL ARTÍCULO 46 DEL CÓDIGO FISCAL DE LA FEDERACIÓN, DEBE COMPUTARSE A PARTIR DEL LEVANTAMIENTO DE LA ÚLTIMA ACTA PARCIAL Y NO DESDE LA CONCLUSIÓN DEL DE SEIS MESES PREVISTO EN EL DIVERSO 46-A DE DICHO ORDENAMIENTO LEGAL.- *El plazo de seis meses que tiene la autoridad visitadora para terminar la visita en el domicilio del contribuyente, previsto en el artículo 46-A del Código Fiscal de la Federación, no debe transcurrir forzosamente para que comience a computarse el de veinte días a que se refiere la fracción IV del artículo*

46 de dicho ordenamiento legal, ya que si la última acta parcial se levanta antes de que fenezca éste, los veinte días con los que cuenta el contribuyente para presentar los documentos, libros o registros que desvirtúen los hechos u omisiones, así como para corregir su situación fiscal, deben computarse a partir del levantamiento del acta referida y no desde que concluya el plazo de seis meses previsto en el artículo 46-A del Código Fiscal de la Federación, el cual se entenderá prorrogado únicamente a efecto de que transcurran los veinte días.

SÉPTIMO TRIBUNAL COLEGIADO EN MATERIA ADMINISTRATIVA DEL PRIMER CIRCUITO.

Revisión fiscal 7/2000. Subadministrador de lo Contencioso "2" de la Administración Local Jurídica de Ingresos del Centro del Distrito Federal, en representación del Secretario de Hacienda y Crédito Público y otras. 22 de junio de 2000. Unanimidad de votos. Ponente: F. Javier Mijangos Navarro. Secretario: José Arturo González Vite.

Nota: La anterior tesis, publicada en el Semanario Judicial de la Federación y su Gaceta, Tomo XII, septiembre de 2000, Novena Época, página 829, con el rubro: "VISITA DOMICILIARIA. EL PLAZO A QUE SE REFIERE LA FRACCIÓN IV DEL ARTÍCULO 46 DEL CÓDIGO FISCAL DE LA FEDERACIÓN, DEBE COMPUTARSE DENTRO DE LOS SEIS MESES PREVISTOS EN EL DIVERSO 46-A DE DICHO ORDENAMIENTO LEGAL SI ÉSTA CONCLUYE ANTES DE QUE TRANSCURRAN.", fue modificada para que guardara fidelidad con el texto de la ejecutoria emitida por el tribunal respectivo, en cumplimiento a lo ordenado en la resolución dictada el 30 de enero de 2004 por la Segunda Sala de la Suprema Corte de Justicia de la Nación, en la contradicción de tesis 68/2003-SS, entre las sustentadas por el Séptimo Tribunal Colegiado en Materia Administrativa del Primer Circuito y el emitido por los Tribunales Colegiados Segundo en Materia Penal del Tercer Circuito y Segundo en Materia Administrativa del Sexto Circuito, para quedar como aquí se establece."

(TMX 224815)

Esto es, los 20 días no necesariamente deben sumarse una vez transcurridos los 12 meses (regla genera de duración de las visitas), aunque las tesis transcritas mencionen el plazo de 6 meses (que estaba anteriormente previsto en el CFF) sino únicamente cuando el plazo de los veinte días rebase el de los doce meses establecidos para la conclusión de la visita, y tal prórroga solo consistirá en el tiempo necesario para completar el lapso para desvirtuar los hechos u omisiones que se indican en la última acta parcial o bien, para que se autocorrija el contribuyente.

Si en este lapso, el contribuyente no interpone la instancia, se tendrán por consentidos los hechos, aunque lo anterior no es definitivo porque todavía se cuenta con el Recurso de Revocación o Juicio de Nulidad. Además hay que distinguir si el problema es de hechos o de derecho; ya que si es de hechos, sí vale la pena presentar la instancia, pero si es de derecho, aún y cuando se pueda ir preparando la defensa, lo más probable es que la autoridad termine emitiendo una resolución determinante de un crédito fiscal a cargo del contribuyente.

Pero es importante interponer esta instancia de cara a una adecuada defensa del asunto.

Si se trata de revisiones con partes relacionadas, por obvias razones los plazos son mayores y en lugar de 20 días, son dos meses para contestar la última acta parcial y se puede ampliar por un mes más.

El contribuyente persona moral, designará dos representantes para que tengan acceso a la información proporcionada por terceros independientes respecto de operaciones comparables que afecte la posición competitiva de estos terceros; tanto los representantes señalados como los contribuyentes serán responsables solidarios respecto del mal uso que de esa información se llegue a hacer.

El Acta Final se notifica igual que el inicio de la Visita Domiciliaria. Es importante que se notifique correctamente porque si no se hace de manera legal, la consecuencia sería una nulidad lisa y llana por no concluir a tiempo la visita domiciliaria, tal y como lo establecen las siguientes tesis (una del otrora TFF y la otra, de la SCJN):

> "Quinta Época.
> Instancia: Segunda Sección
> R.T.F.J.F.A.: Quinta Época. Año II. No. 23. Noviembre 2002.
> Tesis: V-J-2aS-9
> Página: 7
> **VISITAS DOMICILIARIAS Y REVISIONES EN MATERIA FISCAL FEDERAL.- LA CONTRAVENCIÓN AL PLAZO DE LEY PARA EFECTUARLAS, IMPLICA LA NULIDAD LISA Y LLANA POR CADUCIDAD.-** *Si se comprueba en el juicio contencioso administrativo federal, que la autoridad violó el plazo máximo de duración de la visita domiciliaria o de la revisión, el Tribunal deberá declarar la nulidad lisa y llana de la resolución administrativa impugnada por haberse dictado en contravención a lo dispuesto por el artículo 46-A del Código Fiscal de la Federación y al provenir de un procedimiento ilegal, atento a lo dispuesto por dicho precepto en el sentido de que, en esa hipótesis, deben quedar sin efectos la orden y todas las actuaciones que de ella derivaron, configurándose así, una forma de caducidad del procedimiento correspondiente, siendo tales efectos consecuentes con la causal de anulación establecida por el artículo 238, fracción IV del mencionado Ordenamiento. (1)*
> IV-P-2aS-267
> *Juicio No. 8895/99-11-11-2/167/99-S2-09-04.- Resuelto por la Segunda Sección de la Sala Superior del Tribunal Fiscal de la Federación, en sesión de 27 de abril de 2000, por unanimidad de 5 votos a favor.- Magistrado Ponente: Luis Carballo Balvanera.- Secretario: Lic. Juan Francisco Villarreal Rodríguez.*
> *R.T.F.F. Cuarta Época. Año III. No. 25. Agosto 2000. p. 353*
> IV-P-2aS-268
> *Juicio No. 13747/98-11-07-1/438/00-S2-07-04.- Resuelto por la Segunda Sección de la Sala Superior del Tribunal Fiscal de la Federación, en sesión de 16 de mayo de 2000, por unanimidad de 5 votos a favor.- Magistrada Ponente: Silvia Eugenia Díaz Vega.- Secretaria: Lic. María Luisa de Alba Alcántara.*
> *R.T.F.F. Cuarta Época. Año III. No. 25. Agosto 2000. p. 353*
> V-P-2aS-64
> *Juicio No. 4908/99-11-08-09/36/99-S2-06-04.- Resuelto por la Segunda Sección de la Sala Superior del Tribunal Federal de Justicia Fiscal y Administrativa, en sesión de 20 de febrero de 2001, por unanimidad de 4 votos a favor.- Magistrado Ponente: Guillermo Domínguez Belloc.- Secretaria: Lic. Susana Ruiz González.*

R.T.F.J.F.A. Quinta Época. Año I. No. 8. Agosto 2001. p. 219
V-P-2aS-119
Juicio No. 3016/00-01-03-8/471/01-S2-07-03.- Resuelto por la Segunda Sección de la Sala Superior del Tribunal Federal de Justicia Fiscal y Administrativa, en sesión de 27 de septiembre de 2001, por unanimidad de 4 votos a favor.- Magistrada Ponente: Silvia Eugenia Díaz Vega.- Secretaria: Lic. María Elda Hernández Bautista.
R.T.F.J.F.A. Quinta Época. Año II. No. 15. Marzo 2002. p. 113
V-P-2aS-153
Juicio No. 7208/99-11-02-2/108/99-S2-09-04.- Resuelto por la Segunda Sección de la Sala Superior del Tribunal Federal de Justicia Fiscal y Administrativa, en sesión de 29 de enero de 2002, por unanimidad de 4 votos a favor.- Magistrado Ponente: Luis Carballo Balvanera.- Secretaria: Luz María Anaya Domínguez.
R.T.F.J.F.A. Quinta Época. Año II. No. 19. Julio 2002. p. 42
Así lo acordó la Segunda Sección, de la Sala Superior, del Tribunal Federal de Justicia Fiscal y Administrativa, en la sesión privada, celebrada el día trece de agosto de dos mil dos. Firman, la Magistrada Silvia Eugenia Díaz Vega, Presidenta de la Segunda Sección, de la Sala Superior, del Tribunal Federal de Justicia Fiscal y Administrativa, y el Licenciado Mario Meléndez Aguilera, Secretario Adjunto de Acuerdos, quien da fe."
(TMX 419000)
"No. Registro: 182,270
Jurisprudencia
Materia(s): Administrativa
Novena Época
Instancia: Segunda Sala
Fuente: Semanario Judicial de la Federación y su Gaceta
Tomo: XIX, enero de 2004
Tesis: 2a./J. 1/2004
Página: 268
VISITA DOMICILIARIA O REVISIÓN DE GABINETE O DE ESCRITORIO. EL PLAZO MÁXIMO QUE ESTABLECE EL PRIMER PÁRRAFO DEL ARTÍCULO 46-A DEL CÓDIGO FISCAL DE LA FEDERACIÓN, PARA SU CONCLUSIÓN CONSTITUYE UN DEBER DE INELUDIBLE CUMPLIMIENTO.- De conformidad con el artículo 42 del Código Fiscal de la Federación, las autoridades cuentan con facultades discrecionales para comprobar que los contribuyentes, responsables solidarios o terceros relacionados, cumplan con sus obligaciones tributarias mediante la práctica, entre otras acciones, de visitas domiciliarias o revisiones de gabinete o de escritorio; sin embargo, tales actuaciones están sujetas a la garantía de inviolabilidad domiciliaria y demás formalidades que consigna el artículo 16 de la Constitución Política de los Estados Unidos Mexicanos. Ahora bien, una de las exigencias legales que deriva de dichas garantías, consiste en que las visitas domiciliarias o revisiones de gabinete o de escritorio concluyan dentro del plazo máximo señalado en el primer párrafo del artículo 46-A del citado Código, contado a partir de que se notifique el inicio de las facultades de comprobación, advirtiéndose que dicho plazo ya no es discrecional, pues ese párrafo señala que las autoridades "deberán" concluir la visita o revisión dentro del indicado plazo, de manera que si no lo hacen, se actualizan los supuestos del párrafo último del mencionado precepto, a saber: a) la conclusión o terminación de la visita o revisión en esa fecha, b) que la orden quede sin efectos, es decir, que no pueda ya producir consecuencias legales, y c) que todo lo actuado quede insubsistente.
Contradicción de tesis 56/2003-SS. Entre las sustentadas por el Cuarto Tribunal Colegiado en Materia Administrativa del Primer Circuito y los Tribunales Colegiados Primero y Tercero en Materia Administrativa del Sexto Circuito y Segundo en la misma materia

del Segundo Circuito. 3 de diciembre de 2003. Unanimidad de cuatro votos. Ponente: Genaro David Góngora Pimentel. Secretario: Rolando Javier García Martínez.

Tesis de jurisprudencia 1/2004. Aprobada por la Segunda Sala de este Alto Tribunal, en sesión privada del dieciséis de enero de dos mil cuatro."

(TMX 43656)

3.1.15. Hechos Diferentes

El artículo 53-C del Código Fiscal de la Federación, así como los diversos 16 y 19 de la Ley Federal de los Derechos del Contribuyente, permiten revisar y liquidar o determinar a un mismo contribuyente, por los mismos ejercicios y contribuciones, pero siempre y cuando se **COMPRUEBEN HECHOS DIFERENTES.**

Para una mayor claridad, transcribimos los preceptos aludidos:

*"**Artículo 53-C.** Con relación a las facultades de comprobación previstas en el artículo 42, fracciones II, III y IX de este Código, las autoridades fiscales **podrán revisar uno o más rubros o conceptos específicos, correspondientes a una o más contribuciones o aprovechamientos, que no se hayan revisado anteriormente,** sin más limitación que lo que dispone el artículo 67 de este Código.*

*Cuando se comprueben **hechos diferentes la autoridad fiscal podrá volver a revisar los mismos rubros o conceptos específicos de una contribución o aprovechamiento por el mismo periodo y en su caso, determinar contribuciones o aprovechamientos omitidos que deriven de dichos hechos.***

*La comprobación de hechos diferentes deberá estar sustentada en **información, datos o documentos de terceros;** en los **datos aportados por los particulares en las declaraciones complementarias que se presenten,** o en **la documentación aportada por los contribuyentes en los medios de defensa que promuevan y que no hubiera sido exhibida ante las autoridades fiscales durante el ejercicio de las facultades de comprobación previstas en las disposiciones fiscales, a menos que en este último supuesto la autoridad no haya objetado de falso el documento en el medio de defensa correspondiente pudiendo haberlo hecho o bien, cuando habiéndolo objetado, el incidente respectivo haya sido declarado improcedente.***

*"**Artículo 16**:*

(…)

*No se podrán determinar nuevas omisiones de las contribuciones revisadas durante el periodo objeto del ejercicio de las facultades de comprobación, salvo cuando se comprueben hechos diferentes. La comprobación de hechos diferentes deberá estar sustentada en **información, datos o documentos de terceros** o en **la revisión de conceptos específicos que no se hayan revisado con anterioridad."***

*"**Artículo 19**.-: Cuando las autoridades fiscales determinen contribuciones omitidas, **no podrán llevar a cabo determinaciones adicionales con base en los mismos hechos conocidos en una revisión, pero podrán hacerlo cuando se comprueben hechos diferentes.** La comprobación de hechos diferentes deberá estar sustentada en **información, datos o documentos de terceros o en la revisión de conceptos específicos que no se hayan revisado con anterioridad;** en este último supuesto, la orden por la que se ejerzan las facultades de comprobación deberá estar debidamente motivada con la expresión de los nuevos conceptos a revisar."*

(El resaltado es nuestro)

Es importante establecer que la autoridad estará facultada para revisar mismos ejercicios, impuestos e incluso conceptos específicos que no se hayan revisado con anterioridad, cuando estemos en presencia de hechos diferentes, siempre que estén sustentados en:

1. Información, datos o documentos de terceros.

2. Datos aportados por los particulares en las declaraciones complementarias que se presenten, o

3. Documentación aportada por los contribuyentes en los medios de defensa que promuevan y que no hubiera sido exhibida ante las autoridades fiscales durante el ejercicio de las facultades de comprobación previstas en las disposiciones fiscales; a menos que en este último supuesto la autoridad no haya objetado de falso el documento en el medio de defensa correspondiente pudiendo haberlo hecho o bien, cuando habiéndolo objetado, el incidente respectivo haya sido declarado improcedente.

La crítica que hacemos en relación al punto 3 antes transcrito, sería que en lugar de que el incidente interpuesto por la autoridad deba ser procedente, para estar en condiciones de revisar de nueva cuenta a un contribuyente, debió decir fundado. Lo anterior es así, ya que puede presentarse el caso de que la vía intentada (incidente de falsedad de documentos) sea la correcta y resulte procedente, pero que no sea fundado el mismo, caso en el cual el documento presentado como prueba no sería falso, pero aún así se le estaría dando una nueva oportunidad a la autoridad para revisar a un contribuyente de manera injusta.

En este orden de ideas, lo que debió mencionar el numeral comentado, es que el incidente debe declararse fundado, con el fin de que la autoridad pueda revisar de nueva cuenta el mismo ejercicio y contribuciones so pretexto de haber presentado y exhibido en juicio una prueba que no haya sido exhibida dentro de las facultades de comprobación; pero tal y como se encuentra redactado, estimamos que vulnera derechos humanos.

3.1.16. Reposición del procedimiento por parte de la autoridad hacendaria

La fracción VIII del artículo 46 del CFF. (Adicionada para el 1° de enero de 2007), dice a la letra:

> *"VIII. Cuando de la revisión de las actas de visita y demás documentación vinculada a éstas, se observe que el procedimiento no se ajustó a las normas aplicables, que pudieran afectar la legalidad de la determinación del crédito fiscal, la autoridad podrá de oficio, por una sola vez, reponer el procedimiento, a partir de la violación formal cometida."*

De la transcripción anterior, se desprende que la autoridad hacendaria podrá por una sola ocasión reponer el procedimiento, cuando advierta alguna cuestión ilegal que pueda afectar la debida determinación del crédito fiscal. En este sentido, es importante mencionar que se le está dando una oportunidad adicional a la autoridad para subsanar alguna cuestión de ilegalidad cometida durante el desarrollo de la visita domiciliaria, a través de la fracción que ha quedado transcrita.

En este orden de ideas, resulta importante mencionar que no es conveniente hacerle ver a la autoridad dentro del procedimiento oficioso alguna cuestión ilegal que se haya cometido en el mismo, ya que esto la podría alertar y en consecuencia subsanar dicho vicio mediante la reposición del procedimiento y la consecuente emisión de un crédito fiscal de manera legal. Dicho en otras palabras, el legislador le está dando una oportunidad a la autoridad fiscal de subsanar algún vicio de ilegalidad cometido durante la visita, a efecto de que la determinación del crédito fiscal, sea legal.

Asimismo, cabe señalar que con esta fracción, adicionado con lo que establece la fracción V del artículo 46-A del CFF en tratándose de las causales de suspensión del plazo para concluir la visita domiciliaria, tenemos que se le está dotando de un término adicional de 2 meses al fisco para concluir las visitas de mérito, al suspenderse el plazo general de duración de las mismas, para el efecto de que la autoridad reponga el procedimiento, una vez subsanada la ilegalidad.

3.1.17. *Duración de la Visita Domiciliaria y Casos de Excepción*

Regla General: 12 meses.

Casos de Excepción:

A. Contribuyentes que integren el sistema financiero y aquellos que tributen bajo el "Régimen Opcional Para Grupos de Sociedades" (Título II, Capítulo VI, LISR): dieciocho meses.

B. Visita a contribuyentes que implique la revisión de precios de transferencia (operaciones con partes relacionadas); solicitudes de información a autoridades extranjeras y cuando la autoridad aduanera esté llevando a cabo la verificación de origen a productores o exportadores de otros países, de conformidad con los Tratados Internacionales: 2 años.

3.1.18. *Suspensión del Plazo de la Visita Domiciliaria*

1. Huelga, a partir de que se suspende temporalmente el trabajo y hasta que termine la huelga.

2. Muerte del contribuyente, hasta en tanto se designe al representante legal de la sucesión o albacea.

3. Cuando el contribuyente desocupe su domicilio fiscal sin dar aviso o cuando no se le localice en el que haya señalado, hasta que se le localice.

4. Cuando el contribuyente no atienda el requerimiento de informes, datos o documentos, durante el periodo en que transcurra la fecha de vencimiento y la fecha en que se entregue la información, sin que la suspensión pueda exceder de 6 meses. Si son dos o más plazos, se sumarán los periodos de suspensión, sin que pueda exceder de un año.

Esto es, si en el desarrollo de una visita domiciliaria o revisión de gabinete, se le requiere al contribuyente (documentos, estados de cuenta, etc.), el plazo de conclusión de la visita se puede suspender hasta que éste conteste o atienda el requerimiento.

Sin embargo, en la práctica esta disposición es interpretada por la autoridad hacendaria en el sentido de que puede suspender el plazo de duración de la visita, en caso de que el contribuyente no entregue o entregue de manera parcial la documentación e información solicitada.

Pero de una lectura que se lleve a cabo de la fracción IV, del artículo 46-A del CFF, puede advertirse que dicho numeral no menciona el término "entregar" o "entregar de manera parcial". En este orden de ideas si el contribuyente ATIENDE el requerimiento, mencionando que no tiene a la mano toda o parte de la documentación e información, no debe actualizarse la fracción de mérito, y en consecuencia este supuesto de suspensión de duración de la visita domiciliaria.

Para una mejor exposición, se transcribe la citada fracción IV, del artículo 46-A del Código Tributario Federal:

> *"IV. Cuando el contribuyente no atienda el requerimiento de datos, informes o documentos solicitados por las autoridades fiscales para verificar el cumplimiento de sus obligaciones fiscales, durante el periodo que transcurra entre el día del vencimiento del plazo otorgado en el requerimiento y hasta el día en que conteste o atienda el requerimiento, sin que la suspensión pueda exceder de seis meses. En el caso de dos o más solicitudes de información, se sumarán los distintos periodos de suspensión y en ningún caso el periodo de suspensión podrá exceder de un año."*

Por lo anteriormente expuesto, podemos válidamente concluir que la suspensión termina cuando el contribuyente atiende el requerimiento o simplemente conteste el mismo, aún sin proporcionar la información y/o documentación solicitada.

5. Cuando la autoridad informe al contribuyente la reposición del procedimiento. Esta suspensión no podrá exceder de un plazo de dos meses.

6. Cuando la autoridad se vea impedida para continuar el ejercicio de sus facultades de comprobación por caso fortuito o fuerza mayor, hasta que la causa desaparezca, la cual se deberá publicar en el Diario Oficial de la Federación y en la página de Internet del Servicio de Administración Tributaria.

7. Cuando la autoridad solicite la opinión favorable del órgano colegiado al que se refiere el artículo 5o-A del Código Fiscal de la Federación, hasta que dicho órgano colegiado emita la opinión solicitada. Dicha suspensión no podrá exceder de dos meses.

En efecto, el artículo 5°-A del Código Fiscal de la Federación establece que, cuando un acto jurídico carezca de razón de negocios y generen algún beneficio directo o indirecto, el acto tendrá los efectos fiscales que corresponderían a los que se habrían realizado para la obtención del beneficio económico.

Ahora bien, las autoridades, en ejercicio de sus facultades de comprobación, pueden presumir que los actos carecen de una razón de negocios, siempre y cuando cumplan con los siguientes requisitos, a saber:

i) Haga del conocimiento del contribuyente dicha situación en la última acta parcial (fracción IV, artículo 46), oficio de observaciones (fracción IV, artículo 48) o en la resolución provisional (fracción III artículo 53-B) y hayan transcurrido los plazos para que el contribuyente aporte información y documentación tendiente a desvirtuar la referida presunción.

ii) Obtenga —antes de la emisión de la última acta parcial, el oficio de observaciones o la resolución provisional— una opinión favorable para la aplicación de ese artículo, por parte de un órgano colegiado integrado por funcionarios de la Secretaría de Hacienda y Crédito Público y el Servicio de Administración Tributaria. Con la salvedad que, en caso de no recibir esa opinión favorable dentro de un plazo de dos meses, se entenderá realizada en sentido negativo.

8. También se suspende, si se interponen medios de defensa, *v. gr.* un amparo indirecto en contra de una orden de visita, desde la fecha en que se interpongan, hasta que se dicte resolución definitiva.

3.1.19. *Conclusión de la Visita Domiciliaria*

La Visita Domiciliaria concluye con el levantamiento del Acta Final, misma que debe notificarse con las mismas formalidades de la Orden de Visita. De modo tal que, una vez levantada el Acta Final, ya no podrán emitirse actas complementarias.

Ahora bien, las consecuencias de no levantar el Acta Final o no notificar de manera debida el Oficio de Observaciones en tratándose de la Revisión de Gabinete, serán que quedará sin efectos la orden y las actuaciones que de ella se derivaron, esto es, la resolución definitiva deberá declararse nula de manera lisa y llana por estar dictada en contravención de las disposiciones aplicadas.

De igual manera, antes del levantamiento de la Última Acta Parcial, las autoridades se encuentran obligadas a atender lo dispuesto en el último párrafo del artículo 42 del CFF, antes citado en el presente.

3.1.20. *Determinación y notificación de las contribuciones omitidas*

El artículo 50 CFF establece los lineamientos para la determinación de créditos fiscales y su notificación, mismo que dispone a la letra:

> *"**Artículo 50.** Las autoridades fiscales que al practicar visitas a los contribuyentes o al ejercer las facultades de comprobación a que se refiere el artículo 48 de este Código, conozcan de hechos u omisiones que entrañen incumplimiento de las disposiciones fiscales, determinarán las contribuciones omitidas mediante resolución que se notificará personalmente al contribuyente o por medio del buzón tributario, dentro de un plazo máximo de seis meses contado a partir de la fecha en que se levante el acta final de la visita o, tratándose de la revisión de la contabilidad de los contribuyentes que se efectúe en las oficinas de las autoridades fiscales, a partir de la fecha en que concluyan los plazos a que se refieren las fracciones VI y VII del artículo 48 de este Código.*
>
> *El plazo para emitir la resolución a que se refiere este artículo se suspenderá en los casos previstos en las fracciones I, II y III del artículo 46-A de este Código.*
>
> *Si durante el plazo para emitir la resolución de que se trate, los contribuyentes interponen algún medio de defensa en el país o en el extranjero, contra el acta final de visita o del oficio de observaciones de que se trate, dicho plazo se suspenderá desde la fecha en que se interpongan los citados medios de defensa y hasta que se dicte resolución definitiva de los mismos.*
>
> *Cuando las autoridades no emitan la resolución correspondiente dentro del plazo mencionado, quedará sin efectos la orden y las actuaciones que se derivaron durante la visita o revisión de que se trate.*
>
> *En dicha resolución deberán señalarse los plazos en que la misma puede ser impugnada en el recurso administrativo y en el juicio contencioso administrativo. Cuando en la resolución se omita el señalamiento de referencia, el contribuyente contará con el doble del plazo que establecen las disposiciones legales para interponer el recurso administrativo o el juicio contencioso administrativo."*

En el precepto que ha quedado transcrito se establece el deber ineludible a cargo de la autoridad de emitir y NOTIFICAR, dentro del término de 6 meses contados a partir del levantamiento del Acta Final (en Visita Domiciliaria) y a partir de que vencen los términos para desvirtuar el Oficio de Observaciones (en Revisión de Gabinete) la resolución determinante del crédito fiscal, misma que será la resolución definitiva susceptible de impugnarse a través de los medios ordinarios de defensa. Y en dicho precepto se establece claramente la consecuencia a su incumplimiento: En caso de no emitir y notificar dentro del plazo de 6 meses dicha resolución, quedará nulo todo lo actuado, de manera lisa y llana por contravenir lo dispuesto en un artículo de aplicación ineludible.

3.1.21. Suspensión del plazo

El plazo para emitir y notificar la resolución determinante, se supenderá en los siguientes supuestos:

1. Huelga, a partir de que se suspende temporalmente el trabajo y hasta que termine la huelga.

2. Muerte del contribuyente, hasta en tanto se designe al representante legal de la sucesión o albacea. Esto, evidentemente solo aplica a personas físicas.

3. Cuando el contribuyente desocupe su domicilio fiscal sin dar aviso o cuando no se le localice en el que haya señalado, hasta que se le localice.

3.1.22. Crítica de la consecuencia de no señalar los medios de impugnación y el plazo para ejercerlos

Nos parece inadecuado que la consecuencia, en caso de incumplimiento por la autoridad de no señalar el plazo con el que cuentan los contribuyentes para impugnar mediante los medios ordinarios de defensa una resolución determinante de un crédito fiscal, sea que se duplique el mismo, ya que si un contribuyente ignora los plazos para interponer Recurso de Revocación (30 días hábiles) o promover Demanda de Nulidad (igualmente 30 días hábiles), de igual forma ignorará que se duplica dicho plazo si es que no conoce los tiempos y existencia de dichos medios ordinarios de defensa.

En este orden de ideas, nos parece más acertado que la consecuencia por el incumplimiento a lo preceptuado en el penúltimo párrafo del artículo 50 que ha quedado transcrito, debería ser que la autoridad quedase impedida de iniciar el Procedimiento Administrativo de Ejecución, hasta en tanto no comunique al contribuyente formalmente los medios ordinarios de defensa que tiene a su alcance y el plazo para su interposición.

3.2. REVISIÓN DE GABINETE

3.2.1. Concepto

La revisión de gabinete es aquélla auditoría que la autoridad ordena para llevarse a cabo en las propias oficinas hacendarias, es decir, a diferencia de la visita domiciliaria en donde la auditoría tiene verificativo en el propio domicilio del contribuyente, la revisión de gabinete se lleva a cabo en las oficinas del Servicio de Administración Tributaria. Las autoridades solicitan información, datos y toda la documentación relacionada con la contabilidad del contribuyente, incluyendo la relativa a las cuentas bancarias.

3.2.2. Fundamento legal

Al llevar a cabo la revisión de gabinete, se suspenden los plazos de caducidad de las facultades de las autoridades fiscales y el pago efectuado con posterioridad a la notificación del inicio de una revisión de gabinete no será espontáneo, tal y como ocurre con la notificación de la orden de visita (Acta Parcial de Inicio) en tratándose de la visita domiciliaria.

En efecto, encontramos el fundamento legal de la revisión de gabinete en la fracción II del artículo 42 del Código Fiscal de la Federación, que a la letra dispone:

> **Artículo 42**.- *Las autoridades fiscales a fin de comprobar que los contribuyentes, los responsables solidarios o los terceros con ellos relacionados han cumplido con las disposiciones fiscales y, en su caso, determinar las contribuciones omitidas o los créditos fiscales, así como para comprobar la comisión de delitos fiscales y para proporcionar información a otras autoridades fiscales, estarán facultadas para:*
> *(…)*
> ***II.*** *Requerir a los contribuyentes, responsables solidarios o terceros con ellos relacionados, para que exhiban en su domicilio, establecimientos, en las oficinas de las propias autoridades o dentro del buzón tributario, dependiendo de la forma en que se efectuó el requerimiento, la contabilidad, así como que proporcionen los datos, otros documentos o informes que se les requieran a efecto de llevar a cabo su revisión.*

Si bien es cierto que esta facultad, incluye la posibilidad de que el contribuyente exhiba su contabilidad en sus oficinas, también lo es que se distingue de la visita domiciliaria, en que también se puede exhibir y analizar esta documentación en las oficinas de la autoridad tributaria.

3.2.3. Procedimiento

El artículo 48 del mismo ordenamiento señala el procedimiento de la Revisión de Gabinete, mismo que transcribiremos e iremos haciendo los comentarios conducentes al respecto:

> *"***Artículo 48**.- *Cuando las autoridades fiscales soliciten de los contribuyentes, responsables solidarios o terceros, informes, datos o documentos o pidan la presentación de la contabilidad o parte de ella, para el ejercicio de sus facultades de comprobación, fuera de una visita domiciliaria, se estará a lo siguiente:*
> ***I.*** *La solicitud se notificará al contribuyente de conformidad con lo establecido en el artículo 134 del presente ordenamiento."*

Así las cosas, tenemos que en términos del citado artículo 134 del CFF, las notificaciones de los actos administrativos, pueden ser realizadas de las siguientes formas:

1. Personalmente, en su domicilio o en el diverso que los contribuyentes señalen para tal efecto.

2. Por correo certificado.

3. A través del buzón tributario.

Continúa diciendo el artículo 48:

> *II. En la solicitud se indicará el lugar y el plazo en el cual se debe proporcionar los informes o documentos.*

El plazo en el que se deben proporcionar dichos documentos es de quince días prorrogables por otros diez si se trata de informes cuyo contenido sea difícil de proporcionar o de difícil obtención, según lo dispone el artículo 53 del Código Tributario Federal.

Menciona la fracción III del artículo 48 del CFF:

> *III. Los informes, libros o documentos requeridos deberán ser proporcionados por la persona a quien se dirigió la solicitud o por su representante.*

Esto es importante, ya que es muy común que la revisión la atienda un contador, un tercero o persona de confianza del contribuyente revisado, y es el que firma los documentos tanto de prórroga como de desahogo de información. Sin embargo, habrá que tener cuidado ya que si este tercero no cuenta con representación, no puede firmar un escrito de estas características y la autoridad puede tener como no presentado el documento o la información exhibida.

Continúa diciendo el numeral analizado, en su fracción IV y V lo siguiente:

> *IV. Como consecuencia de la revisión de los informes, datos, documentos o contabilidad requeridos a los contribuyentes, responsables solidarios o terceros, las autoridades fiscales formularán **oficio de observaciones**, en el cual harán constar en forma circunstanciada los hechos u omisiones que se hubiesen conocido y entrañen incumplimiento de las disposiciones fiscales del contribuyente o responsable solidario, quien podrá ser notificado de conformidad con lo establecido en el artículo 134 de este Código.*
> *V.- Cuando no hubiera observaciones, la autoridad fiscalizadora comunicará al contribuyente o responsable solidario, mediante oficio, la conclusión de la revisión de gabinete de los documentos presentados.*
> (Énfasis añadido)

Es importante señalar la trascendencia que tiene el hecho de que la autoridad fiscalizadora comunique al contribuyente la conclusión de la revisión de gabinete, ya sea mediante el levantamiento del oficio de observaciones o a través de la entrega de un oficio en donde conste que no encontraron ninguna irregularidad, para no dejar al contribuyente en estado de indefensión.

Cabe mencionar que en el supuesto de que la autoridad notifique al contribuyente un oficio dando por concluida la revisión sin encontrar alguna irregularidad y posteriormente le determine contribuciones omitidas; se podrá promover demanda de amparo por violar el derecho humano de audiencia, consagrado en el artículo 14 Constitucional, en virtud de que no le están dando la oportunidad de defenderse en contra de ese oficio de observaciones que jamás le fue notificado.

> *VI.- El oficio de observaciones a que se refiere la fracción IV de este artículo se notificará cumpliendo con lo señalado en la fracción I de este artículo y en el lugar especificado en esta última fracción citada. El contribuyente o el responsable solidario, contará con un plazo de veinte días, contados a partir del día siguiente al en que surta efectos la notificación del oficio de observaciones, para presentar los documentos, libros o registros que desvirtúen los hechos u omisiones asentados en el mismo, así como para optar por corregir su situación fiscal. Cuando se trate de más de un ejercicio revisado o cuando la revisión abarque además de uno o varios ejercicios revisados, fracciones de otro ejercicio, se ampliará el plazo por quince días más, siempre que el contribuyente presente aviso dentro del plazo inicial de veinte días.*
>
> *Se tendrán por consentidos los hechos u omisiones consignados en el oficio de observaciones, si en el plazo probatorio el contribuyente no presenta documentación comprobatoria que los desvirtúe.*
>
> *El plazo que se señala en el primero y segundo párrafos de esta fracción es independiente del que se establece en el artículo 46-A de este Código."*

Lo que quiere decir este inciso es que el plazo para presentar la instancia para desvirtuar el Oficio de Observaciones (20 más 15 días), es independiente a los plazos de duración de la Revisión de Gabinete.

3.2.4. *Oficio de observaciones*

En el supuesto de que el contribuyente haga caso omiso al oficio de observaciones y el problema sea netamente jurídico, no hay mayor problema en virtud de que no se tienen que aportar pruebas; si el problema en cuestión radica en los hechos y no se puede aportar la documentación requerida para desvirtuar los hechos afirmados por la autoridad fiscalizadora, contará con 20 días para recabar la información, o bien, podrá solicitar la prórroga de quince días más dentro de los primeros veinte días (siempre y cuando se esté revisando más de un ejercicio); pero en caso de no poder conseguir dentro de los plazos autorizados los datos y documentos suficientes para desvirtuar los hechos, los tendrá que exhibir a través de la interposición del Recurso de Revocación, siendo esta la última oportunidad para hacerlo.

Algunas de las desventajas de no presentarlos dentro de los plazos autorizados en la fracción anterior, es que si la autoridad llegase a liquidar al contribuyente y la misma es de una cuantía alta, la garantía podría resultar costosa para el particular; o bien, actualizar la hipótesis normativa de un delito. En estos dos casos, sí resulta conveniente tratar de desvirtuar esos hechos antes de acudir al Recurso de Revocación.

(Continúa la transcripción del artículo 48 del Código Fiscal de la Federación.)

> **VII.** *Tratándose de la revisión a que se refiere la fracción IV de este artículo, cuando ésta se relacione con el ejercicio de las facultades a que se refieren los artículos 179 y 180 de la Ley del Impuesto sobre la Renta, el plazo a que se refiere la fracción anterior, será de dos meses, pudiendo ampliarse por una sola vez por un plazo de un mes a solicitud del contribuyente.*

Esta fracción, que permite ampliar el plazo hasta por tres meses para desvirtuar los hechos u omisiones consignados en el oficio de observaciones, únicamente se actualizará en el supuesto de precios de transferencia, es decir, en operaciones con partes relacionadas.

> *"**VIII.-** Dentro del plazo para desvirtuar los hechos u omisiones asentados en el oficio de observaciones, a que se refieren las fracciones VI y VII, el contribuyente podrá optar por corregir su situación fiscal en las distintas contribuciones objeto de la revisión, mediante la presentación de la forma de corrección de su situación fiscal, de la que proporcionará copia a la autoridad revisora."*

En caso de que el contribuyente opte por corregir su situación fiscal, se fincaría un crédito fiscal tomando en cuenta la diferencia, o bien, en el supuesto de que se autocorrija completamente, la imposición de sanciones será en menor cuantía, tal y como se ha comentado en otro apartado (Condonación de multas) del presente Libro.

> *"**IX.-** Cuando el contribuyente no corrija totalmente su situación fiscal conforme al oficio de observaciones o no desvirtúe los hechos u omisiones consignados en dicho documento, se emitirá la resolución que determine las contribuciones o aprovechamientos omitidos, la cual se notificará al contribuyente cumpliendo con lo señalado en la fracción I de este artículo y en el lugar especificado en dicha fracción.*
>
> *Para los efectos del primer párrafo de este artículo, se considera como parte de la documentación o información que pueden solicitar las autoridades fiscales, la relativa a las cuentas bancarias del contribuyente."*

Si el contribuyente no desvirtúa lo asentado por la autoridad hacendaria en el Oficio de Observaciones, una vez vencido el plazo para presentar dicha instancia, la autoridad contará con 6 meses para emitir y notificar la resolución determinante del crédito fiscal, mismo que podrá combatirse a través de los medios ordinarios de defensa.

3.2.5. Diferencias Entre Visita Domiciliaria y Revisión de Gabinete

1. La Revisión de Gabinete se lleva a cabo en las propias oficinas de la autoridad y la Visita Domiciliaria en el domicilio fiscal del contribuyente.

2. En la Revisión de Gabinete no hay señalamiento de testigos.

3. No hay Última Acta Parcial en la Revisión de Gabinete. Esto es, la Revisión de Gabinete inicia con el requerimiento de datos e información y termina con el Oficio de Observaciones. La Visita Domiciliaria inicia con el levantamiento del Acta Parcial de Inicio y concluye con el levantamiento del Acta Final.

4. En la Revisión de Gabinete, las autoridades no tienen la obligación de identificarse. En cambio, en la Visita Domiciliaria existe la obligación por parte de los visitadores de identificarse con credencial vigente.

5. En la revisión de gabinete, el contribuyente cuenta con más tiempo para proporcionar la información y documentación requerida (15 días hábiles posteriores al requerimiento); mientras que en una visita domiciliaria cuenta con menos tiempo (6 días hábiles, en caso de no tener la información a la mano).

6. La manera de contar los seis meses para notificar la liquidación. En la Visita Domiciliaria se cuentan a partir del levantamiento del Acta Final, en cambio en la Revisión de Gabinete se cuentan a partir del vencimiento de los 20 o 35 días hábiles que transcurren una vez levantado y notificado el Oficio de Observaciones. O bien, de dos o tres meses en tratándose de precios de transferencia.

7. La manera de notificar el inicio de una y otra facultad son distintas. En la Visita Domiciliaria debe iniciarse con el representante legal, y en caso de que no se encuentre se deja citatorio para el día siguiente; y solo en caso de que no esté presente el representante legal o visitado, se puede entender la diligencia con quien se encuentre en el domicilio. Y en la Revisión de Gabinete, se puede notificar el inicio de la misma personalmente, por correo certificado, o bien, a través del Buzón Tributario.

3.3. REVISIÓN DE DICTAMEN

3.3.1. Concepto

Dentro de las facultades de comprobación con las que cuentan las autoridades fiscales, nos encontramos la de *Revisión de Dictamen*, prevista en la fracción IV del artículo 42 del Código Fiscal de la Federación, que dice a la letra:

> "**IV.** Revisar los dictámenes formulados por contadores públicos sobre los estados financieros de los contribuyentes y sobre las operaciones de enajenación de acciones que realicen, así como cualquier otro dictamen que tenga repercusión para efectos fisca-

les formulado por contador público y su relación con el cumplimiento de disposiciones fiscales."

De la anterior transcripción, desprendemos que las autoridades fiscales quedarán facultadas para revisar los dictámenes formulados por los contadores, que tengan alguna repercusión para efectos fiscales.

3.3.2. *Opción Para Dictaminar Estados Financieros*

Una de las modificaciones significativas realizadas al CFF a partir de la reforma al mismo que entró en vigor el 1º de enero de 2014, fue en materia del Dictamen Fiscal de Estados Financieros en general, pues con anterioridad a dicha reforma había determinados contribuyentes que se encontraban obligados a dictaminar sus estados financieros, a través de un contador público autorizado.

En relación con lo anterior, es importante precisar que la otrora obligación, actualmente es una mera opción a favor de los contribuyentes, en atención al artículo 32-A del Código Fiscal de la Federación, mismo que a la letra dispone lo siguiente:

> *"**Artículo 32-A.** Las personas físicas con actividades empresariales y las personas morales, que en el ejercicio inmediato anterior hayan obtenido **ingresos acumulables superiores a $122,814,830.00**, que el **valor de su activo** determinado en los términos de las reglas de carácter general que al efecto emita el Servicio de Administración Tributaria, sea **superior a $97,023,720.00** o que por lo menos **trescientos de sus trabajadores les hayan prestado servicios en cada uno de los meses del ejercicio inmediato anterior**, podrán optar por dictaminar, en los términos del artículo 52 del Código Fiscal de la Federación, sus estados financieros por contador público autorizado. No podrán ejercer la opción a que se refiere este artículo las entidades paraestatales de la Administración Pública Federal.*
>
> *Los contribuyentes que opten por hacer dictaminar sus estados financieros a que se refiere el párrafo anterior, lo manifestarán al presentar la declaración del ejercicio del impuesto sobre la renta que corresponda al ejercicio por el que se ejerza la opción. Esta opción deberá ejercerse dentro del plazo que las disposiciones legales establezcan para la presentación de la declaración del ejercicio del impuesto sobre la renta. No se dará efecto legal alguno al ejercicio de la opción fuera del plazo mencionado.*
>
> *Los contribuyentes que hayan optado por presentar el dictamen de los estados financieros formulado por contador público registrado deberán presentarlo dentro de los plazos autorizados, incluyendo la información y documentación, de acuerdo con lo dispuesto por el Reglamento de este Código y las reglas de carácter general que al efecto emita el Servicio de Administración Tributaria, a más tardar el 15 de julio del año inmediato posterior a la terminación del ejercicio de que se trate.*
>
> *En el caso de que en el dictamen se determinen diferencias de impuestos a pagar, éstas deberán enterarse mediante declaración complementaria en las oficinas autorizadas dentro de los diez días posteriores a la presentación del dictamen.*
>
> *Los contribuyentes que ejerzan la opción a que se refiere este artículo, tendrán por cumplida la obligación de presentar la declaración informativa sobre su situación fiscal a que se refiere el artículo 32-H de este Código."*
>
> (El resaltado es nuestro)

De la transcripción anterior, se desprende con claridad meridiana los contribuyentes que pueden optar por dictaminar sus estados financieros. Asimismo, se establece el plazo que tienen para manifestar su elección de dictaminar sus estados financieros (fecha en que presentan su declaración anual) para efectos fiscales, e igualmente se establece la fecha para la presentación del dictamen (15 de julio); aunque en ocasiones existen prórrogas para presentar dicho dictamen.

Asimismo, en dicho numeral se establece la obligación a cargo de los contribuyentes dictaminados, de pagar la diferencia de contribuciones que establezca el dictamen dentro de los diez días siguientes al de su presentación, a través de una declaración complementaria, caso en el cual, se considera dicho pago como espontáneo, todavía.

3.3.2.1. Presunción *iuris tantum* de los hechos afirmados por los contadores y requisitos para ser Contador Público autorizado y sus obligaciones

Se presumirán ciertos (salvo prueba en contrario) los hechos afirmados por los contadores en cada apartado de sus dictámenes, siempre que se reúnan los requisitos a que se refiere el artículo 52 del CFF, a saber:

"*I. Que el contador público que dictamine obtenga su inscripción ante las autoridades fiscales para estos efectos, en los términos del Reglamento de este Código. Este registro lo podrán obtener únicamente:*

a) Las personas de nacionalidad mexicana que tengan título de contador público registrado ante la Secretaría de Educación Pública y que sean miembros de un colegio profesional reconocido por la misma Secretaría, cuando menos en los tres años previos a la presentación de la solicitud de registro correspondiente.

Las personas a que se refiere el párrafo anterior, adicionalmente deberán contar con certificación expedida por los colegios profesionales o asociaciones de contadores públicos, registrados y autorizados por la Secretaría de Educación Pública y sólo serán válidas las certificaciones que le sean expedidas a los contadores públicos por los organismos certificadores que obtengan el Reconocimiento de Idoneidad que otorgue la Secretaría de Educación Pública; además, deberán contar con experiencia mínima de tres años participando en la elaboración de dictámenes fiscales.

b) Las personas extranjeras con derecho a dictaminar conforme a los tratados internacionales de que México sea parte.

c) Las personas que estén al corriente en el cumplimiento de sus obligaciones fiscales en los términos del artículo 32-D de este Código, para lo cual deberán exhibir documento vigente expedido por el Servicio de Administración Tributaria, en el que se emita la opinión del cumplimiento de obligaciones fiscales.

El registro otorgado a los contadores públicos que formulen dictámenes para efectos fiscales, será dado de baja del padrón de contadores públicos registrados que llevan las autoridades fiscales, en aquéllos casos en los que dichos contadores no formulen dictamen sobre los estados financieros de los contribuyentes o las operaciones de enajenación de acciones que realice o cualquier otro dictamen que tenga repercusión fiscal, en un periodo de cinco años.

El periodo de cinco años a que se refiere el párrafo anterior, se computará a partir del día siguiente a aquél en que se presentó el último dictamen que haya formulado el contador público.

En estos casos se dará inmediatamente aviso por escrito al contador público, al colegio profesional y, en su caso, a la Federación de Colegios Profesionales a que pertenezca el contador público en cuestión. El contador público podrá solicitar que quede sin efectos la baja del padrón antes citado, siempre que lo solicite por escrito en un plazo de 30 días hábiles posteriores a la fecha en que reciba el aviso a que se refiere el presente párrafo.

II. Que el dictamen, se formule de acuerdo con las disposiciones del Reglamento de este Código y las normas de auditoría que regulan la capacidad, independencia e imparcialidad profesionales del contador público, el trabajo que desempeña y la información que rinda como resultado de los mismos.

III. Que el contador público emita, conjuntamente con su dictamen, un informe sobre la revisión de la situación fiscal del contribuyente, en el que consigne, bajo protesta de decir verdad, los datos que señale el Reglamento de este Código.

Adicionalmente, en dicho informe el contador público deberá señalar si el contribuyente incorporó en el dictamen la información relacionada con la aplicación de algunos de los criterios diversos a los que en su caso hubiera dado a conocer la autoridad fiscal conforme al inciso h) de la fracción I del artículo 33 de este Código.

IV. Que el dictamen se presente a través de los medios electrónicos de conformidad con las reglas de carácter general que al efecto emita el Servicio de Administración Tributaria.

V. Que el contador público esté, en el mes de presentación del dictamen, al corriente en el cumplimiento de sus obligaciones fiscales en los términos del artículo 32-D de este Código, para lo cual deberán exhibir a los particulares el documento vigente expedido por el Servicio de Administración Tributaria, en el que se emita la opinión del cumplimiento de obligaciones fiscales.

Las opiniones o interpretaciones contenidas en los dictámenes, no obligan a las autoridades fiscales. La revisión de los dictámenes y demás documentos relativos a los mismos se podrá efectuar en forma previa o simultánea al ejercicio de las otras facultades de comprobación respecto de los contribuyentes o responsables solidarios.

Cuando el contador público registrado no dé cumplimiento a las disposiciones referidas en este artículo, en el Reglamento de este Código o en reglas de carácter general que emita el Servicio de Administración Tributaria o no aplique las normas o procedimientos de auditoría, la autoridad fiscal, previa audiencia, exhortará o amonestará al contador público registrado o suspenderá hasta por tres años los efectos de su registro, conforme a lo establecido en este Código y su Reglamento. Si hubiera reincidencia o el contador hubiere participado en la comisión de un delito de carácter fiscal o no exhiba, a requerimiento de autoridad, los papeles de trabajo que elaboró con motivo de la auditoría practicada a los estados financieros del contribuyente para efectos fiscales, se procederá a la cancelación definitiva de dicho registro. En estos casos se dará inmediatamente aviso por escrito al colegio profesional y, en su caso, a la Federación de Colegios Profesionales a que pertenezca el contador público en cuestión; para llevar a cabo las facultades a que se refiere este párrafo, el Servicio de Administración Tributaria deberá observar el siguiente procedimiento:

a) Determinada la irregularidad, ésta será notificada al contador público registrado en un plazo que no excederá de seis meses contados a partir de la terminación de la revisión del dictamen, a efecto de que en un plazo de quince días siguientes a que surta efectos dicha notificación manifieste por escrito lo que a su derecho convenga, y ofrezca y exhiba las pruebas que considere pertinentes.

b) Agotado el periodo probatorio a que se refiere la fracción anterior, con vista en los elementos que obren en el expediente, la autoridad fiscal emitirá la resolución que proceda.

c) La resolución del procedimiento se notificará en un plazo que no excederá de doce meses, contado a partir del día siguiente a aquél en que se agote el plazo señalado en la fracción I que antecede.

Las sociedades o asociaciones civiles conformadas por los despachos de contadores públicos registrados, cuyos integrantes obtengan autorización para formular los dictámenes a que se refiere el primer párrafo de este artículo, deberán registrarse ante la autoridad fiscal competente, en los términos del Reglamento de este Código.

Cuando la formulación de un dictamen se efectúe sin que se cumplan los requisitos de independencia por parte del contador público o por la persona moral de la que sea socio o integrante, se procederá a la cancelación del registro del contador público, previa audiencia, conforme al procedimiento establecido en el Reglamento de este Código."

Cabe señalar, que la actividad realizada por los contadores públicos autorizados no constituye un acto de fiscalización, debido a que no son autoridades que puedan llevar a cabo facultades de comprobación, luego, este dictamen no obliga a las autoridades sino que simplemente son opiniones que tomarán en cuenta. Cuestión diferente, será la revisión del dictamen que lleven a cabo las autoridades tributarias.

3.3.3. Desarrollo

3.3.3.1. Antecedentes

Antes de la entrada en vigor del artículo 52-A del CFF (enero de 2004) el procedimiento de la revisión de dictamen se encontraba regulado en el artículo 55 del Reglamento del Código Fiscal de la Federación, que disponía:

*"Cuando las autoridades fiscales revisen el dictamen y demás información a que se refieren los artículos 52 del Código y 50, 51, 51-A y 51-B de este Reglamento, **podrán requerir indistintamente**:*

I.- Al contador público que haya formulado el dictamen, lo siguiente:

a).- Cualquier información que conforme al Código y este Reglamento debiera estar incluida en los estados financieros dictaminados para efectos fiscales.

b).- La exhibición de los papeles de trabajo elaborados con motivo de la auditoría practicada, los cuales, en todo caso, se entiende que son propiedad del contador público.

c).- La información que se considere pertinente para cerciorarse del cumplimiento de las obligaciones fiscales del contribuyente.

d).- La exhibición de los sistemas y registros contables y documentación original, en aquellos casos en que así se considere necesario.

Para estos efectos, si la información que proporcione el contador público conforme a lo que establecen los incisos a), b) y c) es suficiente, no se requerirá de la información a que se refiere el inciso d).

La información, exhibición de documentos y papeles de trabajo a que se refiere esta fracción, se solicitará al contador público por escrito con copia al contribuyente.

(REFORMADA, D.O.F. 31 DE MARZO DE 1992)

II.- Al contribuyente, la información y documentos a que se refieren los incisos c) y d) de la fracción anterior; dicho requerimiento se hará por escrito, con copia al contador público.

III.- A terceros relacionados con los contribuyentes o responsables solidarios, la información y documentación que consideren necesaria para verificar si son ciertos los datos consignados en el dictamen y demás documentos.

Lo dispuesto en este artículo es sin perjuicio de lo establecido en el penúltimo párrafo del artículo 52 del Código."

En este artículo, se establecía en primer término una facultad discrecional a favor de la autoridad para requerir indistintamente al contador o al contribuyente; sin embargo hubo un criterio del Poder Judicial en donde mencionaba que la palabra "podrán" no podía interpretarse como facultad discrecional sino como reglada, y en ese sentido, se le obligaba a la autoridad a requerir en primer término al contador y posteriormente al contribuyente. Situación que nos parece acorde, en la inteligencia de que la persona que realizó el dictamen es el contador y no el contribuyente, y los papeles de trabajo los tiene el contador.

Ahora bien, resulta conveniente precisar que la revisión del dictamen fiscal estuvo contenida durante muchos años en el artículo 55 del Reglamento del CFF y dicho artículo no se derogó aún y cuando en el año de 2004 entró en vigor el artículo 52-A del CFF, el cual estableció un procedimiento muy similar al contenido en el artículo 55 señalado, por lo que jurídicamente el artículo 55 era aplicable de manera supletoria en lo que no se opusiera al artículo 52-A del CFF.

La disposición reglamentaria en comento, dejó de tener vigencia el 8 de diciembre de 2009, fecha en que entró en vigor el nuevo Reglamento del CFF, el cual ya no contempla la obligación señalada.

3.3.4. *Revisión Secuencial*

En dicho numeral (52-A del CFF) se establece un procedimiento secuencial de revisión, mediante el cual debe requerirse en primer término al contador público cualquier información que conforme al Código y su Reglamento deba estar incluida en los estados financieros dictaminados, así como la exhibición de los papeles de trabajo elaborados con motivo de la auditoría que efectuó, y sigue diciendo el inciso c) de dicho numeral: la "información" que la autoridad considere pertinente para cerciorarse del cumplimiento de las obligaciones fiscales del contribuyente dictaminado.

De la lectura del inciso c) del artículo 52-A del CFF y del tercer párrafo del mismo precepto, se desprende que la autoridad hacendaria, dentro de la revisión de dictamen debe requerir en primer término al contador, pero también dentro del mismo plazo de duración de la revisión (6 meses) puede requerir directamente al contribuyente cualquier información que considere pertinente para cerciorarse del cumplimiento de sus obligaciones fiscales.

Lo anterior es así, ya que dicho párrafo establece a la letra:

> *"Cuando la autoridad, dentro del plazo mencionado, no requiera directamente al contribuyente la información a que se refiere el inciso c) de esta fracción o no ejerza directamente con el contribuyente las facultades a que se refiere la fracción II del presente artículo, no podrá volver a revisar el mismo dictamen, salvo cuando se revisen hechos diferentes de los ya revisados."*

Ahora bien, es necesario delimitar a qué se refiere el mismo CFF por "hechos diferentes", para tal efecto es necesario remitirnos al estudio del artículo 53-C del CFF, mismo que ya se ha realizado con anterioridad en el presente libro, a propósito de la Visita Domiciliaria.

3.3.4.1. Casos en los que se puede llevar a cabo una revisión directa al contribuyente (una vez que se requirió al contador)

La revisión directa al contribuyente solamente podrá efectuarse cuando habiéndosele requerido previamente al contador público los papeles de trabajo y la "información" pertinente para cerciorarse del cumplimiento de las obligaciones fiscales del contribuyente dictaminado:

1. No sea suficiente "a juicio de las autoridades fiscales" para conocer la situación fiscal del contribuyente"

2. El Contador Público Certificado, no presente dicha información y/o documentación dentro del plazo concedido.

3. Dicha "información" y documentación (papeles de trabajo) sean incompletos.

En estos tres supuestos, las autoridades fiscales "podrán", a su juicio, ejercer directamente con el contribuyente sus facultades de comprobación.

Pero lo anterior, supone que indefectiblemente se hayan iniciado las facultades directamente con el contador, y que se haya cumplido a cabalidad la denominada revisión secuencial.

Ahora bien, la redacción actual del artículo 52-A del CFF, dispone:

> *"**Artículo 52-A.-** Cuando las autoridades fiscales en el ejercicio de sus facultades de comprobación revisen el dictamen y demás información a que se refiere este artículo y el Reglamento de este Código, estarán a lo siguiente:*
> *I. Primeramente se requerirá al contador público que haya formulado el dictamen lo siguiente:*
> *a) Cualquier información que conforme a este Código y a su Reglamento debiera estar incluida en los estados financieros dictaminados para efectos fiscales.*

b) *La exhibición de los papeles de trabajo elaborados con motivo de la auditoría practicada, los cuales, en todo caso, se entiende que son propiedad del contador público para lo cual, deberá comparecer ante la autoridad fiscal a fin de realizar las aclaraciones que en este caso se le soliciten, en relación con los mismos.*

c) *La información que se considere pertinente para cerciorarse del cumplimiento de las obligaciones fiscales del contribuyente.*

La revisión a que se refiere esta fracción se llevará a cabo exclusivamente con el contador público que haya formulado el dictamen, sin que sea procedente la representación legal. Esta revisión **no deberá exceder de un plazo de seis meses** *contados a partir de que se notifique al contador público la solicitud de exhibición de los papeles de trabajo elaborados con motivo de la auditoría practicada.*

Cuando la autoridad, dentro del plazo mencionado, no requiera directamente al contribuyente la información a que se refiere el inciso c) de esta fracción o no ejerza directamente con el contribuyente las facultades a que se refiere la fracción II del presente artículo, no podrá volver a revisar el mismo dictamen, salvo cuando se revisen hechos diferentes de los ya revisados.

II. *Habiéndose requerido al contador público que haya formulado el dictamen la información y los documentos a que se refiere la fracción anterior, después de haberlos recibido* **o si éstos no fueran suficientes a juicio de las autoridades fiscales** *para conocer la situación fiscal del contribuyente, o si éstos no se presentan dentro de los plazos que establece el artículo 53-A de este Código, o dicha información y documentos son incompletos, las citadas autoridades podrán, a su juicio, ejercer directamente con el contribuyente sus facultades de comprobación.*

III. *Las autoridades fiscales podrán, en cualquier tiempo, solicitar a los terceros relacionados con el contribuyente o responsables solidarios, la información y documentación para verificar si son ciertos los datos consignados en el dictamen y en los demás documentos, en cuyo caso, la solicitud respectiva se hará por escrito, notificando copia de la misma al contribuyente.*

La visita domiciliaria o el requerimiento de información que se realice a un contribuyente que dictamine sus estados financieros en los términos de este Código, cuyo único propósito sea el obtener información relacionada con un tercero, **no se considerará revisión de dictamen**.

El plazo a que se refiere el segundo párrafo de la fracción I de este artículo es independiente del que se establece en el artículo 46-A de este Código.

Las facultades de comprobación a que se refiere este artículo, se podrán ejercer sin perjuicio de lo dispuesto en el segundo párrafo del artículo 42 de este Código.

Para el ejercicio de las facultades de comprobación de las autoridades fiscales, no se deberá observar el orden establecido en este artículo, cuando:

a) *En el dictamen exista abstención de opinión, opinión negativa o salvedades que tengan implicaciones fiscales.*

b) *En el caso de que se determinen diferencias de impuestos a pagar y éstos no se enteren de conformidad con lo dispuesto en el penúltimo párrafo del artículo 32-A de este Código.*

c) *El dictamen no surta efectos fiscales.*

d) *El contador público que formule el dictamen no esté autorizado o su registro esté suspendido o cancelado.*

e) *El contador público que formule el dictamen desocupe el local donde tenga su domicilio fiscal, sin presentar el aviso de cambio de domicilio en los términos del Reglamento de este Código.*

f) *El objeto de los actos de comprobación verse sobre contribuciones o aprovechamientos en materia de comercio exterior; incluyendo los aprovechamientos derivados de la autorización o concesión otorgada para la prestación de servicios de manejo, almacenaje y custodia de mercancías de comercio exterior; clasificación arancelaria; cumplimiento de regulaciones o restricciones no arancelarias; la legal importación, estancia y tenencia de mercancías de procedencia extranjera en territorio nacional y multas en materia de comercio exterior.*

g) El objeto de los actos de comprobación, sea sobre los efectos de la desincorporación de sociedades o cuando la sociedad integradora deje de determinar su resultado fiscal integrado.

h) Tratándose de la revisión de los conceptos modificados por el contribuyente, que origine la presentación de declaraciones complementarias posteriores a la emisión de dictamen del ejercicio al que correspondan las modificaciones.

i) Se haya dejado sin efectos al contribuyente objeto de la revisión, el certificado de sello digital para emitir comprobantes fiscales digitales por internet.

j) Tratándose de las revisiones electrónicas a que se refiere la fracción IX del artículo 42 del presente Código.

k) Cuando habiendo ejercido la opción a que se refiere el artículo 32-A de este Código, el dictamen de los estados financieros se haya presentado en forma extemporánea.

l) Por cada operación, no proporcionar la información a que se refiere el artículo 31-A de este Código o proporcionarla incompleta, con errores, inconsistencias o en forma distinta a lo señalado en las disposiciones fiscales.

Tratándose de la revisión de pagos provisionales o mensuales, sólo se aplicará el orden establecido en este artículo, respecto de aquellos comprendidos en los periodos por los cuales ya se hubiera presentado el dictamen."

De la transcripción anterior, desprendemos lo siguiente:

Se establece que deberá requerirse en primer lugar al contador la información que la autoridad necesite a efecto de revisar el dictamen formulado. Esto es, se indica que deberá llevarse a cabo una revisión secuencial, y en principio, no podrá dirigirse directamente la revisión al contribuyente, sino solo cuando se actualicen las excepciones que el mismo numeral señala.

En este sentido, cabe mencionar que el numeral comentado parece ser congruente y que cumple con los principios constitucionales, salvo cuando menciona en su fracción II, que se podrá requerir a los contribuyentes de manera directa la información cuando *"a juicio de las autoridades la información y documentación referida no sea suficiente"*. En este orden de ideas, nos parece que se viola el derecho humano de seguridad jurídica previsto en el artículo 16 Constitucional, ya que se deja al capricho de la autoridad revisar directamente a los contribuyentes, por una cuestión que no establece límites objetivos. Lo anterior es así, salvo que la autoridad motive perfectamente la orden de revisión que emita de manera directa al contribuyente, y sustente de igual manera que no le pareció suficiente la información y documentación proporcionada por el contador. Pero estamos hablando de dos aspectos: 1) Constitucionalidad del artículo por violar el derecho humano de seguridad jurídica, y 2) Legalidad: La autoridad deberá fundar y motivar debidamente su actuar, señalando las razones particulares que la llevaron a concluir que la información y documentación proporcionada por el Contador no es suficiente para conocer la situación fiscal del contribuyente.

La segunda excepción consiste en no presentar dentro de los plazos que establece el artículo 53-A de este Código la información, y la tercera se presenta en caso de que los documentos exhibidos sean incompletos.

En estos casos de excepción, las autoridades podrán, a su juicio, ejercer directamente con el contribuyente sus facultades de comprobación.

Estas causales de excepción operan una vez que se ha iniciado la revisión del dictamen directamente con el contador, y se decide por estas causas, ejercer directamente las facultades de comprobación con el contribuyente. Pero en todo momento siempre se lleva a cabo la revisión secuencial.

Pero es muy importante que cuando se actualice alguno de estos tres supuestos, la autoridad funde y motive correctamente su acto de autoridad, para de esa forma estar facultada para revisar directamente al contribuyente.

Asimismo, si la autoridad no respeta la revisión secuencial e inicia una visita domiciliaria o revisión de gabinete a un contribuyente dictaminado, dicha revisión de origen será ilegal por estar inaplicando lo dispuesto por el artículo 52-A del CFF, más allá de que la autoridad intente concluir de manera anticipada la visita domiciliaria, en su caso.

3.3.5. *Efectos de la notificación del inicio de una Revisión de Dictamen*

– Suspende la caducidad. Las facultades de las autoridades fiscales que caducan son *la determinadora y la sancionadora,* en virtud de que la facultad comprobatoria no caduca. Lo anterior se acredita con lo que dispone el artículo 67 del Código Tributario que dice a la letra:

> *"**Artículo 67**.- Las facultades de las autoridades fiscales para determinar las contribuciones o aprovechamientos omitidos y sus accesorios, así como para imponer sanciones por infracciones a las disposiciones fiscales, se extinguen en el plazo de cinco años contados a partir del día siguiente a aquél en que:*
> *(…)*
> ***El plazo señalado en este artículo no está sujeto a interrupción y sólo se suspenderá cuando se ejerzan las facultades de comprobación de las autoridades fiscales a que se refieren las fracciones II, III, IV y IX del artículo 42 de este Código;*** *cuando se interponga algún recurso administrativo o juicio; o cuando las autoridades fiscales no puedan iniciar el ejercicio de sus facultades de comprobación en virtud de que el contribuyente hubiera desocupado su domicilio fiscal sin haber presentado el aviso de cambio correspondiente o cuando hubiere señalado de manera incorrecta su domicilio fiscal. En estos dos últimos casos, se reiniciará el cómputo del plazo de caducidad a partir de la fecha en la que se localice al contribuyente. Asimismo, el plazo a que hace referencia este artículo se suspenderá en los casos de huelga, a partir de que se suspenda temporalmente el trabajo y hasta que termine la huelga y en el de fallecimiento del contribuyente, hasta*

en tanto se designe al representante legal de la sucesión. Igualmente se suspenderá el plazo a que se refiere este artículo, respecto de la sociedad que teniendo el carácter de integradora, calcule el resultado fiscal integrado en los términos de lo dispuesto por la Ley del Impuesto sobre la Renta, cuando las autoridades fiscales ejerzan sus facultades de comprobación respecto de alguna de las sociedades que tengan el carácter de integrada de dicha sociedad integradora."

– Una vez que media el ejercicio de facultades de la autoridad (en este caso, Revisión de Dictamen) **el pago ya no será espontáneo,** teniendo lo anterior consecuencias jurídicas de gran importancia, tales como la imposición de multas y sanciones que pueden llegar hasta la prisión por haber actualizado los supuestos de defraudación fiscal.

Igualmente, el pago no será espontáneo en el supuesto de que en el dictamen se establezca que hay una contribución omitida y no se hace el entero dentro de los 10 días siguientes a la presentación del dictamen.

En este orden de ideas, nos parece conveniente transcribir el artículo 73 del Código Fiscal de la Federación para un mejor entendimiento:

*"**Artículo 73**.- No se impondrán multas cuando se cumplan en forma espontánea las obligaciones fiscales fuera de los plazos señalados por las disposiciones fiscales o cuando se haya incurrido en infracción a causa de fuerza mayor o de caso fortuito. Se considerará que el cumplimiento no es espontáneo en el caso de que:*
I. La omisión sea descubierta por las autoridades fiscales.
II. La omisión haya sido corregida por el contribuyente después de que las autoridades fiscales hubieren notificado una orden de visita domiciliaria, o haya mediado requerimiento o cualquier otra gestión notificada por las mismas, tendientes a la comprobación del cumplimiento de disposiciones fiscales.
III. La omisión haya sido subsanada por el contribuyente con posterioridad a los diez días siguientes a la presentación del dictamen de los estados financieros de dicho contribuyente formulado por contador público ante el Servicio de Administración Tributaria, respecto de aquellas contribuciones omitidas que hubieren sido observadas en el dictamen.
Siempre que se omita el pago de una contribución cuya determinación corresponda a los funcionarios o empleados públicos o a los notarios o corredores titulados, los accesorios serán, a cargo exclusivamente de ellos, y los contribuyentes sólo quedarán obligados a pagar las contribuciones omitidas. Si la infracción se cometiere por inexactitud o falsedad de los datos proporcionados por los contribuyentes a quien determinó las contribuciones, los accesorios serán a cargo de los contribuyentes.

3.3.6. *Duración y Procedimiento de la Revisión de Dictamen*

El procedimiento para la práctica de una Revisión de Dictamen, se encuentra previsto en el artículo 52-A del Código Fiscal de la Federación y deberá respetar las siguientes formalidades:

La revisión no podrá exceder de un plazo de **6 meses** a partir de que se notifique al contador público la solicitud de información, esto es, dentro de este lapso se deberá levantar el Oficio de Observaciones.

En este sentido, cabe destacar que el requerimiento de información y papeles de trabajo del contador público es un acto de molestia que afecta directamente a su persona, con lo cual es obligación de la autoridad administrativa resolver respecto de su situación jurídica en los plazos establecidos en ley, a fin de evitar dejar en un completo estado de inseguridad jurídica su actuación profesional.

Lo anterior, se corrobora con la tesis emitida por el entonces Tribunal Federal de Justicia Fiscal y Administrativa, que a la letra dispone:

> *CONTADOR PÚBLICO.- CÓMPUTO DEL PLAZO PARA NOTIFICAR LAS IRREGU-LARIDADES DE SU ACTUACIÓN PROFESIONAL CONFORME EL ARTÍCULO 52-A DEL CÓDIGO FISCAL DE LA FEDERACIÓN.- De conformidad con el artículo 52-A, fracción I, del Código Fiscal de la Federación, la autoridad tiene la facultad de revisar los dictámenes formulados por contador público. La revisión se llevará a cabo con el contador público que haya formulado el dictamen, y para ello, establece tres supuestos de requerimiento de información los cuales identifica con incisos. Así se tiene que la autoridad puede requerir al contador público a) cualquier información que conforme al Código Fiscal de la Federación y a su reglamento debiera estar incluida en los estados financieros dictaminados para efectos fiscales, b) la exhibición de los papeles de trabajo elaborados con motivo de la auditoría practicada y c) la información que se considere pertinente para cerciorarse del cumplimiento de las obligaciones fiscales del contribuyente. La revisión no deberá exceder del plazo de doce meses contados a partir de que se notifique al contador público la solicitud de información, cómputo que comienza, una vez que la autoridad ejerce cualquiera de las tres facultades contenidas en el precepto referido y las notifica al contador público. **Así las cosas la autoridad al notificar el primer oficio que se fundamente en el artículo 52-A, fracción I, del Código Fiscal de la Federación, ya sea inciso a), b) o c), inicia sus facultades de comprobación y por ende se sujeta al plazo de 12 meses para concluir las mismas y en su caso, notificar al contador público las irregularidades de su actuación profesional.**
>
> *Juicio Contencioso Administrativo Núm. 8139/11-17-07-8.- Resuelto por la Séptima Sala Regional Metropolitana del Tribunal Federal de Justicia Fiscal y Administrativa, el 26 de abril de 2012, por unanimidad de votos.- Magistrada Instructora: María Isabel Gómez Muñoz.- Secretaria: Lic. Minerva Beatriz Salazar Aparicio.*
>
> (El resaltado es nuestro)

De la transcripción anterior, se desprende contundentemente que las facultades de comprobación respecto del contador público que emitió el dictamen, **efectivamente inician cuando se solicita exhiba los papeles de trabajo o información relativa a dicho dictamen en términos del artículo 52-A del Código Fiscal de la Federación, por lo que la autoridad está obligada a concluir dentro del término de 6 meses la revisión al contador público, ya que de otra forma se estaría facultando a la autoridad para poder ejercer sus facultades de comprobación por término indefinido, situación que resulta evidentemente ilegal.**

Negar lo anterior, sería tanto como dejar al arbitrio de las autoridades administrativas la situación jurídica de los contadores públicos respecto de sus dictámenes, cuestión que evidentemente no puede darse en un Estado de Derecho, motivo por el cual nuestro legislador ha establecido plazos para que las autoridades —en un afán de eficiencia y seguridad jurídica— emitan sus resoluciones y resuelvan la situación legal de los particulares.

En efecto, como ya se explicó en el presente, en un procedimiento similar como es una visita domiciliaria, las facultades de comprobación de la autoridad fiscal inician con el acta parcial de inicio —equivalente al requerimiento para la exhibición de información y papeles de trabajo del dictamen fiscal— y concluyen con el acta final —equivalente al oficio de notificación de irregularidades— en un plazo que no puede exceder de 6 meses, a fin de dotar de seguridad jurídica al contribuyente y/o contador que se está revisando, y no prolongar de manera indefinida su situación legal.

En dicho plazo, la autoridad podrá requerir al contribuyente la información que estime necesaria para cerciorarse de que se han cumplido con las obligaciones fiscales. Ahora bien, si no le solicitan esta información directamente al contribuyente, o bien, si no ejercen directamente sus facultades de comprobación con el contribuyente, la autoridad hacendaria quedará impedida de revisar el mismo dictamen, salvo cuando se revisen hechos diferentes a los ya revisados[18].

Es importante señalar que este plazo es independiente al establecido en el artículo 46-A. Esto es, el hecho de que la autoridad revise directamente el dictamen con el contador, no implica que igualmente esté corriendo el término de un año en caso de que revise directamente al contribuyente a través de una visita domiciliaria o de una revisión de gabinete.

3.3.7. *Requerimiento a Terceros*

Las autoridades fiscales podrán, en cualquier tiempo, solicitar a los terceros relacionados con el contribuyente o responsables solidarios, la información y documentación para verificar si son ciertos los datos consignados en el dictamen y en los demás documentos, en cuyo caso, la solicitud respectiva se hará por escrito, notificando copia de la misma al contribuyente.

La visita domiciliaria o el requerimiento de información que se realice a un contribuyente que dictamine sus estados financieros en los términos de este Código, cuyo único propósito sea obtener información relacionada con un tercero, no se considerará revisión de dictamen.

---

[18]   En términos del artículo 53-C del CFF.

3.3.8. *Excepciones a la Revisión Secuencial*

Las causales de excepción a la revisión secuencial señaladas en los incisos que señalaremos a continuación, hacen alusión a que una vez recibido el dictamen —antes de notificar al contador la revisión del dictamen— se solicita directamente al contribuyente la información y documentación relacionada con el cumplimiento de sus obligaciones fiscales.

Esto es, no se debe seguir el orden establecido en el 52-A y dichos supuestos, son los siguientes:

a) En el dictamen exista abstención de opinión, opinión negativa o salvedades que tengan implicaciones fiscales.

b) En el caso de que se determinen diferencias de impuestos a pagar y éstos no se enteren de conformidad con lo dispuesto en el penúltimo párrafo del artículo 32-A de este Código. Esto es, que no se paguen dentro de los 10 días siguientes a la presentación del dictamen.

c) El dictamen no surta efectos fiscales. Esto es, que no se presente dentro del plazo concedido en Ley o en Resolución Miscelánea.

d) El contador público que formule el dictamen no esté autorizado o su registro esté suspendido o cancelado.

e) El contador público que formule el dictamen desocupe el local donde tenga su domicilio fiscal, sin presentar el aviso de cambio de domicilio en los términos del Reglamento del CFF.

f) El objeto de los actos de comprobación verse sobre contribuciones o aprovechamientos en materia de comercio exterior; incluyendo los aprovechamientos derivados de la autorización o concesión otorgada para la prestación de servicios de manejo, almacenaje y custodia de mercancías de comercio exterior; clasificación arancelaria; cumplimiento de regulaciones o restricciones no arancelarias; la legal importación, estancia y tenencia de mercancías de procedencia extranjera en territorio nacional y multas en materia de comercio exterior.

g) El objeto de los actos de comprobación, sea sobre los efectos de la desincorporación de sociedades o cuando la sociedad integradora deje de determinar su resultado fiscal integrado.

h) Tratándose de la revisión de los conceptos modificados por el contribuyente, que origine la presentación de declaraciones complementarias posteriores a la emisión del dictamen del ejercicio al que correspondan las modificaciones.

i) Se haya dejado sin efectos al contribuyente objeto de la revisión, el certificado de sello digital para emitir comprobantes fiscales digitales por internet.

j) Tratándose de las revisiones electrónicas a que se refiere la fracción IX del artículo 42 del CFF.

k) Cuando habiendo ejercido la opción a que se refiere el artículo 32-A del CFF, el dictamen de los estados financieros se haya presentado en forma extemporánea.

l) Por cada operación, no proporcionar la información a que se refiere el artículo 31-A de este Código o proporcionarla incompleta, con errores, inconsistencias o en forma distinta a lo señalado en las disposiciones fiscales. El artículo 31-A del CFF se refiere a la informativa de operaciones relevantes.

Sin embargo, en todos estos supuestos, igualmente la autoridad hacendaria deberá fundar y motivar debidamente las razones por las que no lleva a cabo la revisión secuencial y dirige sus facultades directamente al contribuyente, debiendo señalar la excepción que se actualiza en cada asunto.

3.3.9. *Plazo para la entrega de información por parte del contador*

> *Artículo 53-A.- Cuando las autoridades fiscales revisen el dictamen y demás información a que se refiere el artículo 52 de este Código, y soliciten al contador público registrado que lo hubiera formulado información o documentación, la misma se deberá presentar en los siguientes plazos:*
>
> *I. Seis días, tratándose de papeles de trabajo elaborados con motivo del dictamen realizado. Cuando el contador público registrado tenga su domicilio fuera de la localidad en que se ubica la autoridad solicitante, el plazo será de quince días.*
>
> *II. Quince días, tratándose de otra documentación o información relacionada con el dictamen, que esté en poder del contribuyente.*

3.3.10. *Obligación de la autoridad de turnarle copia al contribuyente respecto de la Revisión de Dictamen efectuada al contador*

Resulta una obligación a cargo de las autoridades fiscales, notificar a los contribuyentes el inicio del ejercicio de facultades de comprobación con un tercero relacionado a éstos, lo anterior de conformidad con lo dispuesto en la fracción XV del artículo 17 del Reglamento Interior del Servicio de Administración Tributaria que a la letra dispone:

> *"Artículo 17.- Compete a la Administración General de Auditoría Fiscal Federal:*
>
> *XV.- Revisar que los dictámenes formulados por contador público registrado sobre los estados financieros relacionados con las declaraciones fiscales de los contribuyentes o respecto de operaciones de enajenación de acciones, o cualquier otro tipo de dictamen o declaratoria que tenga repercusión para efectos fiscales, reúnan los requisitos establecidos en las disposiciones fiscales y cumplan las relativas a impuestos, aportaciones de seguridad social, derechos, contribuciones de mejoras, aprovechamientos, estímulos fiscales, franquicias y accesorios federales; autorizar prórrogas para la presentación del*

dictamen y los demás documentos que lo deban acompañar; comunicar a los contribuyentes que surte efectos o no el aviso para presentar dictamen fiscal y el propio dictamen, **así como notificar a los contribuyentes cuando la autoridad haya iniciado el ejercicio de facultades de comprobación con un tercero relacionado con éstos.***"*
(Énfasis añadido)

En armonía con lo antes señalado, la revisión al contador público es un procedimiento que se realiza fuera de una visita domiciliaria y todo procedimiento fuera de visita domiciliaria ya sea con el contribuyente o con terceros, se rige por lo dispuesto en el artículo 48 del CFF, el cual en su fracción I obliga a notificarle al contribuyente la solicitud correspondiente.

Como conclusión, debe tenerse en cuenta que su incumplimiento dará lugar a impugnar la resolución que se emita mediante Recurso de Revocación o bien, a través de juicio contencioso administrativo federal y obtener LA NULIDAD LISA Y LLANA de la misma, toda vez que se trata de una violación a la ley fuera del procedimiento de fiscalización.

3.3.11. Oficio de Observaciones

Cabe hacer mención que tratándose de las revisiones de dictamen, la autoridad también se encuentra obligada a emitir un oficio de observaciones y comunicárselo al contribuyente revisado, lo anterior de conformidad con el artículo 48 del Código Fiscal de la Federación.

De igual forma, se puede concluir que una Revisión de Dictamen debe de acabar en el término de 6 meses y que a su vez, la falta de emisión de dicha conclusión, violaría en todo caso los artículos 52-A y el 48 del CFF por la omisión en el levantamiento del Oficio de Observaciones.

3.3.12. Conclusión Anticipada de las Visitas Respecto de Contribuyentes Dictaminados

El artículo 47 del Código Tributario Federal, dice a la letra:

*"**Artículo 47.** Las autoridades fiscales deberán concluir anticipadamente las visitas en los domicilios fiscales que hayan ordenado, cuando el visitado opte por dictaminar sus estados financieros por contador público autorizado. Lo dispuesto en este párrafo no será aplicable cuando a juicio de las autoridades fiscales la información proporcionada en los términos del artículo 52-A de este Código por el contador público que haya dictaminado, no sea suficiente para conocer la situación fiscal del contribuyente, cuando no presente dentro de los plazos que establece el artículo 53-A, la información o documentación solicitada, cuando en el dictamen exista abstención de opinión, opinión negativa o salvedades, que tengan implicaciones fiscales, ni cuando el dictamen se presente fuera de los plazos previstos en este Código.*

En el caso de conclusión anticipada a que se refiere el párrafo anterior se deberá levantar acta en la que se señale la razón de tal hecho."

En el precepto que ha quedado transcrito se establece una obligación a cargo de las autoridades fiscales, consistente en concluir de manera anticipada una Visita Domiciliaria iniciada a un contribuyente cuando éste opte por dictaminar sus estados financieros.

Sin embargo, consideramos que esta disposición difícilmente se puede presentar en la práctica ya que se contrapone (en términos generales) con lo que establece el artículo 52-A del Código Fiscal de la Federación, previamente estudiado a profundidad. Lo anterior es así, por lo siguiente:

En primer término, tal y como lo hemos anotado en párrafos precedentes, operará la revisión secuencial, en 3 supuestos, a saber:

Esto es, la revisión directa al contribuyente solamente podrá efectuarse cuando habiéndosele requerido previamente al contador público los papeles de trabajo y la "información" pertinente para cerciorarse del cumplimiento de las obligaciones fiscales del contribuyente dictaminado:

1. La misma no sea suficiente "a juicio de las autoridades fiscales" para conocer la situación fiscal del contribuyente.

2. El C.P. no presente dicha información y/o documentación dentro del plazo concedido (6 o 15 días hábiles de conformidad con el artículo 53-A del CFF), o

3. Dicha "información" y documentación (papeles de trabajo) sean incompletos.

Respecto de estos 3 supuestos, el artículo 47 recién transcrito, menciona que no deberá concluirse anticipadamente la visita, cuando:

1. A juicio de las autoridades fiscales la información proporcionada en términos del artículo 52-A de este Código por el contador público que haya dictaminado, no sea suficiente para conocer la situación fiscal del contribuyente, y

2. Cuando no presente dentro de los plazos que establece el 53-A, la información o documentación solicitada.

En este sentido, solo cuando estemos en presencia del tercer supuesto del artículo 52-A: Cuando la información y documentación sean incompletos, y de esta forma la autoridad despliegue una visita domiciliaria, podríamos hacer valer la conclusión anticipada. Lo anterior, en relación a los supuestos de revisión secuencial.

Respecto de los otros dos supuestos, no se presentaría la conclusión anticipada por un lado, y por el otro, indefectiblemente tienen que iniciar sus facultades en primer lugar con el contador, ya que si no llevan a cabo la revisión secuencial, por más que concluyan de manera anticipada la visita, estarán inaplicando en primer lugar lo que establece el artículo 52-A del CFF.

Ahora bien, por lo que se refiere a los supuestos de excepción de la Revisión Secuencial, tenemos también que algunos están previstos como causales de no conclusión anticipada en el numeral 47 del CFF, antes transcrito, y los supuestos que se repiten, son:

1. Cuando en el dictamen exista abstención de opinión, opinión negativa o salvedades que tengan implicaciones fiscales.

2. Cuando el dictamen se presente fuera de los plazos previstos en este Código.

Esto es, en estos dos supuestos, la autoridad puede llevar a cabo una visita domiciliaria sin requerir previamente al contador y tampoco tendrá la obligación de concluirla anticipadamente.

Pero sí tendrá que concluirla anticipadamente, en los siguientes supuestos:

1) En el caso de que se determinen diferencias de impuestos a pagar y éstos no se enteren de conformidad con lo dispuesto en el CFF.

2) El contador público que formule el dictamen no esté autorizado o su registro esté suspendido o cancelado.

3) El contador público que formule el dictamen desocupe el local donde tenga su domicilio fiscal, sin presentar el aviso de cambio de domicilio en los términos del Reglamento del CFF.

4) El objeto de los actos de comprobación verse sobre contribuciones o aprovechamientos en materia de comercio exterior; incluyendo los aprovechamientos derivados de la autorización o concesión otorgada para la prestación de servicios de manejo, almacenaje y custodia de mercancías de comercio exterior; clasificación arancelaria; cumplimiento de regulaciones o restricciones no arancelarias; la legal importación, estancia y tenencia de mercancías de procedencia extranjera en territorio nacional y multas en materia de comercio exterior.

5) El objeto de los actos de comprobación, sea sobre los efectos de la desincorporación de sociedades o cuando la sociedad integradora deje de determinar su resultado fiscal integrado.

6) Tratándose de la revisión de los conceptos modificados por el contribuyente, que origine la presentación de declaraciones complementarias posteriores a la emisión de dictamen del ejercicio al que correspondan las modificaciones.

7) Se haya dejado sin efectos al contribuyente objeto de la revisión, el certificado de sello digital para emitir comprobantes fiscales digitales por internet.

8) Tratándose de las revisiones electrónicas a que se refiere la fracción IX del artículo 42 del CFF.

9) Cuando habiendo ejercido la opción a que se refiere el artículo 32-A del CFF, el dictamen de los estados financieros se haya presentado en forma extemporánea.

10) Por cada operación, no proporcionar la información a que se refiere el artículo 31-A de este Código o proporcionarla incompleta, con errores, inconsistencias o en forma distinta a lo señalado en las disposiciones fiscales.

Esto es, de las críticas anteriores se desprende claramente que solo en determinados supuestos, la autoridad deberá concluir anticipadamente una visita domiciliaria iniciada a un contribuyente dictaminado, y esos son los anteriormente transcritos, adicionado con el supuesto de que la información y documentación sea incompleta.

En este sentido, en 4 de los supuestos establecidos, tanto en el artículo 47 como en el 52-A del CFF, se hace nugatoria la obligación de la autoridad para concluir anticipadamente la visita domiciliaria, que dicho sea de paso, son los supuestos que normalmente aplican las autoridades hacendarias en este tipo de procedimientos, y que además respecto de los cuales sí procede la aplicación del 47, nos parecen más graves y dignos de excepción, pero no lo ha elegido así nuestro legislador.

Sin dejar de tomar en cuenta que el tema discrecional e incluso arbitrario, en el que "a juicio de las autoridades fiscales" la información sea insuficiente para conocer la situación fiscal del contribuyente, se presenta en los dos preceptos (47 y 52-A del CFF), situación que nos parece delicada por vulnerar derechos humanos.

Por último, es importante mencionar que en el caso de que se actualice el supuesto de conclusión anticipada de la visita domiciliaria, indefectiblemente la autoridad deberá levantar acta en la que se señale la razón de tal hecho, so pena de resultar ilegal la revisión por no fundamentar en el último párrafo del artículo 47 del CFF, dicha circunstancia.

3.4. REVISIONES INMEDIATAS

3.4.1. *Introducción y Objeto de las Revisiones Inmediatas*

Las revisiones inmediatas se encuentran tuteladas por el artículo 42 fracción V, mismo que a la letra dispone:

> *"**Artículo 42**.- Las autoridades fiscales a fin de comprobar que los contribuyentes, los responsables solidarios o los terceros con ellos relacionados han cumplido con las disposiciones fiscales y, en su caso, determinar las contribuciones omitidas o los créditos fiscales, así como para comprobar la comisión de delitos fiscales y para proporcionar información a otras autoridades fiscales, estarán facultadas para:*
>
> *(...)*

V. Practicar visitas domiciliarias a los contribuyentes, a fin de verificar que cumplan con las siguientes obligaciones:

a) Las relativas a la expedición de comprobantes fiscales digitales por Internet y de presentación de solicitudes o avisos en materia del registro federal de contribuyentes;

b) Las relativas a la operación de las máquinas, sistemas, registros electrónicos y controles volumétricos, que estén obligado a llevar conforme lo establecen las disposiciones fiscales;

c) La consistente en que los envases o recipientes que contengan bebidas alcohólicas cuenten con el marbete o precinto correspondiente o, en su caso, que los envases que contenían dichas bebidas hayan sido destruidos;

d) La relativa a que las cajetillas de cigarros para su venta en México contengan impreso el código de seguridad o, en su caso, que éste sea auténtico;

e) La de contar con la documentación o comprobantes que acrediten la legal propiedad, posesión, estancia, tenencia o importación de las mercancías de procedencia extranjera, debiéndola exhibir a la autoridad durante la visita, y

f) Las inherentes y derivadas de autorizaciones, concesiones, padrones, registros o patentes establecidos en la Ley Aduanera, su Reglamento y las Reglas Generales de Comercio Exterior que emita el Servicio de Administración Tributaria.

La visita domiciliaria que tenga por objeto verificar todos o cualquiera de las obligaciones referidas en los incisos anteriores, deberá realizarse conforme al procedimiento previsto en el artículo 49 de este Código y cuando corresponda, con las disposiciones de la Ley Aduanera.

Las autoridades fiscales podrán solicitar a los contribuyentes la información necesaria para su inscripción y actualización de sus datos en el citado registro e inscribir a quienes de conformidad con las disposiciones fiscales deban estarlo y no cumplan con este requisito."

De la transcripción anterior, se desprenden 8 facultades específicas de revisión a favor de la autoridad, a saber:

1) Practicar visitas domiciliarias a los contribuyentes, a fin de verificar el cumplimiento de las obligaciones fiscales en materia de la expedición de comprobantes fiscales.

2) Verificar el cumplimiento en materia de la presentación de solicitudes o avisos en materia del registro federal de contribuyentes.

3) Verificar que la operación de los sistemas, máquinas y registros electrónicos y de controles volumétricos, que estén obligados a llevar los contribuyentes, se realice conforme lo establecen las disposiciones fiscales.

4) Verificar que los envases o recipientes que contengan bebidas alcohólicas cuenten con el marbete o precinto correspondiente, o que se hayan destruido. Esta facultad tiene como propósito verificar que se hayan pagado los impuestos correspondientes (Impuesto Especial Sobre Producción y Servicios) en tratándose de bebidas alcohólicas, y también para evitar el rellenado de las botellas.

5) Verificar que las cajetillas de cigarros para su venta en México contengan impreso el código de seguridad, o en su caso, que éste sea auténtico.

6) Solicitar la exhibición de la documentación o los comprobantes que amparen la legal propiedad, posesión, estancia, tenencia o importación de las mercancías, y en su caso, mostrarla ante la autoridad. Lo anterior tiene como finalidad, evitar el contrabando de mercancías.

7) Verificar el cumplimiento de obligaciones en materia aduanera derivadas de autorizaciones, concesiones, de cualquier padrón, registro o patentes establecidos en las disposiciones relativas a dicha materia.

8) Las autoridades fiscales podrán solicitar a los contribuyentes la información necesaria para su inscripción y actualización de sus datos en el citado registro e inscribir a quienes de conformidad con las disposiciones fiscales deban estarlo y no cumplan con este requisito.

Es importante mencionar que a partir del 1° de enero de 2020, a través de estas revisiones inmediatas, se pueden llegar a practicar en los lugares donde los asesores fiscales presten sus servicios, en consonancia con lo de los esquemas reportables, previstos en los artículos 197 al 202 del Código Fiscal de la Federación.

3.4.2. Reglas de las visitas

Según el artículo 49 del Código Tributario las reglas a las que deben de sujetarse este tipo de visitas son las que a continuación se transcriben y que serán objeto de algunos comentarios y críticas:

> "**Artículo 49**.- Para los efectos de lo dispuesto por las fracciones V y XI del artículo 42 de este Código, las visitas domiciliarias se realizarán conforme a lo siguiente:
>
> **I.** Se llevará a cabo en el domicilio fiscal, establecimientos, sucursales, locales, oficinas, bodegas, almacenes, puestos fijos y semifijos en la vía pública, de los contribuyentes, siempre que se encuentren abiertos al público en general, donde se realicen enajenaciones, presten servicios o contraten el uso o goce temporal de bienes, o donde se realicen actividades administrativas en relación con los mismos, así como en los lugares donde se almacenen las mercancías o en donde se realicen las actividades relacionadas con las concesiones o autorizaciones o de cualquier padrón o registro en materia aduanera, o donde presten sus servicios de asesoría fiscal a que se refieren los artículos 197 a 202 de este Código.
>
> **II.-** Al presentarse los visitadores al lugar en donde deba practicarse la diligencia, entregarán la orden de verificación al visitado, a su representante legal, al encargado o a quien se encuentre al frente del lugar visitado, indistintamente, y con dicha persona se entenderá la visita de inspección.
>
> **III.-** Los visitadores se deberán identificar ante la persona con quien se entienda la diligencia, requiriéndola para que designe dos testigos; si éstos no son designados o los designados no aceptan servir como tales, los visitadores los designarán, haciendo constar esta situación en el acta o actas que levanten, sin que esta circunstancia invalide los resultados de la inspección.
>
> **IV.-** En toda visita domiciliaria se levantará acta o actas en las que se harán constar en forma circunstanciada los hechos u omisiones conocidos por los visitadores, en los

términos de este Código y su Reglamento o, en su caso, las irregularidades detectadas durante la inspección.

V.- Si al cierre de cada una de las actas de visita domiciliaria el visitado o la persona con quien se entendió la diligencia o los testigos se niegan a firmar las mismas, o el visitado o la persona con quien se entendió la diligencia se niega a aceptar copia del acta, dicha circunstancia se asentará en cada una de ellas, sin que esto afecte la validez y valor probatorio de las mismas; debiendo continuarse con el procedimiento de visita, o bien, dándose por concluida la visita domiciliaria.

VI. Si con motivo de la visita domiciliaria a que se refiere este artículo, las autoridades conocieron incumplimientos a las disposiciones fiscales, se procederá a la formulación de la resolución correspondiente. Previamente se deberá conceder al contribuyente o asesor fiscal un plazo de tres días hábiles para desvirtuar la comisión de la infracción presentando las pruebas y formulando los alegatos correspondientes. Si se observa que el visitado no se encuentra inscrito en el registro federal de contribuyentes, la autoridad requerirá los datos necesarios para su inscripción, sin perjuicio de las sanciones y demás consecuencias legales derivadas de dicha omisión."

3.4.2.1. Persona con quien se entenderá la diligencia

A propósito de este precepto, resulta conveniente señalar que desde nuestro punto de vista se les está dotando a los visitadores de facultades que carecen de principios constitucionales, en virtud de que la visita se puede llevar a cabo **indistintamente** con el representante legal o dueño, o bien, con la persona que se encuentre en dicho lugar, siendo que por la importancia y trascendencia de la visita y sus respectivas consecuencias —como la imposición de diversas sanciones que pueden llegar hasta la clausura— debería de tener verificativo solamente con el dueño de la negociación o bien con el representante legal. En este orden de ideas, consideramos que sí se conculca en perjuicio del contribuyente la garantía de audiencia, en virtud de que dicho derecho comienza desde que el contribuyente es revisado, y no es necesario que se le conceda al contribuyente el plazo de 3 días, o bien, que se dicte la resolución para que comience a operar el derecho humano aludido.

A mayor abundamiento, cuando la autoridad fiscal quiere instruir a los contribuyentes respecto al cumplimiento de sus obligaciones tributarias, suele hacerlo a través de la imposición de sanciones a sectores específicos de la economía nacional, y mientras más severos son los castigos, mejores parecen ser los resultados que se obtienen, según las estadísticas que el mismo gobierno proporciona.

Así, cuando la directriz fue lograr que los establecimientos mercantiles expidieran comprobantes por las operaciones realizadas, comenzaron a practicar visitas e imponer sanciones al respecto, para lo cual se tuvo que adecuar el marco normativo vigente.

De esta forma, a lo largo de los años, la opinión pública ha tenido conocimiento de la imposición de multas y clausuras a establecimientos comerciales de todos conocidos, cuando se les consideró reincidentes en no expedir comprobantes, o peor aún, antes de la reforma respectiva, bastaba una sola infracción para que la autoridad estuviera en condiciones de imponer la sanción de clausura.

En efecto, justamente por lo anterior, quedó modificado el marco normativo a través de la reforma a la fracción VII del artículo 83 y al artículo 49 primer párrafo, fracciones II y VI del Código Fiscal de la Federación; y con la adición de una fracción IV al artículo 84 de ese mismo ordenamiento, que permite a la autoridad clausurar el establecimiento del contribuyente por un plazo de tres a quince días, cuando la autoridad fiscal creía detectar la omisión en la expedición y/o entrega de un comprobante fiscal, *aun en el caso de que no existiera reincidencia*. Situación que ya no se encuentra redactada de esa forma, ya que la autoridad sólo podrá clausurar el establecimiento del contribuyente en caso de reincidencia.

Ahora bien, la ejemplaridad que busca la autoridad fiscalizadora de ninguna manera justifica el hecho de que, a nuestro modo de ver, el artículo 49 fracción II del Código Fiscal de la Federación, sea contrario al texto expreso del artículo 16 de la Constitución Federal, en cuyos párrafos primero, decimoprimero y decimosexto se determinan los requisitos que deben cumplir las visitas de verificación del cumplimiento de obligaciones administrativas y fiscales.

En efecto, el mencionado artículo constitucional es por demás claro al exigir que *las visitas de verificación se dirijan al gobernado y se entiendan con él mismo*, al prescribir clara y expresamente lo siguiente:

> "**Artículo 16.** Nadie puede ser molestado en su persona, familia, domicilio, papeles o posesiones, sino en virtud de mandamiento escrito de la autoridad competente, que funde y motive la causa legal del procedimiento.
>
> (…)
>
> En toda orden de cateo, que sólo la autoridad judicial podrá expedir, a solicitud del Ministerio Público, se expresará el lugar que ha de inspeccionarse, **la persona o personas que hayan de aprehenderse y los objetos que se buscan,** a lo que únicamente debe limitarse la diligencia, levantándose al concluirla, un acta circunstanciada, en presencia de dos testigos propuestos por el ocupante del lugar cateado o en su ausencia o negativa, por la autoridad que practique la diligencia.
>
> (…)
>
> La autoridad administrativa podrá practicar visitas domiciliarias únicamente para cerciorarse de que se han cumplido los reglamentos sanitarios y de policía; y exigir la exhibición de los libros y papeles indispensables para comprobar que se han acatado las disposiciones fiscales, **sujetándose en estos casos, a las leyes respectivas y a las formalidades prescritas para los cateos.**
>
> (…)"
>
> (Énfasis añadido)

De la lectura e interpretación conjunta y armonizada de los párrafos transcritos del artículo 16 Constitucional, se desprende con toda claridad que los mismos establecen una obligación ineludible a cargo de la autoridad administrativa, consistente en **hacer del conocimiento de los gobernados los actos de molestia que**

afectan su esfera jurídica, por escrito y en forma personal con el destinatario de dicho acto, sin que sea posible su notificación y desarrollo en ausencia o a sus espaldas.

Ahora bien, en nuestra legislación se contemplan figuras especiales que permiten que ciertos actos realizados por una persona, produzcan sus efectos en la esfera jurídica de otra, a lo que genéricamente se le conoce como representación, de cuya existencia da ejemplo la figura civil del poder como acto unilateral y el mandato, como bilateral.

En otras ocasiones, es la propia ley quien atribuye a una persona la representación respecto de otra u otras, como es el caso de la patria potestad que ejercen los padres sobre sus hijos menores de edad.

En esos casos, no cabe duda que los actos de molestia emitidos por una autoridad y dirigidos a la esfera jurídica de un gobernado, surtirán sus efectos cuando se notifican y entienden con el representante o bien, por supuesto, directamente con el representado.

En el caso concreto de las personas morales, por tratarse de ficciones del Derecho, los actos que las mismas realizan y los que inciden sobre su ámbito jurídico, necesariamente deben pasar por el conocimiento de su representante legal; lo que equivale a afirmar que los actos de molestia dirigidos en contra de una sociedad deberán entenderse con una persona que dentro del derecho positivo mexicano goce de las facultades para representarla.

Sin embargo, el precepto transcrito permite que la visita de verificación —que evidentemente constituye un acto de molestia y que además puede derivar en uno diverso de privación— se entienda con una persona que carece de las facultades de representación que admite nuestro derecho para que los efectos jurídicos de sus actos incidan negativamente en la esfera jurídica de un sujeto distinto.

En efecto, los preceptos que comentamos permiten que las visitas que nos ocupan se puedan entender, indistintamente, con alguna de las siguientes personas:

a) El visitado, cuando se trata de una persona física;

b) Su representante legal,

La inclusión de estos dos incisos es congruente con lo dispuesto por el artículo 16 Constitucional, con base en lo que hasta aquí se ha dicho; pero inmediatamente después el precepto a estudio permite que la visita se entienda con:

c) El encargado, o

d) Quien se encuentre al frente del lugar visitado.

Es decir, permite que el acto de molestia *se notifique y entienda con una persona que no sea el representante legal del visitado*, por lo que de esta manera resulta evidente que el numeral secundario transgrede los requisitos constitucionales que se traducen en garantías para los contribuyentes, al permitir que un gobernado, *sin estar debidamente representado*, sea objeto de procedimientos de verificación regulados por el artículo 16 Constitucional, que además derivan en resoluciones adversas a su esfera jurídica.

Lo anterior es así, en virtud de que las figuras de *"encargado"* o *"persona que se encuentre al frente del lugar visitado"* no tienen reconocimiento y/o validez dentro del concepto jurídico de la representación legal o contractual, por lo que ninguna ley (mucho menos una administrativa o fiscal) les atribuye la aptitud de generar la consecuencia de que por su conducto se pueda entender un acto de molestia dirigido a la esfera jurídica de otro gobernado, para respetar así las garantías contenidas en el artículo 16 Constitucional.

Pero además, el hecho de que el legislador se haya referido al *"encargado"* o *"persona que se encuentre al frente del lugar visitado"*, distinguiéndolos del representante legal del visitado, necesariamente implica que aquéllos carecen de cualquier título legal o contractual que los haga constituirse en representantes legales del contribuyente, pues de lo contrario la distinción habría sido inútil, por lo que el contenido de la fracción II del artículo 49, en cuanto a los multimencionados *"encargado"* o *"persona que se encuentre al frente del lugar visitado"*, necesariamente se refiere a personas QUE CARECEN DE REPRESENTACIÓN RESPECTO DEL CONTRIBUYENTE AUDITADO.

Pero el Código Tributario Federal, únicamente señala como requisitos a cumplir por los visitadores lo señalado en las fracciones III y IV del Código Fiscal, que a la letra disponen:

> *III.- Los visitadores se deberán identificar ante la persona con quien se entienda la diligencia, requiriéndola para que designe dos testigos; si éstos no son designados o los designados no aceptan servir como tales, los visitadores los designarán, haciendo constar esta situación en el acta que levanten, sin que esta circunstancia invalide los resultados de la inspección.*
>
> *IV.- En toda visita domiciliaria se levantará acta en la que se harán constar en forma circunstanciada los hechos u omisiones conocidos por los visitadores, en los términos de este Código y su Reglamento o, en su caso, las irregularidades detectadas durante la inspección.*

También es importante mencionar que estas críticas no aplican para algunas de las otras facultades previstas en la fracción V del artículo 42 del Código Fiscal de la Federación, en tratándose de la verificación de la colocación del respectivo marbete o precinto en los envases que contengan bebidas alcohólicas, o bien, verificar que dichos envases se hayan destruido, o la verificación de la mercancía para cerciorarse de su debida importación, toda vez que en estos casos no será necesaria la presencia del representante legal o el visitado para cerciorarse de esta situación, habida cuenta de que se eliminaría el factor sorpresa a favor de la autoridad para verificar una infracción. Razón por la cual, consideramos que en caso de que la ley hubiese establecido la obligación de dejar citatorio en caso de que no se encontrase el representante legal, prevendría al contribuyente para el efecto de cumplir con la ley, y se haría nugatoria esta facultad de la autoridad.

3.4.2.2. Acta circunstanciada

De la transcripción de la fracción IV del artículo 49 del CFF, se desprende que la autoridad tiene la obligación de circunstanciar perfectamente todos los hechos de los que tiene conocimiento y que son relevantes para efectos de la visita, siendo de especial importancia la **circunstanciación** de los datos, hechos, elementos, documentos y circunstancias que lleven al visitador a la convicción de que existen irregularidades y señalar los efectos de las mismas.

Continuando con la transcripción del artículo de referencia, las fracciones V y VI, disponen a la letra:

> *V. Si al cierre del acta de visita domiciliaria el visitado o la persona con quien se entendió la diligencia o los testigos se niegan a firmar el acta, o el visitado o la persona con quien se entendió la diligencia se niega a aceptar copia del acta, dicha circunstancia se asentará en la propia acta, sin que esto afecte la validez y valor probatorio de la misma; dándose por concluida la visita domiciliaria.*
>
> *VI. Si con motivo de la visita domiciliaria a que se refiere este artículo, las autoridades conocieron incumplimientos a las disposiciones fiscales, se procederá a la formulación de la resolución correspondiente. Previamente se deberá conceder al contribuyente o asesor fiscal un plazo de tres días hábiles para desvirtuar la comisión de la infracción presentando las pruebas y formulando los alegatos correspondientes. Si se observa que el visitado no se encuentra inscrito en el registro federal de contribuyentes, la autoridad requerirá los datos necesarios para su inscripción, sin perjuicio de las sanciones y demás consecuencias legales derivadas de dicha omisión.*

Es decir, en términos generales podemos señalar que la única obligación que deben de llevar a cabo los visitadores es identificarse, levantar acta circunstanciada señalando los hechos u omisiones observados, una vez levantada el acta, firman los testigos, el visitado, los auditores, se levanta el acta, se concluye la visita, se le otorga al contribuyente o asesor fiscal un plazo de 3 días hábiles para desvirtuar lo asentado en el acta y se emite la resolución dentro del plazo de 6 meses contados a partir del vencimiento de los 3 días hábiles que tiene el contribuyente para presentar el escrito de inconformidad.

3.4.2.3. Escrito de inconformidad

Es importante señalar que anteriormente este precepto no establecía el derecho del contribuyente de manifestar lo que a su derecho conviniera una vez levantada el Acta Circunstanciada y la posibilidad de ofrecer pruebas para evitar la emisión de la resolución determinante, sin embargo, de manera correcta, a partir del año 2003 ya se establece esta facultad a favor de los contribuyentes (y a partir de 2020 para los asesores fiscales), respetando la garantía de audiencia, y el gobernado contará con un término de 3 días hábiles para interponer un escrito de inconformidad, en contra de los hechos u omisiones señalados en el acta circunstanciada, que para tal efecto se levante.

A continuación, exponemos un cuadro para resumir el procedimiento acá explicado, a saber:

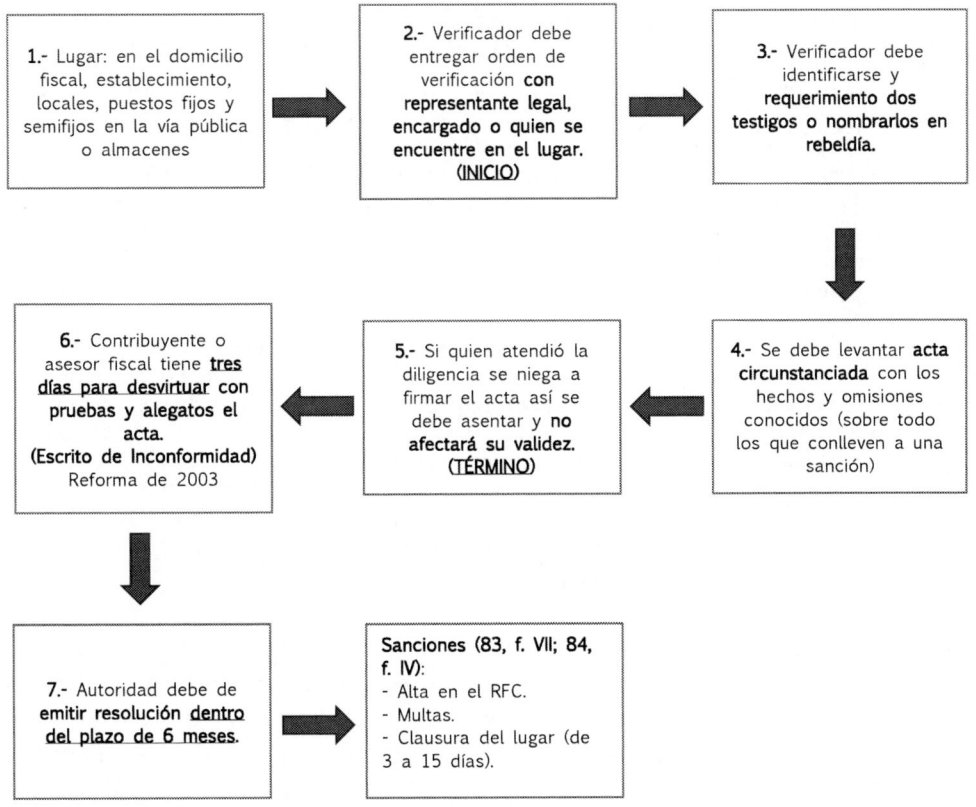

3.4.3. *Sanciones Derivadas de las Visitas*

Ahora bien, al momento en que se emite la resolución y cuando se imponen las sanciones, encontramos aspectos muy importantes en estas visitas.

Lo anterior es así, en virtud de que se pueden imponer varios tipos de sanciones, que van desde el alta en el RFC, la imposición de multas, hasta la **CLAUSURA DEL LUGAR**.

En efecto, la fracción VII del artículo 83 del Código Fiscal señala como infracción el no expedir no entregar o no poner a disposición de los clientes, los comprobantes fiscales digitales por internet por las actividades que se realizan, o bien expedirlos sin los requisitos exigidos por el CFF, su reglamento y las reglas de carácter general emitidas por el SAT, así como no atender el requerimiento previsto en el artículo 29 del CFF, y las **sanciones** por este tipo de infracciones están previstas en la fracción IV del artículo 84 del CFF y pueden llegar a la clausura preventiva del establecimiento del contribuyente por un plazo de 3 a 15 días.

Para determinar esta sanción, las autoridades fiscales tomarán en consideración si se trata de reincidencia, y para determinar el plazo, observarán si hay un agravante o no en la comisión de la infracción, según lo establece el artículo 75 del Código Tributario Federal, que en la parte relativa a la REINCIDENCIA, dispone lo siguiente:

> **Artículo 75**.- *Dentro de los límites fijados por este Código, las autoridades fiscales al imponer multas por la comisión de las infracciones señaladas en las leyes fiscales, incluyendo las relacionadas con las contribuciones al comercio exterior, deberán fundar y motivar su resolución y tener en cuenta lo siguiente:*
>
> *I. Se considerará como agravante el hecho de que el infractor sea* **reincidente. Se da la reincidencia cuando**:
>
> *a) Tratándose de infracciones que tengan como consecuencia la omisión en el pago de contribuciones, incluyendo las retenidas o recaudadas, la segunda o posteriores veces que se sancione al infractor por la comisión de una infracción que tenga esa consecuencia.*
>
> *b) Tratándose de infracciones que no impliquen omisión en el pago de contribuciones, la segunda o posteriores veces que se sancione al infractor por la comisión de una infracción establecida en el mismo artículo y fracción de este Código.*
>
> *Para determinar la reincidencia, se considerarán únicamente las infracciones cometidas dentro de los últimos cinco años."*

Es importante comentar, que en caso de que una multa sea impugnada por el contribuyente a través de los diversos medios de defensa, no podrá considerarse como reincidente en caso de que le impongan una diversa, mientras se encuentre pendiente de resolución la primera. Esto es, deberá de tratarse de multas impuestas que hayan quedado firmes, ya sea porque no se impugnaron o combatiéndose se perdieron en definitiva.

3.4.3.1. Clausura: acto instantáneo o de tracto sucesivo

Por otro lado, al plantearnos la cuestión sobre si la clausura es un acto instantáneo o de tracto sucesivo, el maestro Góngora Pimentel sostiene lo siguiente:

> "Antes se pensaba que la clausura era un acto instantáneo, se decía:
> "La clausura es un acto administrativo con fines preventivos o sancionadores, originada en el incumplimiento de ciertas normas gubernativas que impide el funcionamiento

de un establecimiento y que usualmente se lleva a cabo mediante la colocación de sellos en el inmueble afectado.

Una clausura es un acto **consumado***, en cuanto a que puestos los sellos en una negociación, se crea una situación de cierre del negocio que no requiere de la realización de actos posteriores o de actos futuros para causar perjuicio al afectado".*

Continúa diciendo el maestro Góngora Pimentel:

"La clausura es un acto jurídico administrativo para cuya realización basta con que la autoridad por una sola vez la ejecute, sin necesidad de posteriores intervenciones de la misma".

Luego, la clausura es un acto instantáneo, que se ejecuta por una sola vez; y no es, como se sostiene un acto de tracto sucesivo.

Expliquémoslo en forma más amplia; en los actos de tracto sucesivo, existe una pluralidad de acciones que en el transcurso del tiempo seguirán produciendo efectos. Piénsese, por ejemplo, en la intervención de una negociación: el acto de intervención se repite una y otra vez en cada operación contable, comercial o administrativa, llevada a cabo por el funcionario encargado de tal tarea. Precisamente, es debido a la necesaria reiteración de los actos de autoridad que la medida suspensiva solicitada en contra de una intervención, o de cualquier otro acto de tracto sucesivo, es procedente porque con ella se impide la realización para el futuro de acciones similares sin invalidar aquéllas ya realizadas al momento de decretarlo, ni reparar los daños entonces sufridos, pues esto será materia de la sentencia protectora que en su caso llegara a dictarse.

Por el contrario, existe otra categoría de actos, denominados continuos o continuados, en donde no existe una pluralidad de acciones con unidad de intención: el acto se consuma una vez, sin necesidad de repetir sucesivamente las acciones de la autoridad, y sus efectos se prolongan en el tiempo creando un estado jurídico determinado. La circunstancia de que las acciones de la autoridad no se repitan en el tiempo es justamente lo que impide conceder la medida suspensiva cuando se solicita en contra de esta clase de actos. Para ilustrar este supuesto, piénsese precisamente en el problema que examinamos de la clausura: ya ejecutada la orden respectiva, exteriorizada en la colocación de los sellos o marbetes en el local, los efectos de la clausura se prolongan en el tiempo impidiendo la continuación del funcionamiento del giro, sin necesidad de repetir una y otra vez la actuación de la autoridad, en razón de lo cual no puede otorgarse la suspensión para que se reabra la negociación, pues ello significaría volver las cosas a su estado anterior, reponiendo al quejoso en el goce de la garantía supuestamente violada.

Sin embargo, se abrían paso, desde hace muchos años, ideas distintas. Expliquémonos: en ciertos casos extremos, la clausura de una negociación puede dar lugar a la pérdida definitiva de ese centro de trabajo, a veces, el único sostén del empresario. En efecto, se clausura poniendo sellos en ese lugar; no obstante que se promueve amparo por estimar que la clausura es inconstitucional y que, además, se promueve la suspensión del acto reclamado, esta última se niega, por la sencilla razón de que se trata de actos consumados que se ejecutaron con el solo dictado de la clausura y la imposición de los sellos.

El juicio de amparo se desarrolla en sus dos instancias: juez de distrito y tribunal colegiado, con la negociación clausurada. ¿Cuánto tiempo tardaremos en saber el resultado? ¿La justicia de la Unión ampara o niega el amparo? ¿Ocho meses acaso? En ocho meses, si acaso se concede el amparo, el promovente ya no tiene dinero, ni deseos de volver a su trabajo. Si la empresa clausurada es pequeña y único sostén de esa familia, el amparo y protección de la Justicia Federal llegará muy tarde. Además, es de la esencia del juicio de amparo, según la doctrina y los criterios de la Suprema Corte de Justicia que, no debe hacerse declaración alguna sobre las indemnizaciones a que pueda dar lugar el acto consumado de un modo irreparable, porque el objeto del amparo consiste en restituir las cosas al estado que guardaban antes de cometida la violación constitucional.

En ciertos casos, debe estimarse que la clausura, si bien es un acto jurídico que se consuma con la imposición de los sellos, sus efectos materiales se prolongan en el tiempo y, por esa razón debe la suspensión del acto reclamado, lograr levantar los sellos de clausuras ya ejecutadas.

Luego, si los sellos de clausura se levantan, la empresa podría prestar sus servicios al público, sin que estuviera cerrada, en espera de la sentencia de amparo que, en definitiva, resolvería si el acto reclamado es o no inconstitucional"[19].

A mayor abundamiento, nos parece correcto distinguir el hecho consistente en que si bien es cierto que cuando las autoridades llevan a cabo el acto de clausura, este se consuma con el hecho material de la colocación de sellos o marbetes y que no se requieren de actos posteriores de la autoridad para que el acto se entienda consumado; pero por otro lado, los efectos materiales de la clausura se prolongan en el tiempo y siguen afectando al contribuyente, además que ya ha sido afectado desde un principio con esa clausura por los días que no pudo trabajar, y tal vez de manera injusta si es que la autoridad apreció equivocadamente los hechos y sancionó de esa manera grave al contribuyente con el cierre de su negociación; consecuentemente, por las razones expuestas considero conveniente que un juzgador de amparo conceda la suspensión del acto reclamado y así lograr que se levanten los sellos de las clausuras ya ejecutadas.

---

[19]   Góngora Pimentel, Génaro David. *La suspensión en materia administrativa*, Ed. Porrúa, México 1996, pp. 41-44.

De esa manera el contribuyente podrá continuar prestando sus servicios y esperar a que se dicte la sentencia correspondiente en el juicio de amparo, resolviendo si el acto reclamado es o no constitucional.

3.5. REVISIÓN ELECTRÓNICA

En virtud de la reforma de enero de 2014, se adicionó la fracción IX al multicitado artículo 42 del CFF, misma que contempla una nueva facultad de comprobación a favor de las autoridades fiscales, permitiéndoles realizar una revisión electrónica basándose en el análisis de la información y documentación que obre en poder de la autoridad[20].

3.5.1. Antecedentes y Concepto

La revisión electrónica es una evolución o "legalización" de las cartas invitación que de manera recurrente, la autoridad fiscal emitía respecto al Impuesto Sobre la Renta y en ocasiones incluso, en relación al Impuesto al Valor Agregado, derivado de depósitos en efectivo en las instituciones financieras. Pero cabe decir que esencialmente se referían al Impuesto Sobre la Renta.

En efecto, dichas cartas invitación carecen de sustento jurídico y son solamente eso, una invitación que si bien es cierto, en algunos casos cumplió con el fin recaudador de las autoridades fiscales, también lo es que los contribuyentes que contaban con una asesoría o correcta instrucción, hicieron caso omiso a dichas misivas.

Es por lo anterior, que el Ejecutivo Federal propuso la adición de la fracción IX al artículo 42 del CFF, mismo que es del tenor siguiente:

> *"Artículo 42.- Las autoridades fiscales a fin de comprobar que los contribuyentes, los responsables solidarios o los terceros con ellos relacionados han cumplido con las disposiciones fiscales y, en su caso, determinar las contribuciones omitidas o los créditos fiscales, así como para comprobar la comisión de delitos fiscales y para proporcionar información a otras autoridades fiscales, estarán facultadas para:*
>
> *(…)*
>
> *IX. Practicar revisiones electrónicas a los contribuyentes, responsables solidarios o terceros con ellos relacionados, basándose en el análisis de la información y documentación que obre en poder de la autoridad, sobre uno o más rubros o conceptos específicos de una o varias contribuciones."*

---

[20] La facultad de comprobación contenida en la fracción IX del artículo 42 del CFF, se debe de atender de manera armónica con la obligación a cargo de los contribuyentes de ingresar de forma mensual su contabilidad a través de la página de internet del Servicio de Administración Tributaria, en términos de la fracción IV del artículo 28 del mismo ordenamiento.

Así, de la transcripción que antecede, tenemos que la revisión electrónica consiste en el análisis que realice la autoridad fiscal a la documentación e información que obra en su poder, sobre uno o más **rubros o conceptos específicos de una o varias contribuciones** para comprobar que los contribuyentes, los responsables solidarios o los terceros con ellos relacionados han cumplido con las disposiciones fiscales y, en su caso, determinar las contribuciones omitidas o los créditos fiscales, así como para comprobar la comisión de delitos fiscales y proporcionar información a otras autoridades fiscales.

Así las cosas, en prinicpio parece ser que la revisión electrónica no eliminará las visitas domiciliarias y revisiones de gabinete, pues dicha facultad se centra en **la revisión de rubros o conceptos específicos de una o varias contribuciones**, por lo que solamente será ejercida por la autoridad para determinar créditos sobre operaciones ciertas y específicas, mientras que las facultades de comprobación preexistentes seguirán siendo aplicadas para determinar créditos fiscales por ejercicios fiscales completos.

Sin embargo, cabe señalar que por el ahorro que implica la práctica de una revisión electrónica en comparación con una visita domiciliaria, la tendencia de nuestras autoridades hacendarias puede ir en el sentido de practicar de manera prioritaria este tipo de visitas, en lugar de desplegar una revisión de gabinete, visita domiciliaria o incluso, una revisión de dictamen.

Situación que no ha sucedido en la práctica, ya que han seguido privilegiando el ejercicio de las facultades de comprobación consistentes en visita domiciliaria y revisión de gabinete.

3.5.2. *Desarrollo de la Revisión Electrónica*

Ahora bien, la revisión electrónica se llevará a cabo conforme a lo establecido en el artículo 53-B del CFF, que es del tenor siguiente:

> "**Artículo 53-B.** *Para los efectos de lo dispuesto en el artículo 42, fracción IX de este Código, las revisiones electrónicas se realizarán conforme a lo siguiente:*
>
> *I. Con base en la información y documentación que obre en su poder, las autoridades fiscales darán a conocer los hechos que deriven en la omisión de contribuciones y aprovechamientos o en la comisión de otras irregularidades, a través de una resolución provisional a la cual, en su caso, se le podrá acompañar un oficio de preliquidación, cuando los hechos consignados sugieran el pago de algún crédito fiscal.*
>
> *II. En la resolución provisional se le requerirá al contribuyente, responsable solidario o tercero, para que en un plazo de quince días siguientes a la notificación de la citada resolución, manifieste lo que a su derecho convenga y proporcione la información y documentación, tendiente a desvirtuar las irregularidades o acreditar el pago de las contribuciones o aprovechamientos consignados en la resolución provisional.*
>
> *En caso de que el contribuyente acepte los hechos e irregularidades contenidos en la resolución provisional y el oficio de preliquidación, podrá optar por corregir su situación fiscal dentro del plazo señalado en el párrafo que antecede, mediante el pago total de las*

contribuciones y aprovechamientos omitidos, junto con sus accesorios, en los términos contenidos en el oficio de preliquidación, en cuyo caso, gozará del beneficio de pagar una multa equivalente al 20% de las contribuciones omitidas.

III. *Una vez recibidas y analizadas las pruebas aportadas por el contribuyente, dentro de los diez días siguientes a aquél en que venza el plazo previsto en la fracción II de este artículo, si la autoridad fiscal identifica elementos adicionales que deban ser verificados, podrá actuar indistintamente conforme a cualquiera de los siguientes procedimientos:*

a) *Efectuará un segundo requerimiento al contribuyente, el cual deberá ser atendido dentro del plazo de diez días siguientes a partir de la notificación del segundo requerimiento.*

b) *Solicitará información y documentación de un tercero, situación que deberá notificársele al contribuyente dentro de los diez días siguientes a la solicitud de la información.*

El tercero deberá atender la solicitud dentro de los diez días siguientes a la notificación del requerimiento; la información y documentación que aporte el tercero deberá darse a conocer al contribuyente dentro de los diez días siguientes a aquel en que el tercero la haya aportado; para lo cual el contribuyente contará con un plazo de diez días contados a partir de que le sea notificada la información adicional del tercero para manifestar lo que a su derecho convenga.

IV. *La autoridad contará con un plazo máximo de cuarenta días para la emisión y notificación de la resolución con base en la información y documentación con que se cuente en el expediente. El cómputo de este plazo, según sea el caso, iniciará a partir de que:*

a) *Haya vencido el plazo previsto en la fracción II de este artículo o, en su caso, se hayan desahogado las pruebas ofrecidas por el contribuyente;*

b) *Haya vencido el plazo previsto en la fracción III, inciso a) de este artículo o, en su caso, se hayan desahogado las pruebas ofrecidas por el contribuyente, o*

c) *Haya vencido el plazo de 10 días previsto en la fracción III, inciso b) de este artículo para que el contribuyente manifieste lo que a su derecho convenga respecto de la información o documentación aportada por el tercero.*

Concluidos los plazos otorgados a los contribuyentes para hacer valer lo que a su derecho convenga respecto de los hechos u omisiones dados a conocer durante el desarrollo de las facultades de comprobación a que se refiere la fracción IX del artículo 42 de este Código, se tendrá por perdido el derecho para realizarlo.

Los actos y resoluciones administrativos, así como las promociones de los contribuyentes a que se refiere este artículo, se notificarán y presentarán en documentos digitales a través del buzón tributario.

Las autoridades fiscales deberán concluir el procedimiento de revisión electrónica a que se refiere este artículo dentro de un plazo máximo de seis meses contados a partir de la notificación de la resolución provisional, excepto en materia de comercio exterior, en cuyo caso el plazo no podrá exceder de dos años. El plazo para concluir el procedimiento de revisión electrónica a que se refiere este párrafo se suspenderá en los casos señalados en las fracciones I, II, III, V y VI y penúltimo párrafo del artículo 46-A de este Código."

De esta forma, tenemos que la revisión electrónica se desarrolla de la siguiente manera:

1. Se parte de la información y documentación que la autoridad fiscal tenga en su poder (supuesto en el cual indefectiblemente dichas revisiones deberán estar fundadas en el artículo 63 del CFF), sin necesidad de requerir al contribuyente ni de notificarle el inicio de la misma, pues éste se dará por enterado al ser notificado

a través del **buzón electrónico**[21] de una **resolución provisional que puede ir acompañada de una "preliquidación"**, a través de la cual se le **requiere** al particular revisado para que en un plazo de 15 días manifieste lo que a su derecho convenga y aporte la información o documentación tendiente a desvirtuar las irregularidades detectadas, o bien, acredite el pago de las contribuciones o aprovechamientos consignados en la resolución provisional.

2. Así las cosas, ante esta preliquidación el contribuyente puede adoptar diferentes posturas, a saber:

a) Aceptar la preliquidación y optar por corregir su situación fiscal dentro del plazo de 15 días, mediante el pago total de las contribuciones y aprovechamientos omitidos, junto con sus accesorios, para lo cual tendrá el beneficio de pagar una multa equivalente al 20% de las contribuciones omitidas, en lugar del 55%.

b) O bien, puede no estar de acuerdo, y aportar pruebas, información y alegatos que desvirtúen esta resolución provisional.

3. De igual forma, para el caso en el que el contribuyente revisado aporte pruebas y manifieste no encontrarse conforme con la resolución provisional, si la autoridad fiscal identifica elementos adicionales que deban ser verificados emitirá un **segundo requerimiento** al contribuyente dentro del plazo de **10 días siguientes** a aquel en el que la autoridad reciba las pruebas, el cual, a su vez, deberá ser atendido por el particular dentro de **otro plazo de 10 días** contados a partir de la notificación del segundo requerimiento, mismo que suspenderá el plazo de 40 días que tiene la autoridad para emitir y notificar la resolución definitiva, plazo que también será suspendido si se le solicita información y documentación a un tercero, desde el día en que se formule la solicitud y hasta que el tercero conteste. Dicha suspensión no podrá exceder de 6 meses, excepto en materia de comercio exterior, supuesto en el cual el plazo no podrá exceder de dos años, y siempre que se solicite una compulsa internacional.

También se suspende el plazo de duración de las revisiones electrónicas, en los supuestos señalados en las fracciones I, II, III, V y VI y penúltimo párrafo del artículo 46-A del Código Fiscal de la Federación.

4. Una vez obtenida la información solicitada y desahogadas las pruebas, la autoridad fiscal contará con un plazo máximo de **40 días para emitir y notificar la resolución definitiva por medio del buzón tributario.**

El cómputo de este plazo, según sea el caso, iniciará a partir de que:

---

[21]   Desde nuestra perspectiva, las notificaciones a través del buzón electrónico pueden ser tildadas de inconstitucionales.

a) Haya vencido el plazo previsto en la fracción II del artículo 53-B o, en su caso, se hayan desahogado las pruebas ofrecidas por el contribuyente;

b) Haya vencido el plazo previsto en la fracción III, inciso a) del artículo 53-B o, en su caso, se hayan desahogado las pruebas ofrecidas por el contribuyente, o

c) Haya vencido el plazo de 10 días previsto en la fracción III, inciso b) del artículo 53-B del CFF, para que el contribuyente manifieste lo que a su derecho convenga respecto de la información o documentación aportada por el tercero.

Concluidos los plazos otorgados a los contribuyentes para hacer valer lo que a su derecho convenga respecto de los hechos u omisiones dados a conocer durante el desarrollo de las facultades de comprobación a que se refiere la fracción IX del artículo 42 del CFF, se tendrá por perdido el derecho para realizarlo.

Esta aseveración que realiza el legislador en torno a que el contribuynete pierde su derecho para desvirtuar los hechos u omisiones detectados, es imprecisa, toda vez que una vez que la autoridad emita y notifique le resolución determinante, el contribuyente podrá impungarla —y en consecuencia hacer valer sus derechos— mediante recurso de revocación y/o juicio contencioso administrativo federal.

En este orden de ideas, es preciso mencionar que el procedimiento anteriormente descrito, se hará por medio del buzón tributario, pues tal y como hemos venido mencionando, esta facultad de comprobación, consta de la revisión de la información que obra en los archivos de la autoridad y no se tendrá un contacto personal con el contribuyente, tal y como ocurre con las otras facultades de comprobación.

De igual forma, cabe destacar el tiempo de ejecución de la revisión que nos ocupa, puesto que el mismo será muy reducido, con términos significativamente menores en comparación con el resto de las facultades de comprobación aquí expuestas.

Asimismo, es de destacar la importancia de hacer frente a las revisiones electrónicas, en su caso desvirtuando la preliquidación y proporcionando la información para tal efecto, ya que si la autoridad no toma en cuenta tales manifestaciones y probanzas, se estará en condiciones de hacerlas valer a través de los medios ordinarios de defensa, es decir, es importante atender en tiempo y forma las resoluciones provisionales para no tener por consentidos los hechos y omisiones que se le imputan en éstas al particular revisado y de esa forma poder acudir al Recurso de Revocación y/o Juicio de Nulidad.

Es preciso mencionar que si bien es cierto, que esta facultad se encuentra prevista desde 2014, también lo es que a la fecha (2020), no se han desplegado en buena medida, probablemente porque la autoridad no se encuentre en posibilidad de analizar correctamente toda la información (contabilidad electrónica) que se le envía de manera mensual, o bien, no han entendido la manera de ejecutar la misma, y prefieren seguir mandando cartas invitación.

3.5.3. *Inconstitucionalidad de la Contabilidad Electrónica*

Desde nuestro punto de vista, e independientemente del pronunciamiento que tuvo al respecto el Poder Judicial de la Federación en su momento, la obligación de los contribuyentes de subir vía buzón tributario la contabilidad (que sirve de base para las revisiones electrónicas), en términos de la fracción IV[22], del artículo 28 y del artículo 17K del CFF, implica una *perpetua revisión,* al permitir a las autoridades fiscales una intromisión permanente y constante en la esfera de derechos de los contribuyentes y deviene en inconstitucional e inconvencional por las siguientes consideraciones, a saber:

a) En primer lugar, se transgrede el artículo 16 de la Constitución Política de los Estados Unidos Mexicanos, mismo que contiene la garantía (derecho humano) de seguridad jurídica, ya que la autoridad fiscal podría estar revisando al contribuyente y éste no tendría conocimiento de dicha circunstancia, sino hasta que se produzca la resolución provisional, que trae de la mano una preliquidación, lo que claramente implica una violación a dicho principio, ya que se estaría realizando un acto administrativo que afecta la esfera jurídica del particular revisado, mediante el acceso a sus papeles de contabilidad sin que medie orden o acto de alguna autoridad competente, esto es, sin respetar las formalidades a las que se refiere el citado artículo 16.

b) Asimismo, a través de la obligación de ingresar la contabilidad mensualmente a la página de internet del SAT, se viola el derecho fundamental de inviolabilidad al domicilio y falta de fundamentación y motivación contenidos en el artículo 16 de nuestra Constitución Federal, toda vez que sin mediar mandamiento escrito de autoridad en el que funde y motive la causa legal del procedimiento, las autoridades fiscales —de manera arbitraria— se pueden allegar a toda la contabilidad que se encuentra en el domicilio de los contribuyentes, esto es, que se encuentran en el ámbito de su esfera privada.

c) De igual forma, se viola el derecho humano a la intimidad o privacidad contenido en el artículo 11 de la Convención Americana Sobre Derechos Humanos, el artículo 12 de la Declaración Universal de Derechos Humanos y el diverso 17 del Pacto Internacional de Derechos Civiles y Políticos, mismos que en su parte conducente disponen:

---

[22]   Obligación de los particulares de ingresar de forma mensual su información contable a través de la página de internet del SAT.

"**Artículo 11**. *Protección de la Honra y de la Dignidad (...)*
2. Nadie puede ser objeto de injerencias (sic) arbitrarias o abusivas en su vida priva-da, en la de su familia, en su domicilio o en su correspondencia, *ni de ataques ilegales a su honra o reputación.*
3. Toda persona tiene derecho a la protección de la ley contra esas injerencias (sic) o esos ataques."
"**Artículo 12.- Nadie será objeto de injerencias (sic) arbitrarias en su vida privada, su familia, su domicilio o su correspondencia,** *ni de ataques a su honra o a su reputación.* **Toda persona tiene derecho a la protección de la ley contra tales injerencias (sic) o ataques.**"
(Énfasis añadido)
Artículo 17.-
1. Nadie será objeto de injerencias arbitrarias o ilegales en su vida privada, su familia, su domicilio, su domicilio o su correspondencia, ni de ataques ilegales a su honra y reputación.
2. Toda persona tiene derecho a la protección de la ley contra esas injerencias o esos ataques

De esta manera, tenemos que los artículos contenidos en tratados internacionales establecen que ninguna persona puede ser objeto de afectaciones en su vida privada, familia domicilio y correspondencia, además de mencionar que todo individuo tiene derecho a que la ley lo proteja en contra de tales injerencias.

Así las cosas, el contenido de los artículos 28 fracción IV y 17-K del CFF transgreden lo dispuesto por las disposiciones internacionales transcritas, pues la obligación a cargo de los particulares de ingresar de forma mensual su información contable a través de la página de Internet del SAT y la facultad para encontrarse permanentemente revisados, atenta en contra del derecho humano y el derecho fundamental de intimidad y privacidad, pues se trata de información amparada dentro de la intimidad económica de los mismos.

3.6. REVISIONES A LOS ASESORES FISCALES POR ESQUEMAS REPORTABLES

3.6.1. Antecedentes y Concepto

Por iniciativa del Ejecutivo Federal, presentada ante la Cámara de Diputados el 9 de septiembre de 2019, se propuso adicionar un régimen de esquemas reportables; consistente en la obligación por parte de los asesores fiscales de revelar a la autoridad fiscal, cualquier estrategia que genere o pueda generar directa o indirectamente, la obtención de un beneficio fiscal en México, y que atienda a las características a las que refiere el artículo 199 del Código Fiscal de la Federación.

Según la exposición de motivos de esa iniciativa, los esquemas reportables son una fórmula de contención y prevención identificada en el **Reporte Final 12 del**

Proyecto BEPS (Base Erosion and Profit Shifting Project) de la Organización para la Cooperación y el Desarrollo Económico (OCDE)[23], el cual reconoce la necesidad de contar con información completa, relevante y oportuna para enfrentar esquemas y estrategias de planeación fiscal agresiva. En esa lectura, el Ejecutivo Federal propuso un régimen de revelación de operaciones potencialmente agresivas de planeación fiscal. En suma, lo que busca la reforma es dotar a la autoridad fiscal con información empresarial oportuna y tener un efecto disuasivo en las asesorías que propugnan ese tipo de estrategias fiscales.

3.6.2. Regulación actual

El 9 de diciembre de 2019, se publicó en el Diario Oficial de la Federación el DECRETO por el que se reforman, adicionan y derogan diversas disposiciones de la Ley del Impuesto sobre la Renta, de la Ley del Impuesto al Valor Agregado, de la Ley del Impuesto Especial sobre Producción y Servicios y del Código Fiscal de la Federación, el cual adicionó la obligación de los asesores fiscales de revelar los esquemas reportables referidos en el Título Sexto del Código Fiscal de la Federación, al Servicio de Administración Tributaria.

Además, el propio DECRETO reformó el artículo 42 del Código Fiscal de la Federación, para incluir una nueva facultad de comprobación de la autoridad fiscal, consistente en revisar que, efectivamente, los asesores fiscales estén cumpliendo con su obligación en el reporte de esquemas fiscales, en la parte conducente el artículo establece:

> *"**Artículo 42.** Las autoridades fiscales a fin de comprobar que los contribuyentes, los responsables solidarios, los terceros con ellos relacionados o los asesores fiscales han cumplido con las disposiciones fiscales y aduaneras y, en su caso, determinar las contribuciones omitidas o los créditos fiscales, así como para comprobar la comisión de delitos fiscales y para proporcionar información a otras autoridades fiscales, estarán facultadas para:*
>
> *(…)*
>
> ***XI.** Practicar visitas domiciliarias a los asesores fiscales a fin de verificar que hayan cumplido con las obligaciones previstas en los artículos 197 a 202 de este Código."*

Finalmente, el artículo 49 del Código Fiscal de la Federación, establece que el trámite procesal de las visitas ejercidas con base en esa fracción observará las mismas reglas detalladas en las *revisiones inmediatas* (fracción V, del artículo 42), analizado en el capítulo 3.4. del presente libro.

---

[23]   A partir de la recomendación de la OCDE, varios países como Canadá, Estados Unidos, Portugal, Reino Unido, entre otros, implementaron regímenes de revelación de información obligatoria teniendo resultados muy benéficos.

A través de un artículo transitorio, se estableció una *vacatio legis* de este nuevo procedimiento de un año, luego, lo anterior empezará a tener aplicación a partir del 1º de enero de 2021. Veremos cómo se va aplicando este nuevo procedimiento para ir haciendo los comentarios conducentes.

De entrada, nos parece excesivo y violatorio de derechos humanos este nuevo procedimiento, pero estaremos a la espera de la aplicación del mismo por las autoridades hacendarias.

4. ACUERDOS CONCLUSIVOS

4.1. INTRODUCCIÓN

Los Acuerdos Conclusivos son una figura jurídica, que constituye el primer medio alternativo de solución de controversias en procedimientos de fiscalización, en los que interviene la Procuraduría de la Defensa del Contribuyente[24], implicando una solución anticipada a determinadas facultades de comprobación de la autoridad fiscal, tales como: Revisión de Gabinete, Visita Domiciliaria o Revisión Electrónica.

Ante los frecuentes errores jurídicos y de hecho en los que incurren las autoridades fiscalizadoras y la ineludible obligación de los particulares de contribuir al gasto público, estimamos conveniente que en ciertos casos los contribuyentes consideren la adopción de dichos acuerdos, reduciendo así los gastos a efectuar en un Juicio Contencioso Administrativo, pero teniendo en cuenta que las autoridades fiscales en todos los casos terminarán por cumplir con su fin de recaudación, realidad que por supuesto consideramos adecuada, siempre y cuando se sigan los lineamientos legales para tal efecto, situación que no siempre es así.

Así, resulta conveniente en ciertos casos —como los son aquellos en los que el contribuyente no se encuentra en condiciones de pagar servicios legales— acogerse a un medio de solución de controversias gratuito, llegando así a un acuerdo con la autoridad fiscal, o bien, en aquellos casos en que el problema se reduce a una cuestión de pruebas, y se puede evitar la contienda.

También es una realidad que un Juicio Contencioso Administrativo Federal, será significativamente más costoso, empezando porque en éstos, resulta necesario garantizar el interés fiscal en alguno de los modos que ofrece el artículo 141 del CFF, excepto si se elige el Juicio de resolución exclusiva de fondo.

De igual manera, la adopción de dichos acuerdos reduce el tiempo en el que el contribuyente se verá obligado a soportar una contingencia fiscal.

Sin embargo, habrá que atender cada asunto en concreto, ya que habrá algunos en los que el contribuyente tenga razón sobre determinado aspecto, y la autoridad hacendaria no quiera aceptar esos hechos y/o pruebas dentro de un Acuerdo Conclusivo, caso en el cual, será conveniente seguir combatiendo, vía medios ordinarios y extraordinarios de defensa, dichas cuestiones.

---

[24]   En lo sucesivo: PRODECON.

4.2. MARCO NORMATIVO Y ASPECTOS GENERALES

El fundamento legal de los Acuerdos Conclusivos se encuentra en el Título III, Capítulo Segundo, artículos 69-C al 69-H del Código Fiscal de la Federación que entró en vigor a partir del 1º de enero de 2014 y que fueron parte de la iniciativa de reforma de la Presidencia de la República, de 8 de septiembre de 2013. Así las cosas, a continuación se transcriben los artículos de referencia.

> *"**Artículo 69-C.** Cuando los contribuyentes sean objeto del ejercicio de las facultades de comprobación a que se refiere el artículo 42, fracciones II, III o IX de este Código y no estén de acuerdo con los hechos u omisiones asentados en la última acta parcial, en el acta final, en el oficio de observaciones o en la resolución provisional, que puedan entrañar incumplimiento de las disposiciones fiscales, podrán optar por solicitar la adopción de un acuerdo conclusivo. Dicho acuerdo podrá versar sobre uno o varios de los hechos u omisiones consignados y será definitivo en cuanto al hecho u omisión sobre el que verse.*
>
> *Sin perjuicio de lo dispuesto en el párrafo anterior, los contribuyentes podrán solicitar la adopción del acuerdo conclusivo en cualquier momento, a partir de que dé inicio el ejercicio de facultades de comprobación y hasta dentro de los veinte días siguientes a aquél en que se haya levantado el acta final, notificado el oficio de observaciones o la resolución provisional, según sea el caso, siempre que la autoridad revisora ya haya hecho una calificación de hechos u omisiones.*
>
> *No procederá la solicitud de adopción de un acuerdo conclusivo en los casos siguientes:*
>
> *I. Respecto a las facultades de comprobación que se ejercen para verificar la procedencia de la devolución de saldos a favor o pago de lo indebido, en términos de lo dispuesto en los artículos 22 y 22-D de este Código.*
>
> *II. Respecto del ejercicio de facultades de comprobación a través de compulsas a terceros en términos de las fracciones II, III o IX del artículo 42 de este Código.*
>
> *III. Respecto de actos derivados de la cumplimentación a resoluciones o sentencias.*
>
> *IV. Cuando haya transcurrido el plazo de veinte días siguientes a aquél en que se haya levantado el acta final, notificado el oficio de observaciones o la resolución provisional, según sea el caso.*
>
> *V. Tratándose de contribuyentes que se ubiquen en los supuestos a que se refieren el segundo y cuarto párrafos, este último en su parte final, del artículo 69-B de este Código.*
>
> ***Artículo 69-D.** El contribuyente que opte por el acuerdo conclusivo lo tramitará a través de la Procuraduría de la Defensa del Contribuyente. En el escrito inicial deberá señalar los hechos u omisiones que se le atribuyen con los cuales no esté de acuerdo, expresando la calificación que, en su opinión, debe darse a los mismos, y podrá adjuntar la documentación que considere necesaria.*
>
> *Recibida la solicitud, la Procuraduría de la Defensa del Contribuyente requerirá a la autoridad revisora para que, en un plazo de veinte días, contado a partir del requerimiento, manifieste si acepta o no los términos en que se plantea el acuerdo conclusivo; los fundamentos y motivos por los cuales no se acepta, o bien, exprese los términos en que procedería la adopción de dicho acuerdo.*
>
> *En caso de que la autoridad revisora no atienda el requerimiento a que se refiere el párrafo anterior procederá la imposición de la multa prevista en el artículo 28, fracción I, numeral 1, de la Ley Orgánica de la Procuraduría de la Defensa del Contribuyente.*
>
> ***Artículo 69-E.** La Procuraduría de la Defensa del Contribuyente, una vez que acuse recibo de la respuesta de la autoridad fiscal, contará con un plazo de veinte días para*

concluir el procedimiento a que se refiere este Capítulo, lo que se notificará a las partes. De concluirse el procedimiento con la suscripción del Acuerdo, éste deberá firmarse por el contribuyente y la autoridad revisora, así como por la referida Procuraduría.

Para mejor proveer a la adopción del acuerdo conclusivo, la Procuraduría de la Defensa del Contribuyente podrá convocar a mesas de trabajo, promoviendo en todo momento la emisión consensuada del acuerdo entre autoridad y contribuyente.

Artículo 69-F. *El procedimiento de acuerdo conclusivo suspende los plazos a que se refieren los artículos 46-A, primer párrafo; 50, primer párrafo; 53-B y 67, sexto párrafo de este Código, a partir de que el contribuyente presente ante la Procuraduría de la Defensa del Contribuyente la solicitud de acuerdo conclusivo y hasta que se notifique a la autoridad revisora la conclusión del procedimiento previsto en este Capítulo.*

Artículo 69-G. *El contribuyente que haya suscrito un acuerdo conclusivo tendrá derecho, por única ocasión, a la condonación del 100% de las multas; en la segunda y posteriores suscripciones aplicará la condonación de sanciones en los términos y bajo los supuestos que establece el artículo 17 de la Ley Federal de los Derechos del Contribuyente. Las autoridades fiscales deberán tomar en cuenta los alcances del acuerdo conclusivo para, en su caso, emitir la resolución que corresponda. La condonación prevista en este artículo no dará derecho a devolución o compensación alguna.*

Artículo 69-H. *En contra de los acuerdos conclusivos alcanzados y suscritos por el contribuyente y la autoridad no procederá medio de defensa alguno ni procedimiento de resolución de controversias contenido en un tratado para evitar la doble tributación; cuando los hechos u omisiones materia del acuerdo sirvan de fundamento a las resoluciones de la autoridad, los mismos serán incontrovertibles. Los acuerdos de referencia sólo surtirán efectos entre las partes y en ningún caso generarán precedentes.*

Las autoridades fiscales no podrán desconocer los hechos u omisiones sobre los que versó el acuerdo conclusivo, ni procederá el juicio a que se refiere el artículo 36, primer párrafo de este Código, salvo que se compruebe que se trate de hechos falsos.

En primer lugar, es preciso mencionar que la adopción de los acuerdos de referencia es un derecho opcional, gratuito y a petición del contribuyente revisado, y que los mismos constituyen una vía no jurisdiccional, flexible y sumaria, siendo también un espacio idóneo para la comunicación directa entre el fisco y los particulares.

Así las cosas, el contribuyente revisado puede proponer la adopción de un Acuerdo Conclusivo a partir de que se le notifique el inicio de las facultades de comprobación de la autoridad fiscal (siempre que ya exista una calificación de hechos) y hasta dentro de los veinte días siguientes a aquél en que se haya levantado el acta final, notificado el oficio de observaciones o la resolución provisional, según sea el caso, cumpliendo requisitos muy simples y precisos, tales como acreditar su personalidad, identificar los hechos señalándolos "bajo protesta de decir verdad", exposición de argumentos de fondo, razones jurídicas, entre otros.

Es preciso señalar que hasta el año 2020, el límite que tenían los contribuyentes para solicitar la adopción de un Acuerdo Conclusivo, era hasta en tanto no se notificara la resolución determinante del crédito fiscal; situación que se modificó a partir del año 2021, en los términos precisados en el párrafo anterior.

Posteriormente y una vez presentada la solicitud del acuerdo, la PRODECON requerirá a la autoridad revisora para que ésta, en un plazo máximo de 20 días hábiles realice su contestación acompañando la documentación que estime conducente.

Así, en dicha contestación, la autoridad podrá: a) manifestar si acepta los términos, b) expresar los términos en los que proceda su adopción o c) en caso de no aceptar, expresar los fundamentos y motivos de su negativa.

De igual forma, es preciso mencionar que durante el desarrollo de los Acuerdos Conclusivos quedarán suspendidos los ya expuestos plazos a los que se refieren los artículos 46-A primer párrafo y 50 primer párrafo del CFF (doce meses para concluir revisiones y 6 meses para emitir y notificar la resolución determinante de un crédito fiscal), 53-B (Revisiones Electrónicas) y 67 antepenúltimo párrafo (6 años y medio o 7 años en tratándose de las causales de suspensión en facultades de comprobación de la figura jurídica de caducidad).

Es importante comentar que el contribuyente que haya suscrito un acuerdo conclusivo tendrá derecho, por única ocasión, a la condonación del 100% de las multas.

4.3. SUSCRIPCIÓN DE LOS ACUERDOS CONCLUSIVOS

Una vez que se tenga la admisión del acuerdo, la PRODECON podrá convocar a mesas de trabajo y posteriormente, citará en su momento a la autoridad revisora y al contribuyente revisado, para que acudan en día y hora fijas a la suscripción del acuerdo.

Dicho acuerdo, se firmará ante la presencia del titular del organismo o por el funcionario que ésta designe y se suscribirá siempre en tres tantos, entregándose uno a cada una de las partes y permaneciendo el tercero, en los archivos de la PRODECON.

Cabe señalar que el acuerdo puede ser conclusivo, y ahí termina en definitiva el asunto, ya sea con pago por parte del contribuyente de los tributos observados, de manera total, o bien, de manera parcial al haber aceptado determinadas partidas la autoridad.

También pueden suscribir un acuerdo de cierre de procedimiento, donde el contribuyente puede hacer pagos parciales, o bien la autoridad aceptar algunas partidas, pero el asunto continúa.

Asimismo, puede haber un acuerdo de cierre de procedimiento, donde ambas partes (autoridad y contribuyente) no llegaron a ningún acuerdo —valga la redundancia—.

Esta figura constituye el primer Medio Alternativo de Solución de Controversias en materia fiscal.

Existe una expectativa de conflicto, se busca una concertación de voluntades y evitar una determinación judicial. Todo con ayuda de la PRODECON.

Cabe señalar que pueden resultar convenientes para la autoridad, por los frecuentes errores que cometen al fiscalizar y la ineludible obligación de los particulares de contribuir al gasto público. También le conviene, pues elimina el riesgo de perder un litigio y la carga de cobrar (no es un tema menor). Además que de una forma u otra cumple con el fin recaudador, cuando se llegan a acuerdos de cierre o conclusivos con pago por parte del gobernado.

Por otro lado, pueden ser convenientes para el particular, ya que se reducen los costos que un litigio conlleva, se concluye antes la facultad de comprobación y en la primera ocasión, se condona el 100% de las multas (69 G).

Y pueden resultar NO convenientes para el particular, ya que fija su situación fiscal de manera definitiva (en el caso de acuerdo conclusivo, no de cierre de procedimiento), ya que en otras circunstancias se podría revisar la determinación del crédito hasta en cuatro ocasiones (recurso de revocación, juicio de nulidad, amparo directo e incluso revisión extraordinaria ante la SCJN).

4.4. DOCTRINA

Se contemplan 4 tipos de Medios Alternativos de Solución de Controversias (Según Gorjón Gómez en su obra "Medios alternativos de solución de controversias"):

- Negociación, no hay un tercero, persuasión mutua buscando convencer.

- Arbitraje, partes facultan a un tercero imparcial para poner fin a la controversia, a través de un laudo que las partes se obligaron a cumplir.

- Mediación, interviene un tercero que guía a las partes sin proponer una fórmula para resolver la controversia, facilita la comunicación.

- Conciliación, interviene un tercero que propone la fórmula de solución, asiste a las partes.

La PRODECON, ¿qué es? Desde mi punto de vista, únicamente es un mediador, ya que las partes son las que proponen la fórmula.

4.5. APLICABILIDAD Y PROCEDIMIENTO

Aplica siempre y cuando el contribuyente se encuentre sujeto a una Visita Domiciliaria, Revisión de Gabinete o Revisión Electrónica. Siempre que la autoridad haya hecho una calificación de hechos u omisiones y hasta dentro de los veinte días siguientes a aquél en que se haya levantado el acta final, notificado el oficio de observaciones o la resolución provisional, según sea el caso.

Es un procedimiento gratuito, opcional, flexible (por lo que no le pondremos mucha atención a los plazos) y no jurisdiccional.

4.5.1. Inicio y Reglas

Los particulares solicitan un Acuerdo Conclusivo dirigido a la PRODECON, siempre y cuando la autoridad haya hecho una calificación de hechos u omisiones y hasta dentro de los 20 días hábiles a aquél en que se haya levantado el acta final, notificado el oficio de observaciones o la resolución provisional, según sea el caso.

A partir de la solicitud, se suspenden los plazos del 46 A, 50, 53-B y antepenúltimo párrafo del 67 del CFF.

El escrito debe contener, entre otros, la mención e identificación de los hechos u omisiones calificados y la calificación que se pretende que se les dé. En el mismo debe de estar incluida una PROPUESTA.

4.5.2. Desarrollo

Recibida la solicitud, la Prodecon, en un plazo máximo de tres días: verifica la procedencia, en su caso admite la solicitud, identifica los hechos u omisiones calificados, requiere a la autoridad para su respuesta. Dicha respuesta puede ser en tres sentidos: 1 Aceptar los términos. 2 Expresar con precisión fundada y motivadamente los términos diversos en los que plantee el Acuerdo Conclusivo, o 3. Rechazar los términos, fundamentando y motivando dicho rechazo.

La PRODECON da razón a la contestación y en máximo 20 días procede como sigue:

1. Si se aceptaron los términos, cita a las partes para la firma del Acuerdo Conclusivo en tres tantos firmados por las tres partes involucradas.

2. Si la autoridad propuso nuevos términos, puede convocar a mesas de trabajo y el particular deberá manifestar si acepta o no esos nuevos términos.

3. Se notifica al contribuyente la negativa. Ahí concluye el procedimiento a través de un Acuerdo de Cierre de Procedimiento.

Siendo así, los Acuerdos Conclusivos, terminan con la suscripción de un Acuerdo, o a través de un Acuerdo de Cierre de Procedimiento.

4.6. PRECISIONES

Contra los Acuerdos Conclusivos, no procede ningún medio de defensa y no generan precedentes. No podrán aplicarse ni invocarse en otros Acuerdos Conclusivos.

4.7. DERECHO COMPARADO

Tenemos los Medios Alternativos de Solución de Controversias (MASC) en Materia Internacional.

– **Italia,** Accertamento con Adesione, se puede suscribir el MASC, incluso después de la notificación del crédito fiscal. Si no se llega a un acuerdo, entonces se puede ir a juicio.

– **España,** Tasación Pericial Contable, se lleva un desahogo de pruebas (como se hace en juicio) en el MASC, esto es, antes de iniciado un juicio, ya se puede anticipar qué opinan los peritos. Igual que en un juicio, cada parte propone a un perito y existe un tercero en discordia. Los peritos deben de pertenecer a un Colegio. (Hablamos de pericial contable).

– **EEUU,** Fast Track Settlement, existe una reunión previa con un supervisor (funcionario de mayor rango que el que está fiscalizando), si no hay acuerdo, las partes celebran un convenio para someterse a mediación y entonces sí, un tercero propone una fórmula resolutoria.

– Existen también en Francia, Australia, Nueva Zelanda, Reino Unido y otros países.

Siendo así, podemos decir que no estamos en presencia de un tema tan novedoso, como algunos han indicado.

5. OPERACIONES INEXISTENTES

5.1. ANTECEDENTES

A finales de 2013, derivado de las múltiples reformas que se llevaron a cabo, a través del DECRETO por el que se reforman, adicionan y derogan diversas disposiciones del Código Fiscal de la Federación, publicado en el Diario Oficial de la Federación el 9 de diciembre de 2013, se adicionó el artículo 69-B al Código Fiscal de la Federación.

En la "Exposición de motivos" se advierte que esta adición tiene como objeto desinhibir los esquemas agresivos de evasión fiscal consistentes en la adquisición de comprobantes fiscales. En un principio, los contribuyentes usaban comprobantes fiscales apócrifos para generar un efecto fiscal, sin erogar las cantidades amparadas por esos documentos, sin embargo, al percatarse las autoridades fiscales de esta situación, implementaron controles de seguridad y requisitos más rigurosos para contrarrestar la emisión de estos comprobantes falsos. No obstante el esfuerzo de la autoridad fiscal, los esquemas implementados por algunos contribuyentes superaron las barreras impuestas para contrarrestar esta práctica abusiva, evolucionando éste sistema de evasión fiscal, al grado que se comenzó a introducir en el mercado comprobantes fiscales que cuentan con todos los elementos de seguridad, requisitos formales de los comprobantes y flujos de efectivo comprobables, que se comercializan mediante el pago de una comisión.

A raíz de esta situación, el Ejecutivo Federal propuso la adición del artículo 69-B al Código Federal de la Federación que establece un procedimiento encaminado a detectar y sancionar tanto a los contribuyentes que emiten comprobantes fiscales (EFOS) sin contar con los activos, personal, infraestructura, capacidad material de manera directa o indirecta, o se encuentran no localizados, como aquellos que reciben (EDOS) estos comprobantes para generar algún efecto fiscal, mediante la deducción del impuesto sobre la renta y el acreditamiento del impuesto al valor agregado.

El artículo en cuestión, desde su entrada en vigor a la fecha, ha sufrido algunos cambios, pues el mismo fue redactado con varias lagunas y dejando en un estado de inseguridad jurídica al gobernado, siendo la reforma más importante hasta ahorita, la última publicada el 25 de junio de 2018 en el Diario Oficial de la Federación.

Dentro de la "Exposición de Motivos" de ésta última reforma, se manifiesta que los procedimientos contemplados en el artículo 69-B han servido para contrarrestar las prácticas indebidas de los contribuyentes, por lo que se han logrado identificar varios contribuyentes, que derivado de este esquema agresivo, realizaban indebidas deducciones y acreditamiento de impuestos. Sin embargo, dicho artículo fue redactado con el único objeto de atacar agresivamente estos esquemas abusivos, y perdieron de vista salvaguardar ciertos derechos de los gobernados, como el de seguridad jurídica.

5.2. REGULACIÓN ACTUAL

En este sentido, en la reforma en comento, se procedió a:

a) Incorporar el derecho para que los contribuyentes, dentro del procedimiento de la presunción de inexistencia de operaciones, soliciten una prórroga de cinco días a la autoridad fiscal para proporcionar la documentación e información que consideren oportuna para acreditar la existencia y materialización de la operación o acto jurídico consignado en el comprobante fiscal y con ello desvirtúen las presunciones señaladas en su contra.

b) Otorgar la facultad a la autoridad para requerir información adicional al contribuyente, estableciendo plazos para la entrega, valoración, emisión y notificación de la resolución definitiva, así como las consecuencias en caso de incumplimiento.

c) Establecer que el plazo con el que cuenta la autoridad fiscal para valorar las pruebas aportadas por el contribuyente, expedir y notificar la resolución correspondiente es de cincuenta (50) días, apuntalando correctamente en un afán de crear seguridad jurídica, que si la autoridad no emite y notifica en el citado plazo la resolución, queda sin efectos la presunción.

Derivado de lo anterior, el texto actual del artículo 69-B del Código Fiscal de la Federación, se encuentra redactado de la siguiente manera:

> "**Artículo 69-B.** *Cuando la **autoridad fiscal detecte que un contribuyente ha estado emitiendo comprobantes sin contar con los activos, personal, infraestructura o capacidad material, directa o indirectamente, para prestar los servicios o producir, comercializar o entregar los bienes que amparan tales comprobantes, o bien, que dichos contribuyentes se encuentren no localizados, se presumirá la inexistencia de las operaciones amparadas en tales comprobantes*.*
>
> *En este supuesto, procederá a notificar a los contribuyentes que se encuentren en dicha situación a través de su buzón tributario, de la página de Internet del Servicio de Administración Tributaria, así como mediante publicación en el Diario Oficial de la Federación, con el objeto de que aquellos contribuyentes puedan manifestar ante la autoridad fiscal lo que a su derecho convenga y aportar la documentación e información que consideren pertinentes para desvirtuar los hechos que llevaron a la autoridad a notificarlos. Para ello, los contribuyentes interesados contarán con un plazo de quince días contados a partir de la última de las notificaciones que se hayan efectuado.*
>
> *Los contribuyentes podrán solicitar a través del buzón tributario, por única ocasión, una prórroga de cinco días al plazo previsto en el párrafo anterior, para aportar la documentación e información respectiva, siempre y cuando la solicitud de prórroga se efectúe*

dentro de dicho plazo. La prórroga solicitada en estos términos se entenderá concedida sin necesidad de que exista pronunciamiento por parte de la autoridad y se comenzará a computar a partir del día siguiente al del vencimiento del plazo previsto en el párrafo anterior.

Transcurrido el plazo para aportar la documentación e información y, en su caso, el de la prórroga, la autoridad, en un plazo que no excederá de cincuenta días, valorará las pruebas y defensas que se hayan hecho valer y notificará su resolución a los contribuyentes respectivos a través del buzón tributario. Dentro de los primeros veinte días de este plazo, la autoridad podrá requerir documentación e información adicional al contribuyente, misma que deberá proporcionarse dentro del plazo de diez días posteriores al en que surta efectos la notificación del requerimiento por buzón tributario. En este caso, el referido plazo de cincuenta días se suspenderá a partir de que surta efectos la notificación del requerimiento y se reanudará el día siguiente al en que venza el referido plazo de diez días. Asimismo, se publicará un listado en el Diario Oficial de la Federación y en la página de Internet del Servicio de Administración Tributaria, de los contribuyentes que no hayan desvirtuado los hechos que se les imputan y, por tanto, se encuentran definitivamente en la situación a que se refiere el primer párrafo de este artículo. En ningún caso se publicará este listado antes de los treinta días posteriores a la notificación de la resolución.

Los efectos de la publicación de este listado serán considerar, con efectos generales, que las operaciones contenidas en los comprobantes fiscales expedidos por el contribuyente en cuestión no producen ni produjeron efecto fiscal alguno.

La autoridad fiscal también publicará en el Diario Oficial de la Federación y en la página de Internet del Servicio de Administración Tributaria, trimestralmente, un listado de aquellos contribuyentes que logren desvirtuar los hechos que se les imputan, así como de aquellos que obtuvieron resolución o sentencia firmes que hayan dejado sin efectos la resolución a que se refiere el cuarto párrafo de este artículo, derivado de los medios de defensa presentados por el contribuyente.

Si la autoridad no notifica la resolución correspondiente, dentro del plazo de cincuenta días, quedará sin efectos la presunción respecto de los comprobantes fiscales observados, que dio origen al procedimiento.

*Las personas físicas o morales que hayan dado cualquier efecto fiscal a los comprobantes fiscales expedidos por un contribuyente incluido en el listado a que se refiere el párrafo cuarto de este artículo, **contarán con treinta días siguientes al de la citada publicación para acreditar ante la propia autoridad, que efectivamente adquirieron los bienes o recibieron los servicios que amparan los citados comprobantes fiscales,** o bien procederán en el mismo plazo a corregir su situación fiscal, mediante la declaración o declaraciones complementarias que correspondan, mismas que deberán presentar en términos de este Código.*

En caso de que la autoridad fiscal, en uso de sus facultades de comprobación, detecte que una persona física o moral no acreditó la efectiva prestación del servicio o adquisición de los bienes, o no corrigió su situación fiscal, en los términos que prevé el párrafo anterior, determinará el o los créditos fiscales que correspondan. Asimismo, las operaciones amparadas en los comprobantes fiscales antes señalados se considerarán como actos o contratos simulados para efecto de los delitos previstos en este Código.

(Énfasis añadido)

En efecto, el artículo se ha ido modificando como consecuencia de una mala técnica legislativa de nuestros representantes en el Congreso de la Unión.

Se considera que la reforma del 25 de junio de 2018 al artículo 69-B del Código Fiscal de la Federación, da certidumbre y seguridad jurídica a los contribuyentes EFOS, **sólo respecto al procedimiento y plazos para desvirtuar la presunción de operaciones inexistentes,** pero aún resultan necesarias otras reformas al mismo, ya que aún continúa dejando en un estado de inseguridad jurídica a los contribuyentes, sobre todo por lo que se refiere a los EDOS.

5.3. CRÍTICAS AL ARTÍCULO 69-B E INCONSTITUCIONALIDAD

Una vez que se ha expuesto la forma en que actualmente está regulado el artículo 69-B del CFF, es pertinente establecer porqué se considera que el texto actual continúa dejando en un estado de inseguridad jurídica, tanto a los EFOS como a los EDOS, si bien se hizo una excelente modificación en el año 2018 para esclarecer con mayor claridad el procedimiento con los EFOS, continúa transgrediendo el derecho humano de seguridad jurídica y certeza jurídica consagrado en el artículo 16 Constitucional, que señala lo siguiente:

> *"Artículo 16. Nadie puede ser molestado en su persona, familia, domicilio, papeles o posesiones, sino en virtud de mandamiento escrito de la autoridad competente, que funde y motive la causa legal del procedimiento. En los juicios y procedimientos seguidos en forma de juicio en los que se establezca como regla la oralidad, bastará con que quede constancia de ellos en cualquier medio que dé certeza de su contenido y del cumplimiento de lo previsto en este párrafo.*
> *..."*

Al respecto, nuestra H. Suprema Corte de Justicia de la Nación ha definido en su tratado de Garantías Constitucionales, la garantía (hoy derecho humano) de seguridad jurídica de la siguiente manera:

> *"La Garantía de Seguridad Jurídica debe entenderse como el conjunto de derechos públicos subjetivos a favor de los gobernados, que pueden oponerse a los órganos estatales para exigirles que se sujeten a un conjunto de requisitos previos a la emisión de actos que pudieran afectar la esfera jurídica de los individuos, para que éstos no caigan en la indefensión o **la incertidumbre jurídica, lo que hace posible la pervivencia de condiciones de igualdad y libertad para todos los sujetos de derechos y obligaciones"**.*
> (Énfasis añadido)

De igual manera, en aras de hacer más clara la exposición, a través de dos criterios jurisprudenciales emitidos por el Poder Judicial de la Federación, consistentes en la tesis No. 2a./J. 144/2006 con rubro "GARANTÍA DE SEGURIDAD JURÍDICA. SUS ALCANCES." y la tesis No. 1a./J. 139/2012 con rubro "SEGURIDAD JURÍDICA EN MATERIA TRIBUTARIA. EN QUÉ CONSISTE." que señalan que la garantía de seguridad jurídica contenida en el citado artículo 16 de nuestra Constitución implica que la Ley debe contener los elementos mínimos para hacer valer el derecho del gobernado y para que la autoridad no incurra en arbitrariedades, debiendo otorgarse, además, un trato igual, ante la Ley, para que el gobernado jamás se encuentre en una situación de incertidumbre jurídica y, por tanto, en estado de indefensión.

En ese sentido, el contenido esencial de dicho principio, radica en "saber a qué atenerse" respecto de la regulación normativa prevista en la ley y a la actuación de la autoridad.

Ahora bien, una vez precisado el alcance del derecho de seguridad jurídica, se procederá a enunciar cada una de las causas y críticas por las que se considera inconstitucional el artículo en estudio:

A) Incertidumbre jurídica del caudal probatorio suficiente para demostrar la materialidad y falta de parámetros en el actuar de la autoridad fiscal al valorar las pruebas, ya que en la práctica no existe independencia probatoria entre el emisor y adquirente de los comprobantes fiscales.

Dicho artículo viola el derecho de seguridad y certeza jurídica, ya que la redacción del mismo permite a la autoridad actuar arbitrariamente, pues no establece el límite de sus facultades para determinar la inexistencia de operaciones, ya que se considera que el texto del artículo en estudio, permite un margen subjetivo de actuación a la autoridad, por no establecerse objetivamente los parámetros legales para determinar la inexistencia de la operaciones, como se señala en su exposición de motivos.

No es óbice a lo anterior, que el artículo señale que basta con que la autoridad presuma la inexistencia de activos, personal, infraestructura o capacidad material, directa o indirectamente, para prestar los servicios amparados en los comprobantes fiscales, pues la redacción del primer párrafo del artículo 69-B, no es claro en combatir las conductas de evasión fiscal consistentes en la emisión de comprobantes fiscales *sin sustancia económica*. Esto es, del texto del primer párrafo del artículo 69-B no se desprende claramente la relación de la inexistencia, directa o indirecta, de los activos, personal, infraestructura o capacidad material, con la falta de sustancia económica en los comprobantes fiscales, situación que deja en estado de inseguridad jurídica a los gobernados.

Esto, ya que aún siendo una persona física o moral que cuente con suficiente activo, personal, infraestructura o capacidad material, directa o indirecta, puede que emita facturas sin sustancia económica, de modo tal que, *la cuestión más importante y que se debió limitar en el texto del artículo, es determinar cuándo estamos en presencia de una factura que carece de sustancia económica.*

Por lo que la falta de ello, es lo que ha permitido que la autoridad esté abusando en el ejercicio de la facultad contenida en el artículo 69-B del Código Fiscal de la Federación, limitándose falsamente a señalar la inexistencia de activos y personal de los contribuyentes, para aplicar ilegalmente el artículo 69-B, sin que existan parámetros objetivos que permitan al gobernado conocer con certeza jurídica, porqué en específico los comprobantes fiscales rechazados por la autoridad, amparan operaciones inexistentes, situación que se esclarecería determinando en Ley el concepto y alcance de la sustancia económica en la facturación objeto del artículo 69-B, o se establezcan otros parámetros objetivos que delimiten el actuar arbitrario de la autoridad, así como definir qué se entiende por "infraestructura".

Es más, se hace notar que es una práctica generalizada y abusiva de la autoridad, que si el emisor de la factura con el que se inicia el procedimiento del artículo 69-B del Código Fiscal de la Federación, por una omisión en el desahogo o una indebida asesoría para el mismo, no proporciona documentación para acreditar la supuesta "existencia de activos o personal" y aún cuando la Ley permite que los adquirentes de las facturas pueden desvirtuar tal presunción, a pesar de que el adquirente exhibe todos los contratos y la documentación comprobatoria para acreditar que por lo menos a ese adquirente sí se le prestaron servicios, la autoridad, por la falta de acreditamiento por parte del emisor de la existencia de activos y personal propios, termina limitando el derecho de audiencia de los adquirentes, determinando que por la falta de activos y personal del emisor, entonces, se presume que no le prestó el servicio.

Este actuar ilegal e inconstitucional, es producido por el margen tan amplio de acción de la autoridad, permitido por el artículo 69-B, en el que sólo basta que la autoridad argumente la inexistencia de activos y personal del emisor de una factura para presumir la inexistencia de las operaciones amparadas en las facturas revisadas, sin que se señalen otros requisitos que permitan otorgar certeza y seguridad jurídica, tanto al emisor como al adquirente de la factura, respecto de todos los elementos objetivos que debería estudiar y analizar la autoridad para llegar a una resolución tan gravosa, como determinar la inexistencia de operaciones, siendo un elemento importante determinar objetivamente la carencia de sustancia económica.

A fin de demostrar lo anterior, resulta importante recordar la *ratio legis* del artículo 69-B, y para tales efectos, se reproduce la exposición de motivos, a saber:

> *"**Uso Indebido de comprobantes fiscales**
>
> Una de las causas más dañinas y que más ha contribuido para agravar la recaudación fiscal, son los **esquemas agresivos de evasión fiscal,** por lo que deben eliminarse o corregirse los motivos que los originan, a través de instrumentos eficaces que permitan combatir frontalmente el referido fenómeno.*
>
> *Cuando no se cuenta con dichos instrumentos se provoca el avance de nuevas prácticas de evasión, las cuales erosionan de manera grave las bases gravables, sin poder reflejar incrementos significativos en la recaudación.*
>
> *Un ejemplo que ilustra la evolución y sofisticación en la forma en que los contribuyentes disminuyen o evaden el pago de sus obligaciones fiscales, es el derivado de la adquisición de comprobantes fiscales. Inicialmente este esquema consistía en usar compro-*

bantes apócrifos, con la finalidad de deducir y acreditar las cantidades amparadas en los mismos, sin haber pagado las cantidades que se reflejaban en ellos. Posteriormente, con los controles de seguridad y requisitos que la autoridad implementó en diversas reformas tendientes a evitar y detectar la emisión de comprobantes fiscales apócrifos, disminuyó temporalmente el recurrir a esta práctica.

Sin embargo, estas prácticas indebidas evolucionaron, llevando a los contribuyentes evasores a recurrir a estructuras mucho más complejas, para tratar de obtener beneficios fiscales en perjuicio del fisco federal.

Tal es el caso del tráfico de comprobantes fiscales, que en esencia consiste en colocar en el mercado comprobantes fiscales auténticos y con flujos de dinero comprobables, **aunque los conceptos que se plasman en los mismos, carecen de sustancia o la poca que pudieran tener no es proporcional a las cantidades que amparan los referidos comprobantes.**

En estas operaciones el adquirente del comprobante fiscal generalmente recibe directamente o a través de interpósita persona la devolución de la erogación inicialmente facturada menos el cobro de las comisiones cobradas por el traficante de comprobantes fiscales.

Con esta devolución se cierra el círculo del tráfico de comprobantes fiscales, en el cual el adquirente logra su objetivo de deducir y/o acreditar un concepto por el cual en realidad erogó una cantidad mucho menor, erosionando con ello la base del impuesto correspondiente en perjuicio del fisco federal y a su vez los traficantes de comprobantes fiscales obtienen una utilidad por expedir dichos comprobantes.

Al día de hoy, las autoridades han combatido arduamente esta práctica ilegal, haciendo uso de todas las herramientas, procedimientos e instrumentos con las que cuenta para ello, como la facultad para rechazar una deducción o un acreditamiento amparado en un comprobante fiscal traficado; sin embargo, la complejidad y sofisticación que han alcanzado estos grupos criminales, obligan a implementar nuevas medidas que hagan frente a esta problemática y que permitan adaptarse al dinamismo y velocidad en que operan.

Algo que se ha detectado y que se presenta de manera genérica en este grupo delictivo, tanto de la traficante, como de sus cómplices y, en ocasiones, hasta el adquiriente final es que generalmente son partes relacionadas, donde sus accionistas, administradores u apoderados son las mismas personas.

Adicionalmente este grupo delictivo ofrece una gran variedad de objetos sociales para poder adecuarse a las necesidades de los adquirientes, con la emisión de comprobantes fiscales con conceptos que ayuden a disfrazar mejor la operación.

Asimismo, se ha detectado que los traficantes o emisores de facturas suelen tener una vida activa muy breve, liquidando la "empresa" original o dejándola simplemente inactiva.

El negocio de las personas que se dedican al tráfico de comprobantes fiscales, se basa en la constante constitución de sociedades, las cuales comienzan en apariencia cumpliendo con sus obligaciones fiscales y, posteriormente comienzan a incumplirlas, confiados en que para cuando la autoridad fiscal pretenda fiscalizarlas, las mismas ya se encontrarán no localizadas o han sido preparadas corporativamente para dejar al frente de las mismas a testaferros, empleados, personal doméstico o similares y generalmente sin activos ni condiciones remotamente cercanas a las necesarias que puedan garantizar la prestación del servicio o el transporte, producción o comercialización de los bienes o servicios que sus facturas amparan.

En suma, derivado de la información procesada por el Servicio de Administración Tributaria se han podido identificar una serie de patrones que generalmente están presentes en las sociedades que realizan el tráfico de comprobantes fiscales, como son:

1. Tienen un objeto social muy amplio para poder ofrecer al cliente un comprobante fiscal con un concepto que pueda disfrazarse mejor dentro de las actividades preponderantes de éste.

2. Emiten comprobantes fiscales correspondientes a operaciones que no se realizaron.

3. Emiten comprobantes fiscales cuya contraprestación realmente pagada por las operaciones consignadas en los mismos es sólo un mínimo porcentaje y no tiene proporción con dichas operaciones.

4. No tienen personal o éste no es idóneo o suficiente para llevar a cabo las operaciones que se especifican en los comprobantes fiscales.

5. No tienen activos o éstos no son idóneos o suficientes para llevar a cabo las operaciones que se especifican en los comprobantes fiscales.

6. Reciben ingresos que no tienen proporción a las características de su establecimiento.

7. Tienen cuentas bancarias o de inversiones que se encuentran activas durante un período determinado y después son canceladas o las dejan con saldos ínfimos después de haber manejado cantidades elevadas.

8. Tienen sus establecimientos en domicilios que no corresponden al manifestado ante el registro federal de contribuyentes.

9. Sus sociedades se encuentran activas durante un período y luego se vuelven no localizables.

10. Sus ingresos en el ejercicio de que se trate son casi idénticos a sus deducciones o bien, éstas son mayores por escaso margen.

11. Prestan servicios y a la vez reciben servicios por casi exactamente los mismos montos.

12. Comparten domicilios con otros contribuyentes también prestadores de servicios.

El fenómeno es grave y sólo por citar un ejemplo, derivado del análisis de la Declaración Informativa de Operaciones con Terceros de los ejercicios 2008 a 2012, se han identificado al menos 316 facturadores que realizaron operaciones por $105,369 millones de pesos con más de 12 mil contribuyentes que utilizan indebidamente estas facturas que amparan operaciones simuladas y sólo por lo que se refiere al impuesto al valor agregado.

Nótese que en estas estrategias irregulares no sólo actúan de mala fe quienes expiden y ofertan facturas por bienes o servicios inexistentes, sino que también lo hacen aquellos contribuyentes que pagan un precio o "comisión" por una factura que, reuniendo todos los requisitos formales, ampara un servicio que no se prestó o un bien que no se adquirió con la única finalidad de erosionar o suprimir la carga tributaria.

Es por todo lo anterior que se propone la adición del artículo 69-B mediante un procedimiento dirigido a sancionar y neutralizar este esquema.

La propuesta centra atención en los contribuyentes que realizan fraudes tributarios —y no una elusión legal de la norma— a través del tráfico de comprobantes fiscales, esto es a quienes los adquieren, venden o colocan y quienes de alguna manera se benefician de este tipo de actividad ilegal que tanto perjudica al fisco federal. Conforme a la propuesta, la autoridad fiscal procedería a notificar en el buzón tributario del emisor de facturas, y a través de la página de Internet del Servicio de Administración Tributaria, así como mediante publicación el Diario Oficial de la Federación a las empresas o sociedades que presenten el padrón de comportamiento arriba indicado, otorgándoles la garantía de audiencia para que manifiesten lo que a su derecho convenga. Hecho lo anterior, procedería la publicación de una la lista, cuyo efecto sería la presunción de que las operaciones amparadas por los comprobantes fiscales por ellos emitidos nunca existieron y, por tanto, tales comprobantes no deben producir efecto fiscal alguno.

Acto seguido, se abre una ventana para que los contribuyentes que hayan utilizado en su beneficio los comprobantes fiscales puedan proceder a autocorregirse o, en su caso, acreditar que la prestación del servicio o la adquisición de bienes en realidad aconteció, destruyendo así la presunción de inexistencia. Ahora bien, si la autoridad fiscal — al ejercer sus facultades de comprobación — acredita que un contribuyente persistió en la utilización de comprobantes que simulan actos u operaciones, entonces procederá a recalcular el pago de contribuciones, sin tomar en cuenta dichos comprobantes y, en su caso, a liquidar las diferencias que procedan. Desde luego, igualmente procedería por la vía penal correspondiente en virtud de la simulación que las conductas actualizan.

Es de vital relevancia tener en mente que esta propuesta no está enderezada contra los contribuyentes honestos y cumplidos; ni siquiera versa sobre la elusión legal que permite a los ciudadanos elegir, por economía de opción, el régimen fiscal más benigno.

Por el contrario, estamos en presencia de una práctica totalmente defraudadora y carente de la más elemental ética ciudadana por todas las partes que intervienen en ella. Mantener impune esta práctica se traduce no sólo en un grave daño a las finanzas públicas y una afrenta a quienes sí cumplen con su deber constitucional de contribuir al gasto público, sino también consentir en un desafío al Estado y acrecentar la falta de cultura de la legalidad en nuestro país."

(Énfasis Añadido)

De la exposición de motivos que precede, se desprende que la razón principal por la que se introdujo el artículo 69-B, fue para **eliminar esquemas agresivos de evasión fiscal**, como los es, según señala, el tráfico de comprobantes fiscales, colocados en el mercado que cumplen con los requisitos de forma y con flujos de dinero comprobables, **pero los conceptos que se plasman en los mismos, carecen de sustancia o la poca que pudieran tener no es proporcional a las cantidades que amparan los referidos comprobantes.** En estas operaciones el adquirente del comprobante fiscal generalmente recibe directamente o a través de interpósita persona la devolución de la erogación inicialmente facturada menos el cobro de las comisiones cobradas por el traficante de comprobantes fiscales.

Respecto de la "Evasión fiscal", es importante señalar que el "fin" es un elemento esencial, de esta manera, un contribuyente que adopta uno de los medios o vehículos posibles para disminuir la carga fiscal debe distinguirse de un contribuyente que adopta el mismo medio o vehículo por razones de negocios o personales.

Ahora bien, se puede decir que para detectar "la evasión fiscal", en diversos países se ha aceptado que *debe analizarse la sustancia sobre la forma de la transacción*, como lo señala el Modelo de Convenio Tributario Sobre la Renta y Sobre el Patrimonio.

De modo tal que, si estamos en presencia de una evasión fiscal, para determinarla, las autoridades deberán valorar la sustancia ya sea legal o económica, según sea el caso, a saber: i) la **"Sustancia legal"** se refiere a la recaracterización de la transacción con base en el estudio y análisis de los derechos y obligaciones de cada una de las partes; y ii) la **"Sustancia Económica"** es una noción americana, que implica el análisis de los factores objetivos y subjetivos para dilucidar la existencia de un fin lucrativo que no sea únicamente el ahorro de impuestos, o si hay algún cambio significativo en la posición económica del contribuyente.

En este sentido, la intención del legislador fue atender a la sustancia económica amparada en los comprobantes fiscales para determinar si existía una evasión fiscal con la emisión de los comprobantes fiscales, por lo que se considera que para determinar si estamos en presencia de una evasión fiscal por la emisión de comprobantes fiscales sin sustancia, por lo que las autoridades fiscales *deben realizar un análisis de los factores objetivos y subjetivos para dilucidar la existencia de un fin lucrativo que no sea únicamente el beneficio fiscal, o si hubo algún cambio significativo en la posición económica del contribuyente*, **parámetro importante que debió quedar plasmado en el texto del artículo 69-B.**

De modo tal que, resulta importante que se regule el tema de la sustancia económica en los *comprobantes fiscales objeto del artículo 69-B, para entonces dar certeza y seguridad jurídica al gobernado, emisor o adquirente, de que actualizó todos los elementos objetivos contenidos en el artículo 69-B del Código Fiscal de la Federación, para que se actualice la inexistencia de operaciones.*

Por todo lo mencionado, de manera fundada y motivada, es clara la inconstitucionalidad del artículo 69-B del Código Fiscal de la Federación al violentar los derechos de seguridad y certeza jurídica, por lo que resulta necesaria una reforma para determinar el alcance de la sustancia económica que deben tener los comprobantes fiscales, así como los parámetros para demostrar la materialidad de las operaciones contenidas en los comprobantes revisados, para que la autoridad no tenga un margen tan amplio que la faculte a solicitar requisitos excesivos en la documentación probatoria.

B) Por otro lado, otra problemática que presenta dicho numeral, es que no contempla la notificación personal o por buzón tributario al adquirente (EDO) de los comprobantes fiscales emitidos por contribuyentes que la autoridad haya publicado en el listado definitivo, y por su parte, el procedimiento con el EFO otorga mayor seguridad jurídica que el procedimiento con el EDO.

Actualmente, la forma en la que tienen conocimiento los terceros que adquirieron facturas de un contribuyente que se encuentra en el listado definitivo, es a través del Diario Oficial de la Federación, por lo que si un contribuyente realmente celebró operaciones con el contribuyente publicado, si no se percató de tal publicación por no estarlo revisando diariamente, pierde totalmente su oportunidad de defensa, ya que transcurrido el plazo de 30 días hábiles contados a partir de la publicación en el DOF, se entiende que la presunción es *iuris et de iure*.

Resulta una desigualdad procedimental o legal, que el procedimiento con el EFO otorgue mayor seguridad jurídica que con el EDO, dejando a los terceros que recibieron un servicio o un bien, amparado en una factura debidamente requisitada, en un estado de incertidumbre jurídica, empezando porque al EFO sí le notifican personalmente el inicio del procedimiento.

Resulta ilógico que, todos los contribuyentes tengan que estar obligados a revisar diariamente el Diario Oficial de la Federación (DOF) para conocer si de causalidad algunos de sus miles de proveedores aparece publicado en el listado definitivo. Lo anterior, representa una carga excesiva y de incertidumbre jurídica sólo porque nuestro Poder Judicial de la Federación ha resuelto que la publicación es meramente un acto procesal de comunicación procesal público, y no así un acto de molestia; más allá de la naturaleza del acto, lo que se alega no es si debe estar debidamente fundado o motivado, sino que, por la consecuencia que genera que un tercero no acuda en el plazo de los 30 días contados a partir de la publicación para demostrar la materialidad, es un acto que necesariamente debe ser comunicado personalmente al contribuyente.

Pues, se insiste, es ilógico que todos los contribuyentes tengan que estar revisando diariamente el DOF, para conocer si un proveedor sale en el listado definitivo, máxime que existe un trato desigual al sí notificársele personalmente al EFO el inicio del procedimiento, y al EDO no.

Es por lo anterior que, la redacción actual del artículo 69-B viola el principio de igualdad procesal[25], que implica que toda petición o pretensión formulada por

---

[25] *Época: Décima Época, Registro: 2018777, Instancia: Primera Sala, Tipo de Tesis: Aislada, Fuente: Gaceta del Semanario Judicial de la Federación, Libro 61, diciembre de 2018, Tomo I, Materia(s): Constitucional, Común, Tesis: 1a. CCCXLVI/2018 (10a.), Página: 376,* **PRINCIPIO DE IGUALDAD PROCESAL. SUS ALCANCES.** *El derecho al debido proceso, reconocido por los artículos 14 de la Constitución Política de los Estados Unidos Mexicanos y 8, numeral 1, de la Convención Americana sobre Derechos Humanos, ha sido entendido por la Corte Interamericana de Derechos Humanos como el necesario para que un justiciable pueda hacer valer sus derechos y defender sus intereses en forma efectiva y en condiciones de igualdad procesal con otros justiciables. En ese sentido, la igualdad procesal de las partes, inmersa en el derecho al debido proceso, está íntimamente relacionada con el derecho de contradicción y constituye el núcleo fundamental del derecho de audiencia que consiste, en esencia, en que toda petición o pretensión formulada por una de las partes en el proceso, se comunique a la contraria para que ésta pueda prestar a ella su consentimiento o formular su oposición. Así, por el principio de igualdad procesal, se procura la equiparación de oportunidades para ambas partes en las normas procesales, pero también se erige como una regla de actuación del Juez, el cual, como director del proceso, debe mantener, en lo posible, esa igualdad al conducir las actuaciones, a fin de que la victoria de una de las partes no esté determinada por su situación ventajosa, sino por la justicia de sus pretensiones. Ahora bien, dicho principio no implica una igualdad aritmética o simétrica, por la cual sea exigible la exactitud numérica de derechos y cargas para cada una de las partes, sino que lo que este principio demanda es una razonable igualdad de posibilidades en el ejercicio de sus pretensiones, de modo que no se genere una posición sustancialmente desventajosa para una de ellas frente a la otra; de ahí que las pequeñas desigualdades que pueda haber, requeridas por necesidades técnicas del proceso, no quebrantan el principio referido. Amparo directo en revisión 308/2017. Julio César García*

una de las partes en el proceso, se comunique a la contraria para que ésta pueda prestar a ella su consentimiento o formular su oposición.

De este modo, si el EFO no demostró que contaba con activo, personal e infraestructura, se emite el listado definitivo en el Diario Oficial de la Federación, de modo tal que, al ser partes interesadas los contribuyentes con los que haya tenido operaciones, lo justo es que se les comunique de manera personal que el proveedor se encuentra en el listado del 69-B (situación que genera certeza) para que pueda formular su defensa y demostrar la materialidad de las operaciones, pues en muchas de las ocasiones, los procedimientos seguidos con los EFOS pudieron ser mal atendidos o asesorados por su abogados, por lo que por la falta de pericia no pudieron demostrar que sí contaban con activos, personal e infraestructura, por lo que resulta preocupante que ante una mala atención del procedimiento por el EFO, se resuelva que será publicado en el listado definitivo, y esta publicación no le sea notificada personalmente a los EDOS, para que con certeza estén enterados de tal situación y acudan oportunamente a defenderse.

C) De igual forma, el artículo 69-B del Código Fiscal de la Federación, transgrede el principio de seguridad jurídica de las empresas receptoras, al permitir que la autoridad fiscal considere, con efectos generales, que los comprobantes fiscales emitidos por una empresa emisora no producen ni produjeron efecto fiscal alguno.

Ahora bien, como se mencionaba anteriormente, el artículo sujeto a estudio, prevé dos procedimientos, uno dirigido a la empresa que emite la factura y otro a la empresa receptora. En ese sentido, de la lectura que se realice del párrafo primero del multicitado artículo 69-B, nos damos cuenta que el contribuyente emisor es notificado por tres medios —buzón tributario, página del SAT y DOF— para hacer de su conocimiento la presunción de inexistencia efectuada en su contra, y, otorgarle un plazo —15 días— para desvirtuar esa presunción.

Seguido con el procedimiento de la contribuyente emisora —ajeno, claro está, a la contribuyente receptora— la autoridad resolverá si ésta logró desvirtuar la presunción efectuada en su contra. Si a consideración de esa autoridad fiscal, la contribuyente emisora no logra desvirtuar la presunción, será publicada en el listado definitivo de los contribuyentes que no hayan desvirtuado los hechos que se les imputan, lista que se publica en la página del SAT y en el DOF. La consecuen-

López. 7 de marzo de 2018. Mayoría de tres votos de los Ministros José Ramón Cossío Díaz, Jorge Mario Pardo Rebolledo y Alfredo Gutiérrez Ortiz Mena. Disidentes: Arturo Zaldívar Lelo de Larrea, quien precisó que está conforme con las consideraciones contenidas en la presente tesis y Norma Lucía Piña Hernández, quien reservó su derecho para formular voto particular. Ponente: José Ramón Cossío Díaz. Secretaria: Mireya Meléndez Almaraz. Esta tesis se publicó el viernes 07 de diciembre de 2018 a las 10:19 horas en el Semanario Judicial de la Federación.

cia fiscal de esa publicación está contenida en el párrafo quinto del artículo 69-B, que para mayor claridad en la exposición se transcribe a continuación:

> *"**Artículo 69-B.** Cuando la autoridad fiscal detecte que un contribuyente ha estado emitiendo comprobantes sin contar con los activos, personal, infraestructura o capacidad material, directa o indirectamente, para prestar los servicios o producir, comercializar o entregar los bienes que amparan tales comprobantes, o bien, que dichos contribuyentes se encuentren no localizados, se presumirá la inexistencia de las operaciones amparadas en tales comprobantes.*
>
> *(...)*
>
> *Los efectos de la publicación de este listado **serán considerar, con efectos generales, que las operaciones contenidas en los comprobantes fiscales expedidos por el contribuyente en cuestión no producen ni produjeron efecto fiscal alguno**."*
>
> (Énfasis añadido)

Es claro entonces, que la mera publicación de una empresa emisora, causa afectación jurídica a todas sus empresas receptoras, sin que exista un mandamiento escrito firmado por autoridad competente que funde y motive la causa de esa afectación y/o acto de molestia. En efecto, la empresa receptora sufre una intromisión en su esfera jurídica en ausencia total de fundamentación y motivación, es decir, desconoce las normas, hechos, motivos o circunstancias que llevaron a la autoridad a privar de eficacia sus comprobantes fiscales, transgrediendo claramente el principio de seguridad jurídica.

Además, el artículo es omiso en señalar que la publicación de referencia debe incluir el periodo revisado y, en consecuencia, el periodo en el que se presumen como inexistentes las operaciones empresariales. Esto es de vital importancia, pues la inexistencia de los comprobantes fiscales exclusivamente recae sobre aquellos periodos revisados, de forma que las empresas receptoras, únicamente deben acreditar la materialidad de operaciones celebradas con ese proveedor en ese periodo en específico.

Este criterio es sustentado por la Procuraduría de Defensa del Contribuyente, que en su Análisis Sistémico 12/2018 que obra en el expediente 17-V-B/2018 de diciembre de 2018, menciona lo siguiente:

> *"Como se indicó, la problemática materia del presente deriva **de la interpretación realizada por la autoridad fiscal al artículo 69-B del CFF, en el sentido de que la declaratoria de inexistencia de operaciones efectuadas por un EFO trasciende a ejercicios fiscales distintos a los que le fueron revisados en el procedimiento relativo**, pues, en opinión de esta Procuraduría, **tal interpretación excede lo dispuesto por el precepto legal en comento y vulnera el derecho fundamental de seguridad jurídica** de los EDOS"*
>
> (Énfasis añadido)

Es claro entonces que el supuesto contenido en el párrafo quinto del artículo 69-B del Código Fiscal de la Federación, transgrede flagrantemente el principio de seguridad jurídica de las empresas receptoras al considerar *con efectos generales*, *que las operaciones contenidas en los comprobantes fiscales expedidos por el contribuyente en cuestión —empresa emisora— no producen ni produjeron efecto fiscal alguno.*

Lo anterior es así, pues, por una parte, la *generalidad* de la que habla el párrafo quinto del citado artículo es entendida como la totalidad de operaciones celebradas por ese contribuyente en todos los periodos. Lo cual, significa que la publicación trasciende los ejercicios fiscales revisados por la autoridad, violentando el derecho fundamental a la seguridad jurídica, tal y como lo defiende el Análisis Sistémico de la Procuraduría de Defensa del Contribuyente, citado anteriormente. Además, la empresa receptora sufre una intromisión en su esfera jurídica en ausencia total de fundamentación y motivación, toda vez que desconoce las normas, hechos, motivos o circunstancias que llevaron a la autoridad a privar de eficacia sus comprobantes fiscales.

No es óbice señalar, que a pesar de estar contemplado un plazo en el penúltimo párrafo del artículo 69-B para que la empresa receptora demuestre la materialidad de su operación, este plazo **tampoco** cumple con los requisitos de seguridad jurídica contemplados en la Ley Fundamental. En efecto, la publicación de una empresa en el DOF no cumple con los requisitos consagrados en el artículo 16 constitucional (escrito, fundado y motivado). Además —contrario a lo que sucede con las empresas receptoras de comprobantes cuya eficacia ha sido privada— las resoluciones que determinen un crédito o causen un agravio en materia fiscal, y, por tanto, sean susceptibles a ser recurridas, deben ser notificadas personalmente al interesado conforme al artículo 134, fracción I del Código Fiscal de la Federación.

Conscientes de las fallas estructurales del artículo y de los vicios de constitucionalidad que acompañan al procedimiento contenido en esta norma, el Congreso de la Unión de la LXIV Legislatura, ha presentado iniciativas que buscan reformar el procedimiento fiscalizador contenido en ese artículo. Tal es el caso de la iniciativa presentada por la Senadora Lilly Téllez, cuyo objetivo es *"otorgar certeza a los contribuyentes en el proceso probatorio para la comprobación de activos, personal, infraestructura y capacidad material, con respecto a la emisión de facturas o comprobantes fiscales"*, acotando conceptos como infraestructura, capacidad material, pruebas que deban aportar los contribuyentes afectados para demostrar la existencia de sus operaciones empresariales, plazos de la autoridad para resolver, etc.

Además, en ningún momento le informan al contribuyente recpeptor de esos comprobantes fiscales, él o los ejercicios revisados al EFOS, dejando en un completo estado de indefensión a los supuestos EDOS.

Por todo lo mencionado, es clara la inconstitucionalidad del artículo 69-B del Código Fiscal de la Federación, por ser contraria a los derechos de seguridad y certeza jurídica.

D) Por otro lado, nos parece sumamente cuestionable, la hipótesis normativa de **"la no localización el contribuyente"** como supuesto de falta de materialidad o inexistencia de operaciones; toda vez que resulta realmente grave y desproporcional.

Resulta preocupante que uno de los supuestos contemplados en el artículo 69-B, para presumir que una operación es inexistente, sea que el emisor de los comprobantes fiscales no sea localizado.

Lo preocupante es que, el supuesto de que el contribuyente no sea localizado no es acorde con el tema fundamental en la exposición de motivos del artículo 69-B relativo a la falta de sustancia económica en los comprobantes fiscales revisados.

Esto, pues se considera que la no localización de un contribuyente no está relacionado con la emisión de comprobantes fiscales con carencia de sustancia económica, más bien está relacionado con un tema de forma en cuanto al cumplimiento en la actualización de los datos en el Registro Federal de Contribuyentes, que debería tener sólo una sanción para el que realiza el acto y no contra los terceros relacionados comercialmente.

Se señala esto, toda vez que la trascendencia y consecuencia de la no localización de un contribuyente, no debería perjudicar la relación comercial que en el pasado hubiera tenido con terceros, esto es, la omisión de dar aviso del cambio de domicilio o que por error la autoridad no haya realizado una correcta verificación del domicilio, es una violación que sólo debería perjudicar la esfera jurídica del contribuyente que no fue localizado, como la sanción que ya se contempla en legislación fiscal, que es la cancelación de los sellos digitales, de conformidad con el artículo 17-H del Código Fiscal de la Federación, y lo cual es atinado, porque hasta en tanto no aparezca el contribuyente, no podrá emitir facturas. Esta, nos parece una sanción lógica y equilibrada.

Pero que, la no localización del contribuyente permee negativamente en la esfera jurídica de los terceros con los que en el pasado tuvo operaciones, es una consecuencia excesiva y contraria al fin que busca el artículo 69-B, que es evitar la evasión fiscal con la emisión de comprobantes fiscales sin sustancia económica, por lo que nada tienen que ver que hoy un contribuyente esté no localizado y tres años atrás estuviera correctamente prestando servicios.

La no localización del contribuyente en su domicilio, para nada implicaría que todas las operaciones que hubiera celebrado fueran previamente inexistentes. Nos parece una presunción totalmente violatoria del derecho de seguridad jurídica, pues bajo este supuesto, todos los contribuyentes que en algún punto adquirieron alguna factura por un pago que hubieran realizado por la adquisición de un servicio o bien, a un contribuyente que ahora está no localizado, sería inexistente.

Por lo que se considera que la no localización sólo debe afectar al contribuyente que actualiza tal supuesto, no a los terceros con los que en su momento hubiera celebrado operaciones, máxime que la Ley ya prevé sanciones por esto, de modo tal que resulta excesivo y contrario al fin del artículo 69-B, que tal omisión de un contribuyente genere una presunción de la inexistencia de las operaciones celebradas en el pasado, con terceros, dando como consecuencia para estos últimos que resulten improcedentes las deducciones de los pagos a las facturas emitidas por el contribuyente no localizado así como el Impuesto al Valor Agregado acreditado, por la actualización de ésta hipótesis de no localización, que es contraria al fin buscado por el legislador en su exposición de motivos.

E) Finalmente, en la reforma de 25 de junio de 2018 al artículo 69-B, se estableció un plazo a la autoridad fiscal para emitir y notificar la resolución, determinando como consecuencia, que si incumplen con dicho plazo, la presunción queda sin efectos. Esta modificación es importante ya que resultaba preocupante y violatorio del derecho de seguridad jurídica, que el gobernado quedara sujeto de manera indefinida a una situación jurídica de incertidumbre, hasta que la autoridad decidiera resolver el procedimiento.

A pesar de ser un gran avance, aún resulta importante precisar el alcance de la consecuencia de no emitir la resolución en el plazo de 50 días hábiles, pues si bien, se señala como consecuencia que quedaría sin efectos la presunción, no queda claro el alcance, como sí ha quedado claro en las facultades de comprobación cuando la autoridad fiscal no emite una resolución en el plazo legal de seis meses, como se desprende de los artículos 50 y 53-C del Código Fiscal de la Federación[26].

---

[26]   Artículo 50. Las autoridades fiscales que al practicar visitas a los contribuyentes o al ejercer las facultades de comprobación a que se refiere el artículo 48 de este Código, conozcan de hechos u omisiones que entrañen incumplimiento de las disposiciones fiscales, determinarán las contribuciones omitidas mediante resolución que se notificará personalmente al contribuyente o por medio del buzón tributario, *dentro de un plazo máximo de seis meses* contado a partir de la fecha en que se levante el acta final de la visita o, tratándose de la revisión de la contabilidad de los contribuyentes que se efectúe en las oficinas de las autoridades fiscales, a partir de la fecha en que concluyan los plazos a que se refieren las fracciones VI y VII del artículo 48 de este Código (…) *Cuando las autoridades no emitan la resolución correspondiente dentro del plazo mencionado, quedará sin efectos la orden y las actuaciones que se derivaron durante la visita o revisión de que se trate.*
Artículo 53-C. *Con relación a las facultades de comprobación previstas en el artículo 42, fracciones II, III y IX de este Código, las autoridades fiscales podrán revisar uno o más rubros o conceptos específicos, correspondientes a una o más contribuciones o aprovechamientos, que no se hayan revisado anteriormente,* sin más limitación que lo que dispone el artículo 67 de este Código. *Cuando se comprueben hechos diferentes la autoridad fiscal podrá volver a revisar los mismos rubros o conceptos específicos de una contribución o aprovechamiento por el mismo periodo y en su caso, determinar contribuciones o aprovechamientos omitidos que deriven de dichos hechos.* La comprobación de hechos diferentes deberá estar sustentada en información, datos o documentos de terceros; en los datos aportados por los particulares en

Se menciona lo anterior, ya que el artículo 69-B si bien no es una facultad de comprobación, comparte cierta naturaleza, ya que tiene como objeto comprobar la materialidad de las operaciones efectuadas.

Al ser así, se hace notar que las facultades de comprobación de la autoridad fiscal comprendidas en el artículo 42, fracciones II, III y IX del Código Fiscal de Federación, se limita su ejercicio respecto de uno o más rubros o conceptos específicos, correspondientes a una o más contribuciones o aprovechamientos *que se hayan revisado previamente*, salvo que existan hechos diferentes, situación que cobra lógica puesto que, el contribuyente no puede estar sujeto a una constante invasión de su esfera jurídica, ante las deficiencias o errores que pueda estar cometiendo la autoridad fiscal en el procedimiento.

Resultaría atinado y generaría una mayor seguridad jurídica, que dicha consecuencia también se estableciera para el procedimiento previsto en el multicitado artículo 69-B del CFF.

Esto es, debería establecerse que si una autoridad, revisa a un contribuyente con el objeto de verificar la existencia de las operaciones celebradas, y no emite dentro del plazo de 50 días hábiles la resolución; además de que la presunción quedaría sin efectos, no podría volver a someter al contribuyente a la invasión de su esfera jurídica para revisar los mismos comprobantes fiscales, salvo que existieran hechos diferentes.

Colaborador Fiscal

Por último, es importante mencionar que a partir del DECRETO de fecha 9 de diciembre de 2019, por el que se reforman, adicionan y derogan diversas disposiciones de la Ley del Impuesto sobre la Renta, de la Ley del Impuesto al Valor Agregado, de la Ley del Impuesto Especial sobre Producción y Servicios y del Código Fiscal de la Federación, se adicionó el artículo 69-B Ter, que incluye la figura del "tercero colaborador fiscal" o "delator fiscal", es decir, aquella persona ajena al procedimiento previsto en el artículo 69-B del Código Fiscal de la Federación, que no ha participado en la expedición o adquisición de comprobantes fiscales que amparen operaciones inexistentes, pero que cuenta con información que no obra en poder de la autoridad, relativa a contribuyentes que han incurrido en tales conductas y que voluntariamente aporta a la autoridad fiscal, para que pueda disponer legalmente de ella.

---

las declaraciones complementarias que se presenten, o en la documentación aportada por los contribuyentes en los medios de defensa que promuevan y que no hubiera sido exhibida ante las autoridades fiscales durante el ejercicio de las facultades de comprobación previstas en las disposiciones fiscales, a menos que en este último supuesto la autoridad no haya objetado de falso el documento en el medio de defensa correspondiente pudiendo haberlo hecho o bien, cuando habiéndolo objetado, el incidente respectivo haya sido declarado improcedente.

La información aportada por el colaborador fiscal la puede recibir y, en su caso, emplear la autoridad para substanciar y motivar los procedimientos en contra de las empresas que facturan operaciones simuladas. Además, si la información resultase verificable, el colaborador fiscal podría participar en los sorteos y loterías fiscales a que se refiere el artículo 33-B del Código Fiscal de la Federación.

6. NORMA GENERAL ANTI-ABUSO (5-A CFF)

6.1. REGULACIÓN A PARTIR DEL 1º DE ENERO DE 2020

A partir del 1º de enero del 2020, y después de varios intentos fallidos por nuestras autoridades legislativas, se adicionó el artículo 5-A al Código Fiscal de la Federación, en la que se establece una cláusula anti-elusión o regla general anti-abuso, que dispone a la letra:

"Artículo 5o.-A. Los actos jurídicos que carezcan de una razón de negocios y que generen un beneficio fiscal directo o indirecto, tendrán los efectos fiscales que correspondan a los que se habrían realizado para la obtención del beneficio económico razonablemente esperado por el contribuyente.

En el ejercicio de sus facultades de comprobación, la autoridad fiscal podrá presumir que los actos jurídicos carecen de una razón de negocios con base en los hechos y circunstancias del contribuyente conocidos al amparo de dichas facultades, así como de la valoración de los elementos, la información y documentación obtenidos durante las mismas. No obstante lo anterior, dicha autoridad fiscal no podrá desconocer para efectos fiscales los actos jurídicos referidos, sin que antes se dé a conocer dicha situación en la última acta parcial a que se refiere la fracción IV, del artículo 46 de este Código, en el oficio de observaciones a que se refiere la fracción IV del artículo 48 de este Código o en la resolución provisional a que se refiere la fracción II el artículo 53-B de este Código, y hayan transcurrido los plazos a que se refieren los artículos anteriores, para que el contribuyente manifieste lo que a su derecho convenga y aporte la información y documentación tendiente a desvirtuar la referida presunción.

Antes de la emisión de la última acta parcial, del oficio de observaciones o de la resolución provisional a que hace referencia el párrafo anterior, la autoridad fiscal deberá someter el caso a un órgano colegiado integrado por funcionarios de la Secretaría de Hacienda y Crédito Público y el Servicio de Administración Tributaria, y obtener una opinión favorable para la aplicación de este artículo. En caso de no recibir la opinión del órgano colegiado dentro del plazo de dos meses contados a partir de la presentación del caso por parte de la autoridad fiscal, se entenderá realizada en sentido negativo. Las disposiciones relativas al referido órgano colegiado se darán a conocer mediante reglas de carácter general que a su efecto expida el Servicio de Administración Tributaria.

La autoridad fiscal podrá presumir, salvo prueba en contrario, que no existe una razón de negocios, cuando el beneficio económico cuantificable razonablemente esperado, sea menor al beneficio fiscal. Adicionalmente, la autoridad fiscal podrá presumir, salvo prueba en contrario, que una serie de actos jurídicos carece de razón de negocios, cuando el beneficio económico razonablemente esperado pudiera alcanzarse a través de la realización de un menor número de actos jurídicos y el efecto fiscal de estos hubiera sido más gravoso.

Se consideran beneficios fiscales cualquier reducción, eliminación o diferimiento temporal de una contribución. Esto incluye los alcanzados a través de deducciones, exenciones, no sujeciones, no reconocimiento de una ganancia o ingreso acumulable, ajustes o ausencia de ajustes de la base imponible de la contribución, el acreditamiento de contribuciones, la recaracterización de un pago o actividad, un cambio de régimen fiscal, entre otros.

Se considera que existe un beneficio económico razonablemente esperado, cuando las operaciones del contribuyente busquen generar ingresos, reducir costos, aumentar el valor de los bienes que sean de su propiedad, mejorar su posicionamiento en el mercado, entre otros casos. Para cuantificar el beneficio económico razonablemente esperado, se considerará la información contemporánea relacionada a la operación objeto de análisis, incluyendo el beneficio económico proyectado, en la medida en que dicha información esté soportada y sea razonable. Para efectos de este artículo, el beneficio fiscal no se considerará como parte del beneficio económico razonablemente esperado.

La expresión razón de negocios será aplicable con independencia de las leyes que regulen el beneficio económico razonablemente esperado por el contribuyente. Los efectos que las autoridades fiscales otorguen a los actos jurídicos de los contribuyentes con motivo de la aplicación del presente artículo, se limitarán a la determinación de las contribuciones, sus accesorios y multas correspondientes, sin perjuicio de las investigaciones y la responsabilidad penal que pudieran originarse con relación a la comisión de los delitos previstos en este Código."

De la transcripción anterior, se desprende que las autoridades fiscales, dentro tres de sus facultades de comprobación (Visita Domiciliaria, Revisión de Gabinete o Revisión Electrónica), pueden presumir que algunos de los actos jurídicos llevados a cabo por los contribuyentes, carecen de razón de negocios, cuando el beneficio económico sea menor al beneficio fiscal, y podrán re caracterizar la transacción e imputar los efectos fiscales que correspondan.

Ahora bien, existe un procedimiento previsto en dicho numeral, para que la autoridad se encuentre en condiciones de rechazar alguna operación o acto jurídico, que a su juicio carezca de una razón de negocios.

comprobación, y también tiene que ser analizado el asunto a través de un órgano colegiado, integrado por funcionarios del SAT y de la Secretaría de Hacienda y Crédito Público.

Esta solicitud de opinión, suspende el plazo de duración de las facultades de comprobación por dos meses, como máximo.

En caso de que este órgano colegiado estime que efectivamente no hubo razón de negocios, lo harán del conocimiento del contribuyente a través de la Última Acta Parcial, Oficio de Observaciones o Resolución provisional, para que se defienda y manifieste lo que a su derecho convenga, aportando las pruebas que estime conducentes.

Para efectos de este numeral, se entienden como beneficios fiscales, cualquier reducción, eliminación o diferimiento temporal de alguna contribución; incluyendo los alcanzados a través de deducciones, exenciones, no sujeciones, no reconocimiento de algún ingreso acumulable o ganancia, ajustes a la base gravable de algún tributo, acreditamiento de contribuciones, re caracterización de un pago o actividad, cambio de régimen, entre otros.

Terminaba diciendo (hasta el año de 2020) el dispositivo en cuestión que los efectos que generen la aplicación de este artículo no generarán consecuencias penales.

6.2. REFORMA 2021

Sin embargo, a partir del 1º de enero de 2021, la disposición en estudio, tuvo una adición, que dice a la letra:

> *"La expresión razón de negocios será aplicable con independencia de las leyes que regulen el beneficio económico razonablemente esperado por el contribuyente. Los efectos que las autoridades fiscales otorguen a los actos jurídicos de los contribuyentes con motivo de la aplicación del presente artículo, se limitarán a la determinación de las contribuciones, sus accesorios y multas correspondientes, sin perjuicio de las investigaciones y la responsabilidad penal que pudieran originarse con relación a la comisión de los delitos previstos en este Código."*

Con esta reforma, se aclara que la norma anti-elusión debe limitarse a la determinación de un crédito fiscal, que tenga como antecedente el ejercicio de las 3 facultades de comprobación indicadas (Visita Domiciliaria, Revisión de Gabinete y Revisión Electrónica), no obstante ello, desde ahora no excluye el inicio de una investigación penal —pero de manera independiente al tema administrativo— si del análisis de estos actos jurídicos se detecta la comisión de algún delito fiscal, esto es, siempre y cuando exista engaño, dolo o mala fe.

Esto es, la reconfiguración de estos actos en sí misma, llevada a cabo por la autoridad fiscal, no debe ser origen de un tema penal en contra de los gobernados.

6.3. DIFERENCIA ENTRE ELUSIÓN Y EVASIÓN FISCAL

Ahora bien, a pesar de que este artículo entró en vigo en el año de 2020, aún no se ha aplicado y tampoco se ha regulado la manera en la que se integrará y funcionará el órgano colegiado al que nos hemos referido en párrafos anteriores.

En términos generales, entendemos la preocupación e intención de nuestras autoridades fiscales y legislativas de privilegiar el fondo sobre la forma, y que los contribuyentes no abusen de determinadas disposiciones para obtener un beneficio fiscal indebido. Sin embargo, considero que el tema de la elusión fiscal es muy distinto al de la evasión.

En el primer supuesto, estamos en presencia de una actuación dentro del marco de la ley, donde el contribuyente ante un cúmulo de opciones, decide irse por aquella en la que la carga fiscal es menor a otros escenarios o incluso se aparta de dicha carga; en cambio en el caso de evasión, estamos en presencia de un delito y una actuación por parte de los contribuyentes al margen de la ley, que indefectiblemente debe ser sancionada.

En este sentido, en la elusión no se realiza el hecho imponible, mientras que en la evasión sí, es decir, que únicamente en ésta se presenta el nacimiento de la obligación fiscal y ésta no se cumple frente a la autoridad. Cuando se realiza el hecho imponible pero se oculta (evasión) se manifiesta de la siguiente manera: infracción o delito.

Esto es, la elusión por la no realización del hecho imponible, puede suceder por dos motivos:

1) Cese de actividad gravada, y

2) Economía de opción.

Y estas dos, son alternativas a disposición del contribuyente para tomar las decisiones razonables que le convengan tanto en el ámbito económico o de negocios, incluyendo la materia fiscal.

También se ha definido a la elusión como un "fraude a la ley". La elusión fiscal por fraude a la ley puede definirse como el acto de tomar ventaja de las oportunidades previstas en la legislación fiscal con el fin de minimizar la responsabilidad fiscal. La Organización para la Cooperación y el Desarrollo Económicos (OCDE) la entiende como un término que por lo general se utiliza para describir el arreglo de los asuntos de un contribuyente que pretende reducir su deuda tributaria y que, aunque el acuerdo podría ser estrictamente legal, es por lo general una contradicción con el espíritu de la ley que pretende seguir.

De nuevo, es importante recalcar que no todos los actos que disminuyan la base gravable son ilícitos o prohibidos. Todos los contribuyentes cuentan con el derecho de elegir, según sus necesidades de negocios, la práctica, operación o conducta que mejor les convenga y pagar la contribución correspondiente e incluso, elegir la práctica que conlleve la menor contribución, siempre y cuando la práctica sea razonable y con beneficios tangibles económicos o de negocios.

Sin embargo, este punto de beneficios económicos resulta muy difícil de definir y de entender, habida cuenta que cada rama de negocio tiene sus particularidades. Y para que la autoridad fiscal estuviese en condiciones de concluir que un acto jurídico carece de razón de negocios, tendría que ser experto en cada unidad de negocio existente, situación que humanamente resulta imposible.

Con la existencia de esta disposición, se ponen en riesgo muchas operaciones que los contribuyentes llevan a cabo de buena fe y queda sujeto a una interpretación subjetiva por parte de nuestras autoridades hacendarias, que a partir del 2021 pueden ser —incluso— objeto de persecución penal, situación que nos parece sumamente grave y peligrosa.

Lo anterior es así, ya que no existe una definición de "razón de negocios" en el CFF, dejando un marco discrecional a las autoridades, quienes en la mayoría de las ocasiones no tienen experiencia empresarial. Podría llegarse a dar el caso de que una empresa realice una inversión y por diversas razones no genere un beneficio económico, pero la autoridad rechace la deducción, ya que sí se obtuvo el beneficio fiscal, pero no así el económico, situación que ocurrirá mucho en la época de pandemia o de crisis económicas, para muchos sectores empresariales.

Este concepto de razón de negocios ha sido importado del extranjero y veremos cómo se empieza a aplicar por nuestras autoridades, caso en el cual, desde luego contaremos con los medios ordinarios y extraordinarios de defensa que nos concede la legislación mexicana.

La falta de razón de negocios ha sido definida por distintos países de la siguiente manera:

1. Operaciones o actos simulados o artificiales (Alemania, Francia e Israel).

2. Actos notoriamente artificiosos o impropios (España).

3. Abuso de las disposiciones (India).

4. Elusión inapropiada (Israel).

5. Operaciones realizadas sin razones económicas (Italia).

6. Violación al propósito de la legislación (Suecia).

7. Propósito principal de eludir el pago del impuesto (Australia, Bélgica, Canadá y Finlandia).

Para efectos de ser esquemáticos, a continuación insertamos un cuadro con el procedimiento que debe seguirse al aplicarse esta regla general anti-abuso, a saber:

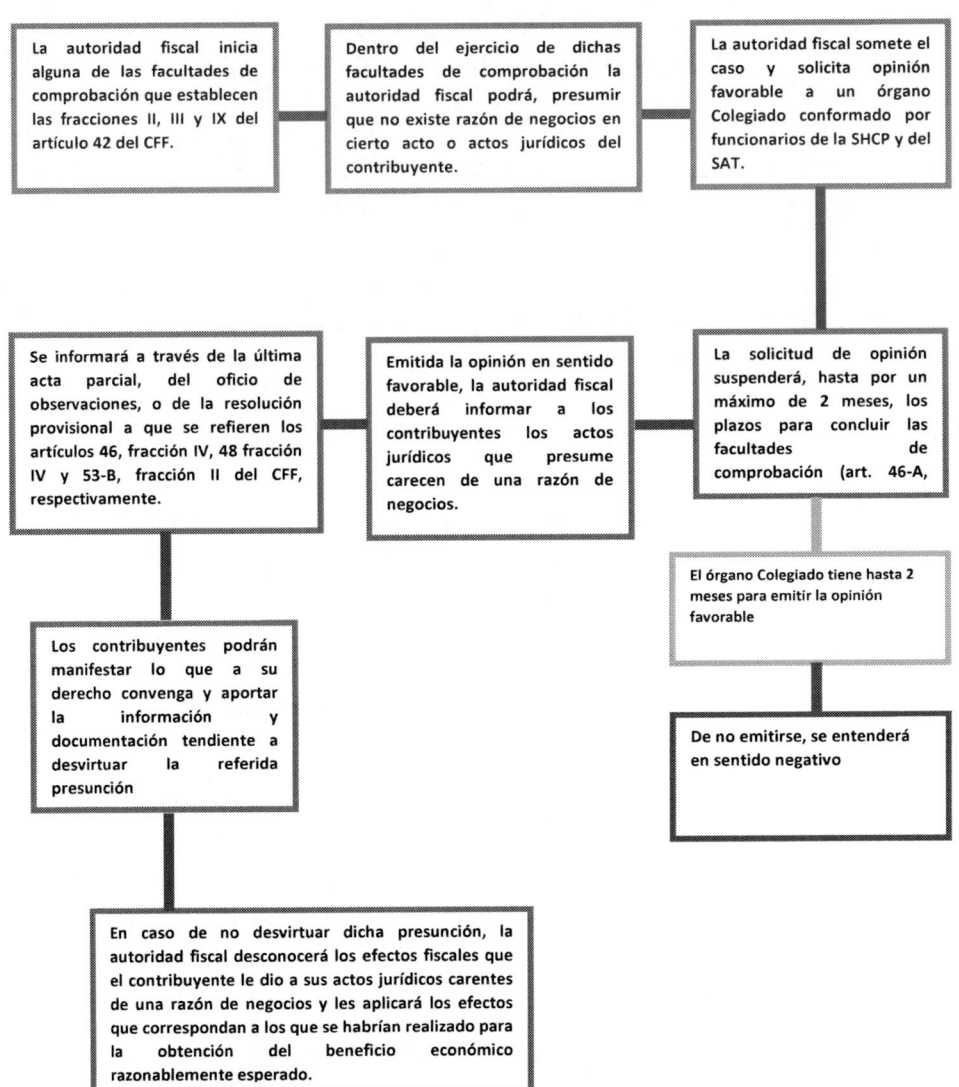

La autoridad fiscal inicia alguna de las facultades de comprobación que establecen las fracciones II, III y IX del artículo 42 del CFF.

Dentro del ejercicio de dichas facultades de comprobación la autoridad fiscal podrá, presumir que no existe razón de negocios en cierto acto o actos jurídicos del contribuyente.

La autoridad fiscal somete el caso y solicita opinión favorable a un órgano Colegiado conformado por funcionarios de la SHCP y del SAT.

Se informará a través de la última acta parcial, del oficio de observaciones, o de la resolución provisional a que se refieren los artículos 46, fracción IV, 48 fracción IV y 53-B, fracción II del CFF, respectivamente.

Emitida la opinión en sentido favorable, la autoridad fiscal deberá informar a los contribuyentes los actos jurídicos que presume carecen de una razón de negocios.

La solicitud de opinión suspenderá, hasta por un máximo de 2 meses, los plazos para concluir las facultades de comprobación (art. 46-A,

El órgano Colegiado tiene hasta 2 meses para emitir la opinión favorable

Los contribuyentes podrán manifestar lo que a su derecho convenga y aportar la información y documentación tendiente a desvirtuar la referida presunción

De no emitirse, se entenderá en sentido negativo

En caso de no desvirtuar dicha presunción, la autoridad fiscal desconocerá los efectos fiscales que el contribuyente le dio a sus actos jurídicos carentes de una razón de negocios y les aplicará los efectos que correspondan a los que se habrían realizado para la obtención del beneficio económico razonablemente esperado.

7. GARANTÍA DEL INTERÉS FISCAL

Se debe de entender como "garantía", cualquier medio a través del cual el acreedor se cerciora del cumplimiento de la obligación por parte del deudor, asimismo, se debe de entender como "interés fiscal" al derecho que tiene la autoridad fiscal a percibir un pago por parte de los particulares.

En ese sentido "la garantía del interés fiscal" es el medio en virtud del cual, el fisco puede estar seguro del cumplimiento de la obligación a cargo de los contribuyentes, es decir, del pago de contribuciones o aprovechamientos.

7.1. PROCEDENCIA DE LA GARANTÍA DEL INTERÉS FISCAL

En términos del artículo 142 del Código Fiscal de la Federación, es procedente garantizar el interés fiscal en los siguientes casos:

1) Cuando se solicite la suspensión del Procedimiento Administrativo de Ejecución, incluso cuando sea ante el Tribunal Federal de Justicia Administrativa en un Juicio Contencioso Administrativo Federal.

2) Cuando se solicite prórroga o pago en parcialidades de créditos fiscales, si dichas facilidades se conceden individualmente.

3) En tratándose de bienes embargables ya embargados, cuando se solicite la aplicación del producto, de conformidad con el artículo 159 del CFF.

4) En los demás casos, señalados en el CFF y las leyes fiscales.

7.2. CLASIFICACIÓN DE LAS FORMAS DE GARANTÍA

- Personales. Aquellas cuyo medio para asegurar el cumplimiento de la obligación se da a través de una persona (física o moral). *V.gr.*: fianza, obligación solidaria asumida por un tercero.

- Reales. Aquellas cuyo cumplimiento se da a través de un bien. *V.gr.*: depósito, garantías financieras, prenda o hipoteca, títulos valor, cartera de crédito, embargo por la vía administrativa, embargo de la negociación, pago bajo protesta.

7.3. OPORTUNIDAD DEL OFRECIMIENTO DE GARANTÍA

De lo anteriormente expuesto, resulta claro que el interés fiscal se garantiza principalmente para impedir la ejecución de los actos administrativos, tales como la determinación de un crédito fiscal.

Así, el momento adecuado para garantizar el interés fiscal, es antes de que venza el plazo de 30 días siguientes a la fecha en que surta efectos su notificación o bien, de quince días tratándose de cuotas obrero patronales, capitales constitutivos o créditos fiscales determinados por el Instituto del Fondo Nacional de la Vivienda para los Trabajadores, esto es, una vez fenecido el derecho de los particulares de interponer el recurso que al caso corresponda.

Lo anterior, cobra lógica al tomar en cuenta que cuando los particulares interpongan en tiempo y forma el recurso que les corresponda[27], o en su caso un procedimiento de resolución controversias previsto en un tratado para evitar la doble tributación de los que México es parte, **no estará obligado a exhibir la garantía correspondiente.**

Ahora bien, los particulares cuentan con un plazo de 10 días hábiles siguientes a aquél en que haya surtido efectos la notificación de la resolución que recaiga al recurso que se hubiere interpuesto o al procedimiento de resolución de controversias, para pagar o garantizar los créditos fiscales en términos de lo dispuesto en el CFF.

Se considera que existe un **insuficiente plazo para el otorgamiento de la garantía del interés fiscal** en el juicio contencioso administrativo federal.

Esto es, consideramos que la problemática se genera cuando se habla del plazo para garantizar una vez que se resuelve el recurso de revocación interpuesto, ya que los particulares cuentan con un plazo de 10 días siguientes a aquél en que haya surtido efectos la notificación de la resolución que recaiga al recurso que se hubiere interpuesto o al procedimiento de resolución de controversias, para pagar o garantizar los créditos fiscales en términos de lo dispuesto en el Código Fiscal de la Federación.

En este sentido, dicho plazo nos parece en exceso insuficiente si tomamos en cuenta que, de acuerdo con la Ley Federal de Procedimiento Contencioso Administrativo, los particulares cuentan con un plazo de 30 días hábiles para impugnar la resolución al recurso de revocación que confirme la resolución originalmente recurrida.

Lo anterior, genera dos problemas prácticos para los particulares toda vez que, en primer lugar, para constituir como medios de garantía la obligación solidaria

---

[27] Recurso de Revocación previsto en el CFF o Recurso de Inconformidad previsto en la Ley del Seguro Social y en la Ley del INFONAVIT.

o la fianza (siendo esta una de las formas más comunes para garantizar) las afianzadoras solicitan a los particulares que se interponga con anterioridad el medio de defensa (demanda de nulidad) para asegurarse de que ese crédito se encuentre impugnado y tengan alguna certeza de que la fianza no se solicitó con la única intención de que el fisco federal le cobre directamente el crédito fiscal a la afianzadora si el contribuyente demuestra su insolvencia, lo cual, trunca severamente el tiempo que tienen los particulares para preparar con el tiempo y estudio necesarios sus demandas, ya que como se expresó anteriormente, la garantía se tiene que otorgar dentro de los 10 días hábiles siguientes, mientras que, para la promoción de la demanda de nulidad se cuenta con 30 días hábiles.

En segundo lugar, otro gravísimo problema que se genera a los particulares por esta misma situación es que, si el particular se encuentra preparando su defensa en contra del crédito fiscal, después del décimo día hábil, pero aún dentro del plazo de 30 días para la presentación de su demanda de nulidad, la autoridad hacendaria se encuentra facultada para practicar el Procedimiento Administrativo de Ejecución, lo que resulta grave ya que a través del mismo, se procederá a embargar sus bienes y una vez agotados los pasos necesarios, se realizará el remate de los mismos, todo esto aun cuando el particular todavía se encuentra en tiempo de impugnar la legalidad del crédito fiscal.

Cierto es que, el embargo de esos bienes podrá fungir como forma de garantía del interés fiscal una vez instaurado el juicio de nulidad, sin embargo, consideramos que esto sigue siendo gravoso para el particular si tomamos en cuenta que se le está privando de su derecho de propiedad, con base en una resolución que todavía admite un medio de defensa en su contra en donde se dilucidará su legalidad o ilegalidad.

Por lo anterior, considero que se debería reformar el párrafo tercero, del artículo 144 del Código Fiscal de la Federación y que se amplíe el plazo para otorgar la garantía del interés fiscal una vez que ha sido resuelto el recurso de revocación o de inconformidad, para que en lugar de 10 días hábiles, los particulares cuenten con un plazo de 30 días hábiles para garantizar y se empate este plazo con el que existe para impugnar la resolución de los recursos mencionados a través del juicio contencioso administrativo federal.

Parece una solución muy razonable, si tomamos en cuenta que esta fue la misma intención que tuvo, en un primer momento el legislador al otorgar el plazo de 30 días para garantizar el interés fiscal una vez que fue determinado el crédito en cuestión, plazo que coincide con el que tienen **los particulares para interponer el recurso de revocación que busca impugnar el crédito determinado. De esta forma, consideramos que se evitaría el atropello que sufren los particulares de verse privados de su propiedad antes de que venza el plazo que tienen para impugnar la legalidad del crédito fiscal que se les determina.**

8. PROCEDIMIENTO ADMINISTRATIVO DE EJECUCIÓN

8.1. INTRODUCCIÓN Y CONCEPTO

El procedimiento administrativo de ejecución, también llamado procedimiento económico coactivo, es el medio a través del cual las autoridades fiscales exigen el pago de los créditos fiscales, que no hubieren sido cubiertos o garantizados dentro de los plazos legales.

En este sentido, para que la autoridad fiscal se encuentre en condiciones de iniciar dicho procedimiento, se requiere que se satisfagan al menos los siguientes requisitos:

- La existencia de una obligación de pago.
- Que dicha obligación no haya sido cumplida.
- Un crédito fiscal notificado debidamente.
- Que dicho crédito fiscal tenga el carácter de exigible, ya sea porque no se impugnó, se combatió y se perdió, o no se garantizó.

8.2. ETAPAS EN EL PROCEDIMIENTO ADMINISTRATIVO DE EJECUCIÓN

Asimismo, el PAE se integra por diversas etapas, a saber:

1) Mandamiento de ejecución, consta de un oficio en el que se requiere el pago del crédito fiscal al contribuyente, actualizado a la fecha del mismo.

2) Requerimiento de pago, es una diligencia realizada por un ejecutor que se presenta en el domicilio del deudor, con el fin de hacer entrega del mandamiento de ejecución, requiriéndole el pago del crédito fiscal, de lo contrario procederá al embargo.

3) Embargo, acto de la autoridad que tiene como objeto la recuperación de créditos fiscales, por medio del secuestro o aseguramiento de bienes propiedad del contribuyente deudor, para rematarlos o adjudicarlos en favor del fisco. A través del "Acta de Embargo", el ejecutor debe detallar los bienes embargados.

4) Determinación del valor de los bienes embargados, etapa a través de la cual, se fija el valor de los bienes que sirven de base para la enajenación, en la mayoría de los casos por medio de avalúo, mismo que puede ser impugnado a través del Recurso de Revocación.

5) **Convocatoria para remate**, una vez que haya quedado firme el avalúo y por lo menos 10 días antes del periodo de remate, se publicará la convocatoria, en la página electrónica de las autoridades fiscales.

6) **Remate**, acto por el cual se enajenan en subasta pública, los bienes embargados para obtener, como producto de su venta, los ingresos necesarios para cubrir el crédito fiscal y sus accesorios. La autoridad fiscal podrá enajenar los bienes fuera de subasta cuando el embargado proponga comprador antes del día en que se finque el remate o cuando se trate de bienes de fácil descomposición o deterioro, o de materiales inflamables, siempre que no se puedan conservar.

7) **Adjudicación de bienes**, los bienes se entregan en propiedad, libres de gravámenes, al mejor postor, una vez que haya entregado el total del importe ofrecido por el bien.

8) **Aplicación del producto del remate**, el producto se deberá aplicar primero a los créditos más antiguos, y antes que a la suerte principal a los accesorios (gastos de ejecución, recargos, multas e indemnización por cheque devuelto), de conformidad con el artículo 20 del Código Fiscal de la Federación.

Cuando la autoridad fiscal remata los bienes embargados, de su enajenación obtiene un producto, si éste resulta suficiente para cubrir la totalidad del adeudo, entonces finalizará el PAE, pero si no se lograra cubrir, entonces se realizará una ampliación de embargo, por la diferencia no cubierta, es decir, se embargarán nuevos bienes, hasta que el crédito quede totalmente cubierto.

Cuadro 1
Procedimiento Administrativo de Ejecución

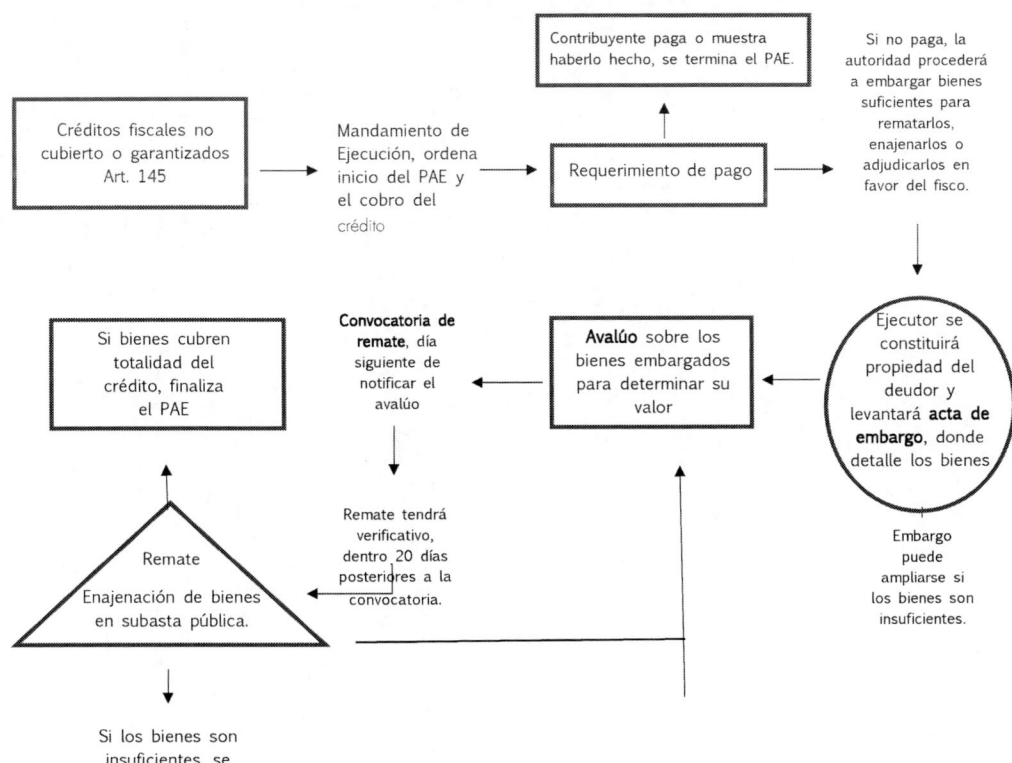

9. RECURSO DE REVOCACIÓN

En primer lugar, es preciso comentar que este es uno de los medios ordinarios de defensa con los que cuenta el contribuyente para impugnar una resolución definitiva que le causa un agravio en materia fiscal federal.

9.1. ANTECEDENTES

Anteriormente existían 3 recursos:

1. Recurso de Revocación.

2. Recurso de nulidad de notificaciones.

3. Recurso de oposición al Procedimiento Administrativo de Ejecución (PAE).

Ahora solo existe un Recurso de Revocación, que agrupa todo lo que regulaban anteriormente los tres medios de defensa que han quedado señalados.

De igual forma, el recurso señalado en el numeral 2, se encontraba regulado en el artículo 129 del Código Fiscal de la Federación, mismo que quedó derogado a partir de la reforma al citado ordenamiento de diciembre de 2013, y a su vez, el indicado en el número 3, se refiere a actos cuya legalidad ya no está en juicio o a discusión, ya sea porque no se impugnaron o porque se combatieron y el asunto se perdió, o bien, porque ya se pagó el crédito fiscal; en este sentido, lo que se reclama **es la legalidad de los actos de autoridad llevados a cabo dentro del Procedimiento Administrativo de Ejecución, tendientes al cobro del crédito fiscal.**

El origen del recurso administrativo lo encontramos en Francia, y tiene como objetivo no cargar de tanto trabajo al Poder Judicial. Ya que cuando estos asuntos (en principio) llegaban hasta el Poder Judicial, se resolvían en un porcentaje alto de manera favorable a los contribuyentes.

Y de esta forma, se abre la posibilidad de revisar las resoluciones administrativas ante las propias autoridades hacendarias. Sin embargo, nos parece que la mayoría de los recursos interpuestos se resuelven de manera desfavorable al contribuyente, luego, no se ha logrado del todo este objetivo. Sin embargo, cabe mencionar que a partir del 7 de mayo de 2009, se adicionó el artículo 35 de la Ley del Servicio de Administración Tributaria, y que a la letra dispone:

> *"Artículo 35. En el caso de las resoluciones dictadas por los servidores públicos en procedimientos en los cuales se analicen y valoren documentos y pruebas aportadas por los particulares, inclusive en los procedimientos instaurados con motivo de la interposición de algún recurso administrativo de los previstos en las leyes de la materia, no*

procederá la imposición de sanciones por daño o perjuicio patrimonial, a menos que la resolución emitida:

I. Carezca por completo de fundamentación o motivación,

II. No sea congruente con la cuestión, solicitud o petición efectivamente planteada por el contribuyente, o

III. Se acredite en el procedimiento de responsabilidades que al servidor público le son imputables conductas que atentan contra la independencia de criterio que debió guardar al resolver el procedimiento de que se trate, es decir, que aceptó consignas, presiones, encargos, comisiones, o bien, que realizó cualquier otra acción que genere o implique subordinación respecto del promovente o peticionario, ya sea de manera directa o a través de interpósita persona."

Con lo anterior, se pretende que el Recurso de Revocación, tenga la fuerza necesaria para evitar juicios largos ante el TFJA, pudiéndose evitar si se ventilan ante el propio seno de la autoridad hacendaria. En este sentido, al eliminar responsabilidades a los servidores públicos que dicten una resolución favorable en un Recurso de Revocación, se está avanzando en nuestra justicia administrativa.

9.2. ASPECTOS GENERALES

La interposición de este recurso es optativa, ya que en lugar de presentar Recurso de Revocación, se puede acudir directamente a Juicio Contencioso Administrativo Federal, ante el Tribunal Federal de Justicia Administrativa.

El escrito de interposición del recurso deberá presentarse a través del buzón tributario, dentro de los treinta días siguientes a aquél en que haya surtido efectos su notificación[28], excepto cuando el recurso se interponga porque el PAE no se ajustó a la Ley, las violaciones cometidas antes del remate (*v.g.r.* que el mandamiento de ejecución se realice de manera ajena a Derecho), solo podrán hacerse valer ante la autoridad recaudadora hasta el momento de la publicación de la convocatoria de remate, y dentro de los **10 días siguientes** a la fecha de publicación de la citada convocatoria.

En efecto, el artículo 127 del Código Fiscal de la Federación[29], dispone que es válido controvertir el procedimiento administrativo de ejecución (PAE) por viola-

---

[28]   Antes del 1° de enero de 2014, el plazo para interponer el Recurso de Revocación era de 45 días y cabía la posibilidad de interponerlo en Oficialía de Partes.

[29]   **Artículo 127.** Cuando el recurso de revocación se interponga porque el procedimiento administrativo de ejecución no se ajustó a la Ley, las violaciones cometidas antes del remate, sólo podrán hacerse valer ante la autoridad recaudadora hasta el momento de la publicación de la convocatoria de remate, y dentro de los diez días siguientes a la fecha de publicación de la citada convocatoria, salvo que se trate de actos de ejecución sobre dinero en efectivo, depósitos en cuenta abierta en instituciones de crédito, organizaciones auxiliares de crédito o sociedades

ciones cometidas en él, hasta el momento de la publicación de la convocatoria a remate. En este sentido, el contribuyente tiene 10 días para interponer el recurso de revocación a partir de la publicación de la convocatoria. Sin embargo, eso no significa que sea necesario que se le dé a conocer personalmente la convocatoria a remate para darle certeza jurídica del momento en que está en posibilidad de cuestionar dicho procedimiento.

Esto genera una violación y es contrario al principio de seguridad jurídica, ya que el contribuyente, al no tener conocimiento de la fecha de publicación de la convocatoria de remate, puede perder el plazo para interponer el recurso de revocación, pues, actualmente la única forma de enterarse de esta convocatoria, es a través de la página de internet de la autoridad fiscal, sin que se le notifique personalmente.

Nos parecería mejor y más apegado a nuestros principios constitucionales, que sea obligatoria la notificación personal al contribuyente afectado, o bien, se modifique la ley y se adapten los criterios tomados por el Poder Judicial (tesis VI.3o.A.48 A (10a.)[30]), y que exista una fecha cierta y determinada de cuándo el

---

cooperativas de ahorro y préstamo, así como de bienes legalmente inembargables o actos de imposible reparación material, casos en que el plazo para interponer el recurso se computará a partir del día hábil siguiente al en que surta efectos la notificación del requerimiento de pago o del día hábil siguiente al de la diligencia de embargo.

30 Época: Décima Época
Registro: 2011914
Instancia: Tribunales Colegiados de Circuito
Tipo de Tesis: Aislada
Fuente: Gaceta del Semanario Judicial de la Federación
Libro 31, junio de 2016, Tomo IV
Materia(s): Administrativa
Tesis: VI.3o.A.48 A (10a.)
Página: 2880
CONVOCATORIA A REMATE DICTADA DENTRO DEL PROCEDIMIENTO ADMINIS-TRATIVO DE EJECUCIÓN EN MATERIA FISCAL. ES INNECESARIO NOTIFICARLA PERSONALMENTE AL CONTRIBUYENTE.
El artículo 127 del Código Fiscal de la Federación dispone que es válido controvertir el pro-cedimiento económico coactivo por violaciones cometidas en él, pero hasta el momento de la publicación de la convocatoria a remate, en la inteligencia de que el contribuyente cuenta con diez días para interponer el recurso de revocación; empero, ello no significa que sea necesa-rio que se le dé a conocer personalmente la convocatoria, *con el objeto de que tenga certeza jurídica del momento en que está en posibilidad de cuestionar dicho procedimiento, dado que el plazo correspondiente iniciará desde la data en que el contribuyente tenga noticia de la referida convocatoria,* ya que es necesario distinguir dos cosas fundamentales, el conocimiento de aquel sobre el remate y la difusión de la convocatoria; esto es, lo jurídicamente relevante para efectos de que el causante no quede indefenso en relación con las eventuales violaciones al procedimiento económico coactivo, es que exista una fecha cierta y determinada de cuándo se enteró de la venta administrativa de los bienes embargados y es a partir de esta, no de otra,

contribuyente se enteró de la convocatoria de remate de los bienes embargados, y sea a partir de ese momento que se compute el plazo legal para presentar el recurso de revocación.

Tal y como ya se señaló, el término para la interposición del Recurso de Revocación es de 30 días hábiles con surtimiento de efectos. Ahora bien, los casos de excepción a esta regla general, se encuentran previstos en los artículos 127 que ya fue comentado, así como el 128 y 175 del Código Fiscal de la Federación, mismos que son del tenor siguiente:

> *"**Artículo 128**.- El tercero que afirme ser propietario de los bienes o negociaciones, o titular de los derechos embargados, podrá hacer valer el recurso de revocación en cualquier tiempo antes de que se finque el remate, se enajenen fuera de remate o se adjudiquen los bienes a favor del fisco federal. El tercero que afirme tener derecho a que los créditos a su favor se cubran preferentemente a los fiscales federales, lo hará valer en cualquier tiempo antes de que se haya aplicado el importe del remate a cubrir el crédito fiscal."*

Así, de la transcripción que antecede, tenemos que el artículo 128 del CFF habla de dos tipos de tercería, a saber:

1. Cuando se embargan bienes de un tercero sin ser éste el deudor fiscal. En este caso, este tercero podrá hacer valer el recurso antes de que se finque el remate, se enajenen fuera de remate o se adjudiquen los bienes a favor del fisco federal.

2. El tercero que afirme tener derecho a que los créditos a su favor se cubran preferentemente a los fiscales federales, hará valer el recurso en cualquier tiempo antes de que se haya aplicado el importe del remate a cubrir el crédito fiscal. Los créditos preferentes al fisco son aquéllos garantizados con prenda o hipoteca, alimentos, los salarios devengados en el último año y las indemnizaciones laborales (artículo 149 CFF). Para que sea aplicable esta excepción, es requisito que antes de la fecha en que surta efectos la notificación del crédito fiscal, las garantías se hayan inscrito en el registro público que corresponda y, respecto de los adeudos por alimentos, que se haya presentado la demanda ante las autoridades competentes.

---

que está en aptitud legal de inconformarse. Por tanto, es innecesario notificar personalmente al contribuyente la convocatoria de remate, en razón de que ese acto se dirige a los interesados en presentar posturas para adjudicarse los bienes sujetos a subasta.
TERCER TRIBUNAL COLEGIADO EN MATERIA ADMINISTRATIVA DEL SEXTO CIRCUITO.
Amparo directo 179/2015. Sí Mecatrónica Industrial de Puebla, S.A. de C.V. 25 de febrero de 2016. Unanimidad de votos. Ponente: Manuel Rojas Fonseca. Secretario: Raúl Andrade Osorio. Esta tesis se publicó el viernes 17 de junio de 2016 a las 10:17 horas en el Semanario Judicial de la Federación.

Asimismo el artículo 175 del CFF, señala lo siguiente:

> **Artículo 175.** *La base para enajenación de los bienes inmuebles embargados será el de avalúo y para negociaciones, el avalúo pericial, ambos conforme a las reglas que establezca el reglamento de este Código, en los demás casos, la autoridad practicará avalúo pericial. En todos los casos, la autoridad notificará personalmente o por medio del buzón tributario el avalúo practicado.*
>
> *El embargado o terceros acreedores que no estén conformes con la valuación hecha, podrán hacer valer el recurso de revocación a que se refiere la fracción II, inciso b) del artículo 117, en relación con el 127 de este Código, debiendo designar en el mismo como perito de su parte a cualquiera de los valuadores señalados en el Reglamento de este Código o alguna empresa o institución dedicada a la compraventa y subasta de bienes.*
>
> *Cuando el embargado o terceros acreedores no interpongan el recurso dentro del plazo establecido en el artículo 127 de este Código, o haciéndolo no designen valuador, o habiéndose nombrado perito por dichas personas, no se presente el dictamen dentro de los plazos a que se refiere el párrafo quinto de este artículo, se tendrá por aceptado el avalúo hecho por la autoridad.*
>
> *Cuando del dictamen rendido por el perito del embargado o terceros acreedores resulte un valor superior a un 10% al determinado conforme al primer párrafo de este artículo, la autoridad exactora designará dentro del término de seis días, un perito tercero valuador que será cualquiera de los señalados en el Reglamento de este Código o alguna empresa o institución dedicada a la compraventa y subasta de bienes. El avalúo que se fije será la base para la enajenación de los bienes.*
>
> *En todos los casos a que se refieren los párrafos que anteceden, los peritos deberán rendir su dictamen en un plazo de cinco días si se trata de bienes muebles, diez días si son inmuebles y quince días cuando sean negociaciones, a partir de la fecha de su aceptación."*

Por su parte, este precepto establece el caso de aquel tercero que no está de acuerdo con el avalúo practicado. Puede ser el contribuyente o un tercero acreedor. El término para interponerlo será dentro de los diez días siguientes a aquél en que surta efectos la notificación del avalúo.

Otra excepción al plazo genérico para la interposición del Recurso de Revocación, es para el caso de la negativa ficta, donde el recurso podrá interponerse en cualquier momento, con la condición de que transcurran los 3 meses contados a partir de que se interpuso la instancia o petición por el contribuyente, siempre y cuando no se haya notificado una resolución expresa, recaída a dicha instancia o petición.

9.3. PROCEDENCIA DEL RECURSO DE REVOCACIÓN

El recurso de revocación procede contra resoluciones definitivas y actos administrativos dictados en materia fiscal federal, en los siguientes supuestos:

a) Aquellas resoluciones que determinen contribuciones, accesorios (recargos, multas, gastos de ejecución e indemnizaciones por cheques rebotados) o aprovechamientos (cuotas compensatorias y multas no fiscales).

b) Nieguen la devolución de cantidades que procedan conforme a la Ley.

c) Dicten las autoridades aduaneras.

d) Cualquier resolución de carácter definitivo que cause agravios en materia fiscal, salvo aquellas relativas a: 1) aclaraciones de ventanilla, 2) reconsideraciones administrativas, y 3) condonaciones de multas.

e) Actos que exijan el pago de créditos fiscales (cuando éstos se hayan extinguido o su monto real sea inferior al exigido).

f) Contra aquellos actos que se dicten en el PAE (Procedimiento Administrativo de Ejecución), cuando se alegue que éste no se ha ajustado a la Ley, o determinen el valor de los bienes embargados.

g) Contra aquellos que afecten el interés jurídico de terceros, en términos del artículo 128.

Es importante señalar, que los agravios tienen que plantearse en forma clara, precisa, a manera de silogismos y en forma numerada, para efecto de facilitar el estudio de los mismos por parte de la autoridad.

9.4. CAUSALES DE SUSPENSIÓN AL PLAZO DE PRESENTACIÓN DEL RECURSO DE REVOCACIÓN

1. Fallecimiento del recurrente. Se suspenderá hasta un año, si antes no se hubiere aceptado el cargo de representante de la sucesión.

2. Cuando se solicita un procedimiento de solución de controversias contenido en un Tratado Internacional, incluyendo, en su caso, el procedimiento arbitral. En estos casos, cesará la suspensión cuando se notifique la resolución que da por terminado dicho procedimiento inclusive, en el caso de que se dé por terminado a petición del interesado.

3. Incapacidad, y

4. Declaración de ausencia, decretada por autoridad judicial.

Estas dos últimas se suspenden hasta por un año. La suspensión cesará cuando se acredite que se ha aceptado el cargo de tutor del incapaz o representante legal del ausente, siendo en perjuicio del particular si durante el plazo antes mencionado no se provee sobre su representación.

9.5. REQUISITOS DEL RECURSO DE REVOCACIÓN

Se deben cumplir los requisitos contenidos en el artículo 18, más los que señala el diverso 122, a saber:

Así, el referido artículo 18 señala que toda promoción dirigida a las autoridades fiscales, deberá presentarse mediante documento digital que contenga firma electrónica avanzada[31] y que el SAT, a través de reglas de carácter general podrá determinar las promociones que se podrán presentar mediante documento impreso.

De igual forma, dicho precepto es puntual al señalar que las promociones deberán enviarse a través del buzón tributario y deberán de satisfacer por lo menos los siguientes requisitos:

I. El nombre, la denominación o razón social, y el domicilio fiscal manifestado al registro federal de contribuyentes, para el efecto de fijar la competencia de la autoridad, y la clave que le correspondió en dicho registro.

II. Señalar la autoridad a la que se dirige y el propósito de la promoción.

III. La dirección de correo electrónico para recibir notificaciones.

Cuando no se cumplan los requisitos a que se refieren las fracciones I y II, las autoridades fiscales requerirán al promovente a fin de que en un plazo de 10 días cumpla con el requisito omitido. En caso de no subsanarse la omisión en dicho plazo, la promoción se tendrá por no presentada, **así como cuando omita señalar dirección de correo electrónico.**

Por su parte, el artículo 122 establece los siguientes requisitos:

1. La resolución o acto que se impugna.

2. Los agravios que le cause la resolución o el acto impugnado.

3. Las pruebas, y

4. Los Hechos.

Como decíamos anteriormente, existe la posibilidad de presentar recurso irregular sin satisfacer ninguno de los 4 requisitos señalados. Ante la presentación de un recurso irregular, la autoridad requerirá al recurrente para que en el plazo de 5 días subsane todas sus omisiones. En caso de no desahogar dicho requerimiento, por lo que se refiere a los agravios, desecharán el recurso, y si no se señala el acto impugnado, se tendrá por no presentado.

---

[31] Salvo aquellos que se dediquen exclusivamente a actividades agrícolas, ganaderas, pesqueras o silvícolas, que no queden comprendidos en el tercer párrafo del artículo 31 del CFF.

Asimismo, si en el recurso no se señalan hechos, previo requerimiento, solo se tienen por no señalados[32], y si no se ofrecen y exhiben las pruebas, se tendrán como no ofrecidas.

9.6. DOCUMENTOS ADJUNTOS AL RECURSO DE REVOCACIÓN

1. Documento con el que acredite la personalidad. O bien, puede ser que ya la tenga reconocida. Se adjuntará la constancia respectiva en este caso.

2. El documento en donde conste el acto impugnado.

3. Constancia de notificación, excepto en tres casos:

a) El contribuyente declare bajo protesta de decir verdad que no la recibió,

b) Cuando la notificación se practicó por correo certificado con acuse de recibo, y

c) Cuando se trate de negativa ficta.

Para el caso en el que la notificación se hubiere realizado por edictos, se deberá señalar la fecha de la última publicación y el órgano en que se hizo.

4. Las pruebas documentales y el dictamen pericial, en su caso.

Los documentos pueden adjuntarse en copia simple siempre que los originales obren en poder del recurrente, pero la autoridad está facultada para requerir los originales o copia certificada, en caso de dudar sobre la autenticidad de las copias exhibidas. Razón por la cual resulta recomendable siempre manifestar en el escrito inicial del Recurso que se cuenta con los originales, toda vez que es práctica común por parte de las autoridades, solicitar los originales, situación que puede traer complicaciones o diligencias innecesarias.

Lo anterior se comenta, en la inteligencia que todo se presenta por buzón tributario, de modo tal que, las pruebas irán escaneadas.

Cuando las pruebas documentales no obren en poder del recurrente, si éste no hubiere podido obtenerlas a pesar de tratarse de documentos que legalmente se encuentren a su disposición, deberá señalar el archivo o lugar en que se encuentren para que la autoridad fiscal requiera su remisión cuando ésta sea legalmente posible. Para este efecto deberá identificar con toda precisión los documentos y, tratándose de los que pueda tener a su disposición bastará con que acompañe la copia sellada de la solicitud de los mismos. Se entiende que el recurrente tiene a su

---

[32]   Situación diferente en una Demanda de Nulidad, pues si en ésta no se señalan hechos, sería desechada.

disposición los documentos, cuando legalmente pueda obtener copia autorizada de los originales o de las constancias de éstos.

La autoridad fiscal, a petición del recurrente, recabará las pruebas que obren en el expediente en que se haya originado el acto impugnado, siempre que el interesado no hubiere tenido oportunidad de obtenerlas.

Si no se acompañan los documentos a que se refiere el artículo 123 del Código Tributario Federal, se le requerirá al recurrente para que los presente dentro del término de 5 días. Si se trata de los primeros 3 documentos (Poder, acto impugnado y constancia de notificación) y no se desahoga el requerimiento, se tendrá por no interpuesto, pero si se trata de las pruebas, éstas se tendrán por no ofrecidas.

Ahora bien, en caso de que los documentos se presenten en idioma distinto al español, deberán acompañarse de su respectiva traducción. Este punto en concreto, entró en vigor el 1º de enero de 2021.

9.7. CASOS DE IMPROCEDENCIA

Además de los previstos en el 124 del Código Fiscal, también tenemos que será improcedente el recurso en contra de las siguientes resoluciones que, dicho sea de paso, ya han sido tratadas en el presente libro:

1. Las resoluciones que se emitan por la autoridad fiscal en tratándose de aclaraciones de resoluciones por ventanilla prevista en el artículo 33-A del Código Fiscal.

En este caso, no se suspende el plazo para presentar el Recurso de Revocación que es de 30 días contados a partir de la notificación de la resolución correspondiente, y tampoco constituye instancia.

2. En el caso de las reconsideraciones administrativas, esto es, cuando se le solicita a la autoridad fiscal superior una revisión de una resolución definitiva dictada por la autoridad inferior y ésta es perjudicial al particular. Al irse con la autoridad superior vía reconsideración y obtener la respuesta de la misma, ésta ya no se puede combatir a través del Recurso de Revocación.

3. Condonación de multas prevista en el artículo 74 del Código Fiscal. No constituye instancia y las resoluciones que dicte el SAT al respecto, no podrán combatirse por los medios ordinarios de defensa.

4. Cuando el contribuyente haya solicitado la adopción de un Acuerdo Conclusivo y lo haya firmado dando por concluido el tema de manera definitiva.

5. Contra las respuestas recaídas a una consulta real y concreta interpuesta por el contribuyente.

6. En general, contra resoluciones que no sean definitivas, de conformidad con lo que establece la Ley Orgánica del Tribunal Federal de Justicia Administrativa.

De igual manera, en términos del artículo 124 del CFF es improcedente el recurso cuando se haga valer contra actos administrativos:

1. Que no afecten el interés jurídico del recurrente.

2. Que sean resoluciones dictadas en recurso administrativo o en cumplimiento de sentencias.

Esto es, no se puede intentar combatir a través de Recurso de Revocación una resolución recaída a un recurso o una resolución dictada en cumplimiento de una sentencia dictada por el TFJA, ya que en este último caso se tienen otros medios de defensa. Lo anterior es así, ya que estaríamos en presencia de "cosa juzgada".

3. Que hayan sido impugnados ante el Tribunal Federal de Justicia Administrativa.

Si el contribuyente obtiene una sentencia desfavorable ante el TFJA, podrá hacer valer el juicio de amparo directo, pero no un Recurso de Revocación.

4. Que se hayan consentido, entendiéndose por consentimiento el de aquellos contra los que no se promovió el recurso en el plazo señalado al efecto.

5. Que sean conexos a otro que haya sido impugnado por medio de algún recurso o medio de defensa diferente.

Si un contribuyente impugna a través de Juicio de Nulidad la determinación de un crédito fiscal y la ejecución la impugna vía Recurso de Revocación, esta última será improcedente.

6. Si son revocados los actos por la autoridad, puesto que ya no hay controversia.

7. Que hayan sido dictados por la autoridad administrativa en un procedimiento de resolución de controversias previsto en un tratado para evitar la doble tributación, si dicho procedimiento se inició con posterioridad a la resolución que resuelve un Recurso de Revocación o después de la conclusión de un juicio ante el Tribunal Federal de Justicia Administrativa.

Deben solicitarse estos procedimientos con anterioridad, toda vez que si el contribuyente elige esta opción antes de que venza el término para la interposición del recurso, este plazo queda suspendido hasta que se notifique la resolución de este procedimiento.

8. Que sean resoluciones dictadas por autoridades extranjeras que determinen impuestos y sus accesorios cuyo cobro y recaudación hayan sido solicitados a las autoridades fiscales mexicanas, de conformidad con lo dispuesto en los tratados internacionales sobre asistencia mutua en el cobro de los que México sea parte.

9.8. CAUSALES DE SOBRESEIMIENTO

1. Desistimiento.

2. Cuando sobrevenga alguna causal de improcedencia.

3. Cuando de las constancias que obran en el expediente administrativo quede demostrado que no existe el acto o resolución impugnada.

4. Cuando hayan cesado los efectos del acto o resolución impugnada.

Ejemplos: Clausura de 3 días.

– Inhabilitación de un funcionario, que es revocada.

– Se solicita la devolución de una contribución pagada de manera indebida, la autoridad la niega y en el trámite del recurso, la autoridad ordena la devolución y le depositan al contribuyente el dinero: Cesan los efectos del acto combatido.

– Embargo precautorio en Visita Domiciliaria. Se combate, pero la autoridad ordena el levantamiento de dicho embargo.

9.8.1. *Artículo 125 del CFF*

Dicho numeral establece una trampa procesal en la que se elimina la posibilidad del contribuyente para elegir indistintamente la vía ordinaria como medio de impugnación, ya sea a través de Recurso de Revocación o Juicio de Nulidad, ante la notificación de una resolución definitiva; al establecer que cuando se impugne un acto administrativo antecedente o consecuente de otro, deberá intentarse la misma vía, so pena de ser improcedente. De ahí la importancia de conocer perfectamente los antecedentes del caso, para no actualizar esta trampa procesal, que limita el acceso a la justicia.

Asimismo, establece que en caso de resoluciones dictadas en cumplimiento de recursos administrativos, el contribuyente podrá impugnar dicho acto, por una sola vez, a través de la misma vía. Esto es, si resuelven un Recurso de Revocación para efectos y la resolución dictada en cumplimiento le sigue causando un perjuicio al contribuyente, podrá combatir dicha resolución a través de Recurso de Revocación en lugar de acudir directamente a Juicio de Nulidad.

Resulta ilustrativo de lo anterior, la siguiente tesis aislada de nuestro Poder Judicial Federal, que a la letra dispone:

Época: Décima Época
Registro: 2014460
Instancia: Tribunales Colegiados de Circuito
Tipo de Tesis: Aislada
Fuente: Semanario Judicial de la Federación
Publicación: viernes 09 de junio de 2017 10:15 h

Materia(s): (Constitucional, Administrativa)
Tesis: I.1o.A.150 A (10a.)

ACTOS DICTADOS EN CUMPLIMIENTO A UNA SENTENCIA DE NULIDAD. EL GOBERNADO PUEDE ELEGIR ENTRE EL RECURSO DE REVOCACIÓN O EL JUICIO CONTENCIOSO ADMINISTRATIVO PARA IMPUGNARLOS, SIEMPRE QUE NO ADVIERTA LA POSIBILIDAD DE QUE SE PRONUNCIEN RESOLUCIONES CONTRADICTORIAS (INTERPRETACIÓN CONFORME DEL ARTÍCULO 125, PRIMER PÁRRAFO, DEL CÓDIGO FISCAL DE LA FEDERACIÓN).

La disposición citada establece que los actos administrativos dictados en materia fiscal federal son impugnables a través del recurso de revocación, o bien, del juicio de nulidad ante el Tribunal Federal de Justicia Administrativa, a elección del interesado; sin embargo, precisa que para la impugnación de un acto que sea antecedente o consecuente de otro previamente controvertido en alguna de esas dos vías, el particular debe optar por la misma, porque tratándose de actos provenientes de una misma secuela procedimental, el demandante carece de discrecionalidad para modificar con posterioridad, la vía de impugnación elegida en un primer momento; no obstante, para determinar cómo debe ser entendida esa regla, es indispensable tener en cuenta que el artículo 17 de la Constitución Política de los Estados Unidos Mexicanos establece una prerrogativa a favor de los gobernados, de contar con un acceso pronto, expedito y completo a la solución de sus controversias, derivado de la prohibición de resolverlas por medios propios o a través de la violencia. Así, ese derecho, interpretado en relación con las consideraciones que dieron origen a la jurisprudencia 2a./J. 113/2016 (10a.), de la Segunda Sala de la Suprema Corte de Justicia de la Nación, de título y subtítulo: "ACTOS EMITIDOS EN CUMPLIMIENTO A LO RESUELTO EN UN RECURSO ADMINISTRATIVO. ES OPTATIVO PARA EL INTERESADO INTERPONER EN SU CONTRA, POR UNA SOLA VEZ, EL RECURSO DE REVOCACIÓN ANTES DE ACUDIR AL JUICIO CONTENCIOSO ADMINISTRATIVO.", permite colegir que la obligación de instar un medio de defensa de igual naturaleza al elegido en primer lugar se justifica, siempre que exista el riesgo de que se emitan decisiones discordantes, es decir, que por el examen que previamente realizó la autoridad administrativa o jurisdiccional resulte indispensable que sea ella misma la que analice la legalidad del nuevo acto dictado en cumplimiento. Por tanto, la interpretación del artículo 125, primer párrafo, del Código Fiscal de la Federación que resulta conforme con el derecho de acceso a una completa solución de controversias, es en el sentido de que, tratándose de actos emitidos en cumplimiento a una sentencia anulatoria, de no advertirse la posibilidad de que se pronuncien resoluciones contradictorias, el gobernado podrá elegir entre el recurso de revocación o el juicio contencioso administrativo para impugnarlos, dado que no existen los elementos valorados que justifiquen una excepción a esa regla general.

PRIMER TRIBUNAL COLEGIADO EN MATERIA ADMINISTRATIVA DEL PRIMER CIRCUITO.

Amparo directo 878/2016. Secretaría de la Defensa Nacional. 12 de enero de 2017. Unanimidad de votos. Ponente: Joel Carranco Zúñiga. Secretaria: Esmeralda Gómez Aguilar.

Nota: La tesis de jurisprudencia 2a./J. 113/2016 (10a.) citada, aparece publicada en el Semanario Judicial de la Federación del viernes 2 de septiembre de 2016 a las 10:11 horas y en la Gaceta del Semanario Judicial de la Federación, Décima Época, Libro 34, Tomo I, septiembre de 2016, página 730.

Esta tesis se publicó el viernes 09 de junio de 2017 a las 10:15 horas en el Semanario Judicial de la Federación.

(TMX 1247513)

9.9. PRUEBAS

Se admiten toda clase de pruebas, excepto la testimonial y confesional de la autoridad mediante absolución de posiciones. La prueba testimonial sí se admite en el Juicio de Nulidad.

Se admite la petición de informes, y las demás, serán valoradas razonablemente por la autoridad.

Harán prueba plena: la confesión expresa del recurrente, las presunciones que no admiten prueba en contrario (*iure et de iure)* y los hechos afirmados por la autoridad en documentos públicos.

Pueden presentarse pruebas supervenientes, siempre que no se haya dictado resolución.

Ahora bien, en virtud de la reforma publicada en el Diario Oficial de la Federación en diciembre de 2013, se reformaron los artículos 123 último párrafo y 130 del CFF para quedar como sigue:

> **Artículo 123**.-
> *"(…)*
> *Sin perjuicio de lo dispuesto en el párrafo anterior,* **en el escrito en que se interponga el recurso o dentro de los quince días posteriores, el recurrente podrá anunciar que exhibirá pruebas adicionales**, *en términos de lo previsto en el tercer párrafo del artículo 130 de este Código."*
> **Artículo 130**.- *En el recurso de revocación se admitirá toda clase de pruebas, excepto la testimonial y la de confesión de las autoridades mediante absolución de posiciones. No se considerará comprendida en esta prohibición la petición de informes a las autoridades fiscales, respecto de hechos que consten en sus expedientes o de documentos agregados a ellos.*
> *Las pruebas supervenientes podrán presentarse siempre que no se haya dictado la resolución del recurso.*
> **Cuando el recurrente anuncie que exhibirá las pruebas en los términos de lo previsto por el último párrafo del artículo 123 de este Código, tendrá un plazo de quince días para presentarlas, contado a partir del día siguiente al de dicho anuncio.**
> *La autoridad que conozca del recurso, para un mejor conocimiento de los hechos controvertidos, podrá acordar la exhibición de cualquier documento que tenga relación con los mismos, así como ordenar la práctica de cualquier diligencia.*
> *(…)"*
> (Énfasis añadido)

De las transcripciones hechas, se desprende que el CFF le da oportunidad al contribuyente de anunciar pruebas con posterioridad a la interposición del recurso. Esto es, dentro de los quince días siguientes a la interposición de dicho medio de defensa, podrá anunciar pruebas adicionales a las indicadas en el escrito inicial, y partir de ese momento, tendrá otros quince días presentarlas o exhibirlas.

Es importante mencionar que se permite la exhibición de un **dictamen pericial**, más no el desahogo de dicha prueba como en un juicio contencioso administrativo federal, habida cuenta que no estamos en presencia de un litigio, luego, no podría haber un perito tercero en discordia.

9.10. TRÁMITE Y RESOLUCIÓN DEL RECURSO

Los fundamentos de este tema, los encontramos en los artículos 131 al 133 del Código Tributario Federal.

Por regla general, en términos del artículo 131 del CFF, la autoridad cuenta con 3 meses para dictar y NOTIFICAR la resolución al Recurso de Revocación, contados a partir del día en que se presentó, de lo contrario el contribuyente puede acudir ante el Tribunal Federal de Justicia Administrativa demandando la confirmativa ficta de esa resolución, que significa que la autoridad resolvió en contra de los intereses del particular al confirmar el acto impugnado y así, se le obliga a la autoridad a mencionar los fundamentos y motivos de esa resolución contraria a los intereses del contribuyente ya dentro del Juicio de Nulidad, o bien el contribuyente puede esperar a que la autoridad resuelva de manera expresa dicho recurso administrativo.

Por su parte, el artículo 132 del CFF, dice a la letra:

> **Artículo 132.** *La resolución del recurso se fundará en derecho y examinará todos y cada uno de los agravios hechos valer por el recurrente, teniendo la facultad de invocar hechos notorios; pero cuando se trate de agravios que se refieran al fondo de la cuestión controvertida, a menos que uno de ellos resulte fundado, deberá examinarlos todos antes de entrar al análisis de los que se planteen sobre violación de requisitos formales o vicios del procedimiento.*
>
> *La autoridad podrá corregir los errores que advierta en la cita de los preceptos que se consideren violados y examinar en su conjunto los agravios, así como los demás razonamientos del recurrente, a fin de resolver la cuestión efectivamente planteada, pero sin cambiar los hechos expuestos en el recurso. Igualmente podrá revocar los actos administrativos cuando advierta una ilegalidad manifiesta y los agravios sean insuficientes, pero deberá fundar cuidadosamente los motivos por los que consideró ilegal el acto y precisar el alcance de su resolución.*
>
> *No se podrán revocar o modificar los actos administrativos en la parte no impugnada por el recurrente.*
>
> *La resolución expresará con claridad los actos que se modifiquen y, si la modificación es parcial, se indicará el monto del crédito fiscal correspondiente. Asimismo, en dicha resolución deberán señalarse los plazos en que la misma puede ser impugnada en el juicio contencioso administrativo. Cuando en la resolución se omita el señalamiento de referencia, el contribuyente contará con el doble del plazo que establecen las disposiciones legales para interponer el juicio contencioso administrativo.*

De la lectura del artículo que ha quedado transcrito, se desprenden las siguientes consideraciones trascendentes, a saber:

1. La resolución del Recurso, debe fundarse correctamente y, en principio, la autoridad deberá estudiar todos los agravios hechos valer por el recurrente.

2. Lo anterior es así, ya que si la autoridad resolutora analiza un agravio de fondo y con ese le concede la razón al contribuyente, ya no estará obligada a analizar o examinar los restantes. En este orden de ideas, deberá examinar aquellos agravios de fondo y con posterioridad, aquellos que establezcan violaciones formales o de procedimiento.

3. Ahora bien, la autoridad solo puede resolver en contra de los intereses del recurrente tras haber estudiado y haberse pronunciado respecto a cada uno de los agravios hechos valer a través del recurso, en caso contrario, el contribuyente podrá impugnar dicha omisión mediante el juicio contencioso administrativo federal.

4. La autoridad hacendaria al resolver el recurso, podrá invocar hechos notorios y podrá corregir los errores que advierta en la cita de los preceptos que se estimen violados.

Asimismo, podrá revocar los actos administrativos cuando advierta una ilegalidad y los agravios del recurrente sean insuficientes.

Esto es, en el precepto que ha quedado transcrito, se prevé la suplencia de la queja, pero cabe señalar que es muy difícil que opere en la práctica.

5. La resolución al Recurso puede ser adversa al contribuyente, o bien, puede ser total o parcialmente favorable. En este último supuesto, la autoridad deberá indicar con claridad el acto o actos que se modifican con la resolución, señalando el monto del crédito fiscal correspondiente.

6. En la resolución al Recurso, la autoridad hacendaria deberá indicar los plazos en los que el contribuyente puede impugnarla mediante el Juicio de Nulidad, so pena de que el plazo se duplique[33].

9.11. SENTIDO DE LA RESOLUCIÓN

El artículo 133 del CFF, señala:

> **Artículo 133**.- *La resolución que ponga fin al recurso podrá:*
> *I. Desecharlo por improcedente, tenerlo por no interpuesto o sobreseerlo, en su caso.*
> *II. Confirmar el acto impugnado.*

---

[33] Se comparte la crítica a la consecuencia por no señalar el plazo para su impugnación, que ya se hizo en el presente libro cuando analizamos el artículo 50 del CFF, relativo al plazo con el que cuentan las autoridades para emitir y notificar la resolución determinante de los créditos fiscales.

III. Mandar reponer el procedimiento administrativo o que se emita una nueva resolución.

IV. Dejar sin efectos el acto impugnado.

V. Modificar el acto impugnado o dictar uno nuevo que lo sustituya, cuando el recurso interpuesto sea total o parcialmente resuelto a favor del recurrente.

Cuando se deje sin efectos el acto impugnado por la incompetencia de la autoridad que emitió el acto, la resolución correspondiente declarará la nulidad lisa y llana.

Esto es, la resolución al Recurso de Revocación puede tener varios efectos:

1. Confirmar la validez del acto impugnado. Caso en el cual, la autoridad sostiene la validez de la resolución que se recurrió y el contribuyente podrá impugnar dicha resolución mediante Juicio de Nulidad.

2. Dejar sin efectos el acto impugnado. En este supuesto, la autoridad le concede la razón al contribuyente y el asunto queda concluido en definitiva de manera favorable al gobernado.

3. Mandar reponer el procedimiento administrativo o que se emita una nueva resolución. Estamos hablando de dos supuestos, a saber:

a) Se manda reponer el procedimiento cuando en el transcurso del mismo se actualizó algún vicio, y

b) Se ordena emitir una nueva resolución cuando estamos en presencia de una ausencia de fundamentación y/o motivación.

4. Confirmar y revocar en parte, es decir, modificar el acto impugnado o dictar uno nuevo que lo sustituya, cuando el recurso interpuesto sea total o parcialmente favorable al recurrente.

Si es parcialmente favorable, deberá la autoridad emitir un nuevo acto, dejando sin efectos aquella parte de la resolución favorable para el contribuyente. En caso de que haya sido totalmente favorable para el particular, en ocasiones no bastará con que la autoridad lo deje sin efectos, sino que será necesario emitir un nuevo acto, *v.gr.* ordenando la devolución de una contribución pagada de manera indebida; o

5. Desechar el Recurso por improcedente, tenerlo por no interpuesto, o sobreseerlo, en su caso.

El artículo 133 del CFF anteriormente transcrito tiene un error por lo que hace a la técnica jurídica empleada por el legislador, ya que el único ente facultado para declarar la nulidad lisa y llana de una resolución administrativa es el TFJA, no así, la autoridad administrativa, que al resolver un Recurso lo puede dejar sin efectos, pero de ninguna manera podrá declarar la nulidad lisa y llana.

9.12. PROCEDIMIENTO PARA IMPUGNAR LAS NOTIFICACIONES DE UNA RESOLUCIÓN MATERIA DE IMPUGNACIÓN (ART. 129 CFF DEROGADO EN DICIEMBRE DE 2013)

Antes de la reforma de diciembre de 2013, dentro de la regulación del Recurso de Revocación existía un procedimiento especial previsto en el artículo 129 del Código Fiscal (anteriormente se conocía como recurso de nulidad de notificaciones) a través del cual se podían impugnar las notificaciones y/o el acto impugnado, y que a la letra disponía lo siguiente:

> *"Artículo 129*.- *Cuando se alegue que un acto administrativo no fue notificado o que lo fue ilegalmente, siempre que se trate de los recurribles conforme al artículo 117, se estará a las reglas siguientes:*
>
> *I. Si el particular afirma conocer el acto administrativo, la impugnación contra la notificación se hará valer mediante la interposición del recurso administrativo que proceda contra dicho acto, en el que manifestará la fecha en que lo conoció.*
>
> *En caso de que también impugne el acto administrativo, los agravios se expresarán en el citado recurso, conjuntamente con los que se formulen contra la notificación.*
>
> *II. Si el particular niega conocer el acto, manifestará tal desconocimiento interponiendo el recurso administrativo ante la autoridad fiscal competente para notificar dicho acto. La citada autoridad le dará a conocer el acto junto con la notificación que del mismo se hubiere practicado, para lo cual el particular señalará en el escrito del propio recurso, el domicilio en que se le debe dar a conocer y el nombre de la persona facultada al efecto. Si no hace alguno de los señalamientos mencionados, la autoridad citada dará a conocer el acto y la notificación por estrados.*
>
> *El particular tendrá un plazo de veinte días a partir del día hábil siguiente al en que la autoridad se los haya dado a conocer, para ampliar el recurso administrativo, impugnando el acto y su notificación o solo la notificación.*
>
> *III. La autoridad competente para resolver el recurso administrativo estudiará los agravios expresados contra la notificación, previamente al examen de la impugnación que, en su caso, se haya hecho del acto administrativo.*
>
> *IV. Si se resuelve que no hubo notificación o que fue ilegal, tendrá al recurrente como sabedor del acto administrativo desde la fecha en que manifestó conocerlo o en que se le dio a conocer en los términos de la fracción II, quedando sin efectos todo lo actuado con base en aquélla, y procederá al estudio de la impugnación que, en su caso, hubiese formulado en contra de dicho acto.*
>
> *Si resuelve que la notificación fue legalmente practicada y, como consecuencia de ello, la impugnación contra el acto se interpuso extemporáneamente, se sobreseerá dicho recurso por improcedente.*
>
> *En el caso de actos regulados por otras leyes federales, la impugnación de la notificación efectuada por autoridades fiscales se hará mediante el recurso administrativo que, en su caso, establezcan dichas leyes y de acuerdo con lo previsto por este Artículo."*

Asimismo, resulta preciso mencionar que a pesar de la derogación del artículo transcrito, los contribuyentes aún tenemos la posibilidad de impugnar notificaciones vía Juicio de Nulidad, en términos del artículo 16 de la Ley Federal de Procedimiento Contencioso Administrativo, tema que analizaremos más adelante.

9.13. RECURSO DE REVOCACIÓN EXCLUSIVO DE FONDO

Mediante Decreto de 27 de enero de 2017, se incorpora al CFF el recurso de revocación exclusivo de fondo (la "Revocación de Fondo"), el cual procede en contra de las resoluciones definitivas que derivan del ejercicio de las facultades de comprobación a que se refiere el artículo 42, fracciones II, III, IX (Revisión de Gabinete, Visita Domiciliaria y Revisión Electrónica) de dicho ordenamiento, siempre que la cuantía determinada sea mayor a 200 veces la Unidad de Medida y Actualización, elevada al año (un poco más de 6 millones de pesos) vigente al momento de la emisión de la resolución impugnada.

9.13.1. Procedencia y pretensión

El promovente sólo podrá plantear conceptos de impugnación tendientes a controvertir el fondo de la resolución administrativa, aun en el supuesto de que la resolución impugnada se encuentre motivada en el incumplimiento de requisitos formales o de procedimiento.

Entre otros, por agravio de fondo tendiente a controvertir el fondo de la resolución, se entenderá aquel que referido al sujeto, objeto, base gravable, tasa o tarifa de las obligaciones revisadas, pretendan controvertir conforme a alguno de los siguientes supuestos:

1. Los hechos u omisiones calificados en la resolución impugnada como constitutivos de incumplimiento de las obligaciones revisadas;

2. La aplicación o interpretación de las normas involucradas;

3. Los efectos que haya atribuido la autoridad emisora al incumplimiento total o parcial de requisitos formales o de procedimiento que impacten o trasciendan al fondo de la controversia;

4. La valoración o falta de apreciación de las pruebas relacionadas con los supuestos anteriores.

9.13.2. Requisitos del escrito del Recurso de Revocación Exclusivo de Fondo

En este sentido, el artículo 133-D del CFF, dispone lo siguiente:

> "El escrito de interposición del recurso de revocación exclusivo de fondo, deberá satisfacer los requisitos previstos en los artículos 18 y 122 de este Código y señalar además:
> La manifestación expresa de que se opta por el recurso de revocación exclusivo de fondo.
> La expresión breve y concreta de los agravios de fondo que se plantean.
> El señalamiento del origen del agravio, especificando si este deriva de:
> a) La forma en que se apreciaron los hechos u omisiones revisados;
> b) La interpretación o aplicación de las normas involucradas;

c) Los efectos que le atribuyeron al incumplimiento total, parcial o extemporáneo, de los requisitos formales o de procedimiento que impacten o trasciendan el fondo de la controversia;

d) Si cualquiera de los supuestos anteriores son coincidentes;

e) Si requiere el desahogo de una audiencia para exponer las razones por las cuáles considera le asiste la razón, en presencia de la autoridad administrativa competente para resolver el recurso de revocación exclusivo de fondo y de la autoridad que emitió la resolución recurrida.

El promovente deberá adjuntar al escrito en que se promueva el recurso de revocación exclusivo de fondo, los mismos documentos que prevé el artículo 123 del presente Código, observando las modalidades para las pruebas documentales que contiene dicho precepto legal, debiendo relacionar expresamente las pruebas que ofrezca con los hechos que pretende acreditar a través de las mismas.

Cuando se omita alguno de los requisitos que debe contener el escrito de interposición del recurso de revocación exclusivo de fondo, se requerirá al promovente para que cumpla con dichos requisitos dentro del plazo de cinco días contados a partir de que surta efectos la notificación del citado requerimiento. De no hacerlo o si se advierte que únicamente se plantean agravios relativos a cuestiones de forma o procedimiento, el recurso de revocación se tramitará de forma tradicional.

En el caso de que el promovente, una vez que optó por el recurso de revocación exclusivo de fondo, formule en su escrito de promoción agravios de fondo y forma o procedimiento, estos dos últimos se tendrán por no formulados y sólo se resolverán los agravios de fondo.

Si el promovente satisface los requisitos que debe contener la promoción del recurso de revocación exclusiva de fondo, la autoridad encargada de la resolución del mismo emitirá el oficio a través del cual se tenga por admitido el recurso."

Esto es, es recomendable que en la redacción de cualquier medio de defensa, el gobernado sea conciso y contundente. Siendo así, el recurso de revocación de fondo no es la excepción, y por primera vez en un medio ordinario de defensa se mandata al gobernado a ser breve y concreto.

Ahora bien, es importante comentar que si se hacen valer únicamente agravios de forma, no se desecha el recurso, sino que deberá tramitarse en la vía tradicional, y en caso de que se hagan valer agravios de forma y fondo, y se haya elegido la opción del recurso de fondo, no se tomarán en cuenta los argumentos de forma o procedimiento.

La autoridad, en todo caso, deberá emitir un acuerdo de admisión de este Recurso de Revocación de fondo.

9.13.3. Audiencia

El promovente, en este medio ordinario de defensa "especial", podrá solicitar el desahogo de una audiencia previa a la emisión de la resolución administrativa, a la que acudirá la autoriad emisora de la resolución, así como la competente para resolver el recurso. Se deberá llevar a cabo a más tardar dentro de los 20 días hábiles contados a partir de que se emitió el Oficio por el que se tuvo como admitido el recurso de fondo, señalando en el mismo, la hora y lugar de la audiencia.

9.13.4. Prueba Pericial

En el supuesto de que el promovente acompañe al escrito de promoción del recurso de revocación exclusivo de fondo como prueba documental el dictamen pericial, la autoridad administrativa que resolverá el recurso tendrá la más amplia facultad para valorar no sólo la idoneidad y el alcance del referido dictamen exhibido, sino también la idoneidad del perito emisor, pudiendo citar al mismo a fin de que en audiencia especial, misma que se desahogará en forma oral, responda las dudas o los cuestionamientos que se le formulen, para ello el perito será citado con un plazo mínimo de cinco días anteriores a la fecha fijada para la audiencia.

En el desahogo de la audiencia respectiva podrá acudir, tanto el promovente como la autoridad emisora de la resolución impugnada, para efectos de ampliar el cuestionario respectivo o en el caso de la autoridad, formular repreguntas.

De conformidad con el artículo 130, cuarto párrafo del CFF, la autoridad que emitirá la resolución al recurso de revocación exclusivo de fondo, podrá para tener un mejor conocimiento de los hechos controvertidos, ordenar el desahogo de otra prueba pericial a cargo de un perito distinto y la valoración de ambos dictámenes periciales atenderá únicamente a razones técnicas referentes al área de especialidad de los peritos.

9.13.5. Resolución

La resolución podrá confirmar el acto, dejar sin efectos la resolución recurrida, modificarla u ordenar el dictado de una nueva que lo sustituya.

La resolución, será favorable al promovente cuando:

1. Los hechos u omisiones que dieron origen a la controversia no se produjeron;

2. Los hechos u omisiones que dieron origen a la controversia fueron apreciados por la autoridad en forma indebida;

3. Las normas involucradas fueron incorrectamente interpretadas o mal aplicadas en el acto impugnado, o

4. Los efectos atribuidos por la autoridad emisora al incumplimiento total, parcial o extemporáneo, de requisitos formales o de procedimiento a cargo del contribuyente resulten excesivos o desproporcionados por no haberse producido las hipótesis de causación de las contribuciones determinadas.

El recurso de revocación de fondo, entró en vigor el 28 de febrero de 2017.

Esta opción para presentar el Recurso de Revocación, en esta modalidad también constituye un avance en nuestro modelo administrativo-fiscal, ya que supone una forma sustancial para resolver un asunto en sede adminsitrativa, al permitir el planteamiento única y exclusivamente de agravios de fondo, además de ser más ágil esta manera de solución de controversias, incluyendo una audiencia (que no existe en el Recurso tradicional) y una prueba pericial, con reglas distintas.

9.14. VENTAJAS DE LA INTERPOSICIÓN DEL RECURSO DE REVOCACIÓN PREVIO AL JUICIO DE NULIDAD

1. En caso de que se interponga Recurso de Revocación, el contribuyente no deberá garantizar el interés fiscal, hasta en tanto la autoridad no resuelva dicho recurso, tal y como lo dispone el segundo párrafo del artículo 144 del CFF, mismo que a la letra dispone:

> *Artículo 144.-*
> *"(…)*
> **Cuando el contribuyente hubiere interpuesto en tiempo y forma el recurso de revocación previsto en este Código,** *los recursos de inconformidad previstos en los artículos 294 de la Ley del Seguro Social y 52 de la Ley del Instituto del Fondo Nacional de la Vivienda para los Trabajadores o, en su caso, el procedimiento de resolución de controversias previsto en un tratado para evitar la doble tributación de los que México es parte,* **no estará obligado a exhibir la garantía correspondiente, sino en su caso, hasta que sea resuelto cualquiera de los medios de defensa señalados en el presente artículo.**
> *(…)"*
> (Énfasis añadido)

2. Si el asunto es muy claro y es una cuestión de hechos más que de Derecho, será mejor acudir al Recurso, ya que probablemente se obtenga de manera expedita una resolución favorable al contribuyente. Además de que en el Recurso de Revocación se podrán exhibir las pruebas que no se hayan aportado o exhibido dentro de las facultades de comprobación. Lo anterior, atento a la jurisprudencia que establece la imposibilidad de exhibir pruebas (documentos) en juicio de nulidad que —estando en condiciones de hacerlo— no se hayan exhibido dentro de la parte oficiosa. En la inteligencia de que al estar en Recurso de Revocación, todavía nos encontramos dentro de la parte oficiosa.

3. Si el asunto está perdido o muy complicado, y el contribuyente tiene la expectativa de que la autoridad al resolver el recurso se equivoque y cambie la *litis*, y en ese supuesto se amplíen sus posibilidades de defensa.

4. Cuando una parte de la resolución es muy clara y el contribuyente sabe que la puede ganar a través del recurso, y de esa forma evita garantizar la totalidad del crédito y tener una contingencia mayor.

5. Para ganar tiempo y llevar el asunto lo más lento posible.

6. La posibilidad de presentar un recurso irregular: Sin agravios; a diferencia de una Demanda de Nulidad tradicional, que desde la presentación debe contener conceptos de impugnación, so pena de ser desechada.

7. Si ya venció el término para impugnar la resolución mediante Recurso de Revocación y/o Juicio de Nulidad, se puede interponer Recurso de Revocación; y si en 3 meses no lo resuelve la autoridad, el contribuyente puede promover Demanda de Nulidad confirmativa ficta y la autoridad en su contestación no podrá hacer valer cuestiones de tipo procesal, de procedencia, como el plazo, la personalidad, etc.

Lo anterior se corrobora con las siguientes tesis de jurisprudencia, relativas al juicio contencioso federal y local:

"No. Registro: 173,738
Jurisprudencia
Materia(s):Administrativa
Novena Época
Instancia: Segunda Sala
Fuente: Semanario Judicial de la Federación y su Gaceta
Tomo: XXIV, diciembre de 2006
Tesis: 2a./J. 165/2006
Página: 202
NEGATIVA FICTA. EL TRIBUNAL FEDERAL DE JUSTICIA FISCAL Y ADMINISTRATI-VA NO PUEDE APOYARSE EN CAUSAS DE IMPROCEDENCIA PARA RESOLVERLA.- En virtud de que la litis propuesta al Tribunal Federal de Justicia Fiscal y Administrativa con motivo de la interposición del medio de defensa contra la negativa ficta a que se refiere el artículo 37 del Código Fiscal de la Federación, se centra en el tema de fondo relativo a la petición del particular y a su denegación tácita por parte de la autoridad, se concluye que al resolver, el mencionado Tribunal no puede atender a cuestiones procesales para desechar ese medio de defensa, sino que debe examinar los temas de fondo sobre los que versa la negativa ficta para declarar su validez o invalidez.
Contradicción de tesis 91/2006-SS. Entre las sustentadas por el Segundo Tribunal Colegiado en Materia Civil del Tercer Circuito y el Tercer Tribunal Colegiado en Materia Administrativa del Primer Circuito. 27 de octubre de 2006. Mayoría de tres votos. Ausente: Juan Díaz Romero. Disidente: Genaro David Góngora Pimentel. Ponente: Sergio Salvador Aguirre Anguiano. Secretario: Eduardo Delgado Durán.
Tesis de jurisprudencia 165/2006. Aprobada por la Segunda Sala de este Alto Tribunal, en sesión privada del veintidós de noviembre de dos mil seis."
(TMX 132236)

"No. Registro: 173,737
Jurisprudencia
Materia(s):Administrativa
Novena Época
Instancia: Segunda Sala
Fuente: Semanario Judicial de la Federación y su Gaceta
Tomo: XXIV, diciembre de 2006
Tesis: 2a./J. 166/2006
Página: 203
NEGATIVA FICTA. LA AUTORIDAD, AL CONTESTAR LA DEMANDA DE NULIDAD, NO PUEDE PLANTEAR ASPECTOS PROCESALES PARA SUSTENTAR SU RESOLU-CIÓN.- El artículo 37, primer párrafo, del Código Fiscal de la Federación establece la figura jurídica de la negativa ficta, conforme a la cual el silencio de la autoridad ante una instancia o petición formulada por el contribuyente, extendido durante un plazo ininte-

*rrumpido de 3 meses, genera la presunción legal de que resolvió de manera negativa, es decir, contra los intereses del peticionario, circunstancia que provoca el derecho procesal a interponer los medios de defensa pertinentes contra esa negativa tácita o bien, a esperar a que la autoridad dicte la resolución respectiva; de ahí que el referido numeral prevé una ficción legal, en virtud de la cual la falta de resolución por el silencio de la autoridad produce la desestimación del fondo de las pretensiones del particular, lo que se traduce necesariamente en una denegación tácita del contenido material de su petición. Por otra parte, uno de los propósitos esenciales de la configuración de la negativa ficta se refiere a la determinación de la litis sobre la que versará el Juicio de Nulidad respectivo del que habrá de conocer el Tribunal Federal de Justicia Fiscal y Administrativa, la cual no puede referirse sino a la materia de fondo de lo pretendido expresamente por el particular y lo negado fíctamente por la autoridad, con el objeto de garantizar al contribuyente la definición de su petición y una protección más eficaz respecto de los problemas controvertidos a pesar del silencio de la autoridad. En ese tenor, se concluye que al contestar la demanda que se instaure contra la resolución negativa ficta, la autoridad solo podrá exponer como razones para justificar su resolución las relacionadas con el fondo del asunto, esto es, no podrá fundarla en situaciones procesales que impidan el conocimiento de fondo, como serían la falta de personalidad o **la extemporaneidad del recurso o de la instancia**, toda vez que, al igual que el particular pierde el derecho, por su negligencia, para que se resuelva el fondo del asunto (cuando no promueve debidamente), también precluye el de la autoridad para desechar la instancia o el recurso por esas u otras situaciones procesales que no sustentó en el plazo legal.*

Contradicción de tesis 91/2006-SS. Entre las sustentadas por el Segundo Tribunal Colegiado en Materia Civil del Tercer Circuito y el Tercer Tribunal Colegiado en Materia Administrativa del Primer Circuito. 27 de octubre de 2006. Mayoría de tres votos. Ausente: Juan Díaz Romero. Disidente: Genaro David Góngora Pimentel. Ponente: Sergio Salvador Aguirre Anguiano. Secretario: Eduardo Delgado Durán.

Tesis de jurisprudencia 166/2006. Aprobada por la Segunda Sala de este Alto Tribunal, en sesión privada del veintidós de noviembre de dos mil seis."

(TMX 45731)

"Época: Décima Época
Registro: 2006907
Instancia: Tribunales Colegiados de Circuito
Tipo de Tesis: Aislada
Fuente: Gaceta del Semanario Judicial de la Federación
Libro 8, julio de 2014, Tomo II
Materia(s): Administrativa
Tesis: I.8o.A.70 A (10a.)
Página: 1118

CONFIRMATIVA FICTA. NO ESTÁ SUJETA, PARA EFECTOS DE LA PRESENTACIÓN DE LA DEMANDA DE NULIDAD EN SU CONTRA, A LOS PLAZOS PREVISTOS EN EL ARTÍCULO 73 DE LA LEY ORGÁNICA DEL TRIBUNAL DE LO CONTENCIOSO ADMINISTRATIVO DEL DISTRITO FEDERAL.

Una vez actualizada la confirmativa ficta, otorga al justiciable la posibilidad de impugnarla en cualquier tiempo; de ahí que no está sujeta, para efectos de la presentación de la demanda de nulidad en su contra, a los plazos previstos en el artículo 73 de la Ley Orgánica del Tribunal de lo Contencioso Administrativo del Distrito Federal pues, precisamente, genera el nacimiento del derecho a la interposición de los medios de defensa pertinentes, a fin de que dicho tribunal se pronuncie respecto de su validez.

OCTAVO TRIBUNAL COLEGIADO EN MATERIA ADMINISTRATIVA DEL PRIMER CIRCUITO.
Amparo directo 1113/2013. Alfonso San Juan Castillo. 4 de diciembre de 2013. Unanimidad de votos. Ponente: Ma. Gabriela Rolón Montaño. Secretaria: Nancy Michelle Álvarez Díaz Barriga.
Esta tesis se publicó el viernes 04 de julio de 2014 a las 08:05 horas en el Semanario Judicial de la Federación."
(TMX 337866)

9.15. CUMPLIMIENTO DE LAS RESOLUCIONES DICTADAS EN UN RECURSO DE REVOCACIÓN

Si la resolución ordena realizar un determinado acto (*v.gr.* emitir una nueva resolución fundada y/o motivada) o iniciar la reposición del procedimiento y en consecuencia emitir y notificar una nueva resolución, deberá cumplirse en un plazo de 4 meses, contados a partir de la fecha en que dicha resolución se encuentre firme, aún cuando hayan transcurrido los plazos que señalan los artículos 46-A (plazo para concluir las visitas domiciliarias) y 67 (extinción de las facultades del fisco —*caducidad*—) del Código Fiscal de la Federación.

Si la resolución del Recurso de Revocación perjudica al recurrente, se puede acudir al juicio contencioso administrativo federal, y no será aplicable este artículo.

Por otro lado, cabe mencionar que hasta el 28 de junio de 2006, el artículo 133-A del Código Fiscal de la Federación, establecía la misma consecuencia que el artículo 52 de la LFPCA, esto es, mencionaba en la parte conducente, lo siguiente:

> *"Transcurrido dicho plazo sin dictar la resolución definitiva, la autoridad no podrá reiniciar un procedimiento o dictar una nueva resolución sobre los mismos hechos que dieron lugar a la resolución impugnada en el recurso, salvo en los casos en los que el particular, con motivo de la resolución al recurso, tenga derecho a una resolución definitiva que le confiera una prestación, le confirme un derecho o le abra la posibilidad de obtenerlo."*

Es preciso mencionar, que dicho precepto estaba perfectamente regulado y no dejaba lugar a dudas, sin embargo a partir del 29 de junio de 2006, dicho párrafo se derogó, increíblemente.

Pero a partir de 2007 ya está otra vez bien regulado en su inciso b) fracción I que establece que la resolución en cumplimiento no puede dictarse después de haber transcurrido los 4 meses.

Para una mayor claridad, transcribiremos el artículo 133-A del CFF, que a la letra dispone:

"Artículo 133-A. Las autoridades fiscales que hayan emitido los actos o resoluciones recurridas, y cualesquiera otra autoridad relacionada, están obligadas a cumplir las resoluciones dictadas en el recurso de revocación, conforme a lo siguiente:

I. Cuando se deje sin efectos el acto o la resolución recurrida por un vicio de forma, éstos se pueden reponer subsanando el vicio que produjo su revocación. Si se revoca por vicios del procedimiento, éste se puede reanudar reponiendo el acto viciado y a partir del mismo.

a) Si tiene su causa en un vicio de forma de la resolución impugnada, ésta se puede reponer subsanando el vicio que produjo su revocación; en el caso de revocación por vicios de procedimiento, éste se puede reanudar reponiendo el acto viciado y a partir del mismo.

En ambos casos, la autoridad que deba cumplir la resolución firme cuenta con un plazo de cuatro meses para reponer el procedimiento y dictar una nueva resolución definitiva, aun cuando hayan transcurrido los plazos señalados en los artículos 46-A y 67 de este Código.

En el caso previsto en el párrafo anterior, cuando sea necesario realizar un acto de autoridad en el extranjero o solicitar información a terceros para corroborar datos relacionados con las operaciones efectuadas con los contribuyentes, en el plazo de tres meses no se contará el tiempo transcurrido entre la petición de la información o de la realización del acto correspondiente y aquél en el que se proporcione dicha información o se realice el acto. Igualmente, cuando en la reposición del procedimiento se presente alguno de los supuestos de suspensión a que se refiere el artículo 46-A de este Código, tampoco se contará dentro del plazo de tres meses el periodo por el que se suspende el plazo para concluir las visitas domiciliarias o las revisiones de gabinete, previsto en dicho precepto, según corresponda, sin que dicho plazo pueda exceder de 5 años contados a partir de que se haya emitido la resolución.

Si la autoridad tiene facultades discrecionales para iniciar el procedimiento o para dictar un nuevo acto o resolución en relación con dicho procedimiento, podrá abstenerse de reponerlo, siempre que no afecte al particular que obtuvo la revocación del acto o resolución impugnada.

Los efectos que establece esta fracción se producirán sin que sea necesario que la resolución del recurso lo establezca, aun cuando la misma revoque el acto o resolución impugnada sin señalar efectos.

b) Cuando la resolución impugnada esté viciada en cuanto al fondo, la autoridad no podrá dictar una nueva resolución sobre los mismos hechos, salvo que la resolución le señale efectos que le permitan volver a dictar el acto. En ningún caso el nuevo acto administrativo puede perjudicar más al actor que la resolución impugnada ni puede dictarse después de haber transcurrido cuatro meses, aplicando en lo conducente lo establecido en el segundo párrafo siguiente al inciso a) que antecede.

Para los efectos de este inciso, no se entenderá que el perjuicio se incrementa cuando se trate de recursos en contra de resoluciones que determinen obligaciones de pago que se aumenten con actualización por el simple transcurso del tiempo y con motivo de los cambios de precios en el país o con alguna tasa de interés o recargos.

Cuando se interponga un medio de impugnación, se suspenderá el efecto de la resolución hasta que se dicte la sentencia que ponga fin a la controversia.

Los plazos para cumplimiento de la resolución que establece este artículo, empezarán a correr a partir del día hábil siguiente a aquél en el que haya quedado firme la resolución para el obligado a cumplirla.

I. Cuando se deje sin efectos el acto o la resolución recurrida por vicios de fondo, la autoridad no podrá dictar un nuevo acto o resolución sobre los mismos hechos, salvo que la resolución le señale efectos que le permitan volver a dictar el acto o una nueva resolución. En ningún caso el nuevo acto o resolución administrativa puede perjudicar más al actor que el acto o la resolución recurrida.

Para los efectos de esta fracción, no se entenderá que el perjuicio se incrementa cuando se trate de recursos en contra de resoluciones que determinen obligaciones de pago que se aumenten con actualización por el simple transcurso del tiempo y con motivo de los cambios de precios en el país o con alguna tasa de interés o recargos.

Cuando se interponga un medio de impugnación, se suspenderá el efecto de la resolución recaída al recurso hasta que se dicte la sentencia que ponga fin a la controversia. Asimismo, se suspenderá el plazo para dar cumplimiento a la resolución cuando el contribuyente desocupe su domicilio fiscal sin haber presentado el aviso de cambio correspondiente o cuando no se le localice en el que haya señalado, hasta que se le localice.

Los plazos para cumplimiento de la resolución que establece este artículo empezarán a correr a partir de que hayan transcurrido los treinta días para impugnarla, salvo que el contribuyente demuestre haber interpuesto medio de defensa."

Resulta muy importante para la autoridad cumplir cabalmente con el artículo que ha quedado transcrito, ya que puede darse el caso de que un contribuyente haya ganado solamente de manera parcial, o de forma un asunto, y la autoridad deba indefectiblemente emitir una resolución en cumplimiento y no lo lleve a cabo dentro del plazo establecido en dicho numeral (4 meses) luego, todo el crédito fiscal podría quedar revocado.

Es importante comentar que a pesar de los graves errores de redacción que tiene el numeral que ha quedado transcrito (repeticiones innecesarias), establece un mecanismo que dota de seguridad jurídica a los gobernados, en tratándose de las resoluciones que debe emitir y notificar la autoridad fiscal en cumplimiento a resoluciones recaídas en recurso de revocación.

9.16. MODIFICACIONES AL RECURSO DE REVOCACIÓN EN LA REFORMA DE DICIEMBRE DE 2013

Tal y como se ha expuesto a lo largo del presente libro, el 9 de diciembre de 2013, fue publicado en el Diario Oficial de la Federación el decreto que reformó diversos artículos del CFF, mismo que modificó y derogó diversos artículos relativos al Recurso de Revocación, reduciendo así cada vez más los derechos de los particulares frente al fisco y dotando a éste de más herramientas, haciendo cada día más cuestionable su actuar.

Así, a partir de la entrada en vigor de las diferentes disposiciones contenidas en dicha reforma, existen diversos cambios al recurso de revocación, mismos que a pesar de haber sido mencionados, se enlistan de nueva cuenta, a saber:

– Se reduce el plazo para su presentación, de 45 a 30 días hábiles.

- El recurso solo podrá ser presentado a través del Buzón Tributario y ya no a través de Correos Mexicanos, ni de manera material en Oficialía de Partes.

- Se derogó el artículo 129 del CFF, mismo que tutelaba el procedimiento de impugnación de notificaciones.

- Se reduce de un mes a 15 días el plazo para anunciar pruebas adicionales y se tienen 15 días más para exhibirlas, en lugar de 30.

Con el estudio de este tema, damos por concluido lo relativo al procedimiento oficioso, y de aquí en adelante entraremos al análisis del procedimiento contencioso administrativo federal.

Cuadro 2
Recurso de Revocación (Art. 116 CFF)

El silencio de la autoridad confirma la resolución impugnada

Presentación de recurso en contra de resoluciones definitivas que determinen contribuciones, nieguen devoluciones o causen agravio en materia fiscal, se presenta dentro de los 30 días siguientes a aquél en que haya surtido efectos su notificación. → La autoridad admite, desecha o previene → Presentación de Pruebas (Todas salvo testimonial y confesión autoridades) → Resolución en tres meses

Se pueden anunciar pruebas en quince días y exhibir durante los quince días siguientes

La resolución que ponga fin al recurso podrá:

1. Desecharlo por improcedente
2. Confirmar acto impugnado
3. Reponer procedimiento
4. Dejar sin efecto acto impugnado
5. Modificar acto impugnado o dictar resolución que lo sustituya.

Cumplimiento por parte de la autoridad que haya emitido el acto (en caso de que la resolución sea para algún efecto)

10. JUICIO CONTENCIOSO ADMINISTRATIVO FEDERAL

El juicio contencioso administrativo federal constituye un mecanismo para garantizar que los gobernados y los órganos de la Administración Pública Federal pongan a consideración de un ente independiente e imparcial, perteneciente al Poder Ejecutivo (Tribunal Federal de Justicia Administrativa), la resolución objeto de la controversia fiscal o administrativa, quien se pronunciará sobre la legalidad e incluso constitucionalidad (de ser el caso) del acto o resolución administrativa impugnada.

10.1. ANTECEDENTES DE LA LEY FEDERAL DE PROCEDIMIENTO CONTENCIOSO ADMINISTRATIVO

1. La Ley de Justicia Fiscal, publicada en el Diario Oficial de la Federación, el 31 de agosto de 1936, entrando en vigor el 1º de enero 1937.

2. El CFF de 1938.

3. El CFF de 1967.

4. El CFF de 1981.

5. La Ley Federal de Procedimiento Contencioso Administrativo, de 2006.

El 27 de agosto de 1936 fue promulgada la Ley de Justicia Fiscal, misma que entró en vigor el 1º de enero de 1937, y con ella inician las actividades del entonces Tribunal Fiscal de la Federación. Conforme a lo dispuesto por esta Ley, el Tribunal estaba integrado por 15 magistrados que podían actuar en Pleno o a través de cinco Salas; las cuales estaban formadas por tres magistrados cada una. La competencia que les asignó el legislador era en materia estrictamente fiscal, conociendo de las controversias que se suscitaban de actos o resoluciones emitidas por autoridades fiscales.

Un año después de haber entrado en vigor la Ley de Justicia Fiscal, fue derogada por el Código Fiscal de la Federación de 1938, conservando igual competencia para el Tribunal, misma que a través de leyes especiales se fue ampliando. Así, en el año de 1942, la Ley de Depuración de Créditos otorga competencia para conocer de esta materia a cargo del Gobierno Federal.

De igual manera, la competencia del Tribunal también se amplía al conocer sobre la legalidad de los requerimientos de pago realizados por la Secretaría de Hacienda y Crédito Público; exigir fianzas otorgadas a favor del Gobierno Federal; conocer las controversias que surgían por las resoluciones emitidas por el Instituto Mexicano del Seguro Social; sobre las resoluciones fiscales emitidas por el Departamento del Distrito Federal; respecto a las aportaciones que los patrones están obligados a efectuar para el establecimiento de las Escuelas (Artículo 123); de controversias en materia de pensiones militares; de las controversias que surjan por las aportaciones que deben hacer los patrones conforme a la Ley del Instituto del Fondo Nacional de la Vivienda para los Trabajadores; respecto a la interpretación de contratos de obra pública; sobre resoluciones que fincan responsabilidades en contra de funcionarios o empleados de la Federación o del Departamento del Distrito Federal; en materia de multas por infracciones a las leyes federales o del Distrito Federal; y, en materia de pensiones civiles con cargo al Erario Federal o al Instituto de Seguridad y Servicios Sociales para los Trabajadores del Estado.

Para el año de 1946, se crean dos Salas más, que aumenta el número de magistrados a veintiuno.

Posteriormente, en el año de 1967 se expide una nueva Ley Orgánica del Tribunal Fiscal de la Federación, en la que se previeron los aspectos orgánicos del propio Tribunal, incrementándose a veintidós magistrados, integrando las siete Salas que ya existían, más el Presidente que no integraría Sala, asimismo se establecían las normas relativas a la competencia que tenían asignada, conservando el Código las correspondientes al procedimiento. Se introduce el concepto de Organismos Fiscales Autónomos y se otorga al Tribunal, facultades para conocer de los juicios de lesividad.

A esta ley la sustituye una nueva que se expide con el mismo nombre en el año de 1978 y en la que se prevé la Regionalización del Tribunal, creándose las Salas Regionales y la Sala Superior, precisándose la competencia de ambas, la diferencia era fundamentalmente respecto a la cuantía del asunto; asimismo se prevé el recurso de revisión, con el que se otorga a la Sala Superior facultades para revisar las sentencias dictadas por las Salas Regionales.

Es en 1983 cuando se expide un nuevo Código Fiscal, conservando básicamente las normas procesales en los mismos términos. Después se incluyen en este ordenamiento las disposiciones relativas a la queja, para lograr el adecuado cumplimiento de las sentencias.

Posteriormente en el año de 1988, se modifica el Código Fiscal de la Federación y la Ley Orgánica del Tribunal, con el objeto de promover la simplificación administrativa, y se suprime la competencia que hasta ese entonces otorgaba la Ley para que la Sala Superior revisara las resoluciones de las Salas Regionales a través del recurso de revisión.

En los años siguientes, aparecen diversas leyes que otorgan competencia al Tribunal. En materia de comercio exterior, para conocer en juicio de las resoluciones recaídas respecto al Recurso de Revocación previsto en la Ley de la materia, así como de las resoluciones recaídas al recurso de revisión que contempla la Ley Federal de Procedimiento Administrativo.

Para 1996 entra en vigor la Ley Orgánica del Tribunal Fiscal de la Federación, conservando su nombre y la competencia, pero modificando la integración de la Sala Superior de nueve magistrados a once, así como su forma de operación a través de Pleno o Secciones. Estas últimas conforme a la Ley son dos y se integran cada una con cinco magistrados.

Así, es a finales del año 2000 cuando el Congreso de la Unión aprueba las reformas en materias trascendentales para el Tribunal, como son: en primer lugar el cambio de nombre de la Ley Orgánica y del nombre de la Institución, por el de Tribunal Federal de Justicia Fiscal y Administrativa, reflejando con ello la competencia que a través de los casi 65 años de existencia se le ha ido asignado, así como la que adicionalmente el propio Decreto de reformas le otorga señalando competencia para conocer de los juicios que se promuevan contra las resoluciones dictadas por las autoridades que pongan fin a un procedimiento administrativo, a una instancia o resuelvan un expediente en los términos de la Ley Federal de Procedimiento Administrativo. Asimismo se le proporcionan facultades al Pleno para determinar las regiones y el número y sede de las Salas, así como la forma de integrar jurisprudencia al resolver contradicciones de las resoluciones de las Secciones o de las Salas Regionales.

El actual procedimiento previsto en la Ley Federal de Procedimiento Contencioso Administrativo tiene su base en el Título VI del Código Fiscal de la Federación, al cual se le hicieron las adecuaciones que se estimaron pertinentes para establecer un nuevo procedimiento, que sea "ágil, seguro y transparente".

Esta última ley citada, fue publicada en el Diario Oficial de la Federación el 1° de diciembre de 2005 y entró en vigor a partir del 1° de enero de 2006, derogando el Título VI del Código Tributario Federal, que regulaba lo relativo al juicio contencioso administrativo federal.

Esta ley a partir de su entrada en vigor, reguló juicios cuyo escrito inicial de demanda hubiera sido presentado con posterioridad al 31 de diciembre de 2005. Los anteriores juicios siguieron rigiéndose por el Código Fiscal de la Federación.

En razón de la evolución del Tribunal Federal de Justicia Administrativa, también han cambiado algunas de sus facultades, por ejemplo: desde la promulgación de la Ley de Justicia Fiscal el 27 de agosto de 1936, en vigor el 1° de enero de 1937, con que fue creado el Tribunal Fiscal de la Federación, sus sentencias tenían fuerza de cosa juzgada, esto es, eran definitivas e inapelables, según el artículo 57 de ese ordenamiento, que decía:

"Artículo 57. Los fallos del Tribunal Fiscal de la Federación tendrán fuerza de cosa juzgada. Se fundarán en ley y examinarán todos y cada uno de los puntos controvertidos. En sus puntos resolutivos expresarán con claridad los actos o procedimientos cuya nulidad se declare o cuya validez se reconozca."

En razón de lo anterior, podemos denotar que sus resoluciones tenían el carácter de cosa juzgada, pero a través de una reforma constitucional se creó el recurso de revisión.

El 30 de diciembre de 1946, se publicó en el Diario Oficial de la Federación una reforma al artículo 104, fracción I Constitucional, creándose el recurso de revisión ante la Suprema Corte de Justicia de la Nación. Una diversa reforma a ese precepto, publicada en el Diario Oficial de la Federación el 10 de agosto de 1987, adicionó su fracción I-B, estableciendo que serían los Tribunales Colegiados de Circuito los que conocerían de los recursos de revisión interpuestos en contra de resoluciones definitivas de los tribunales de lo contencioso administrativo.

En la actualidad, de conformidad con lo dispuesto por el artículo 104, fracción III, de la Constitución Política de los Estados Unidos Mexicanos, corresponde a los Tribunales de la Federación conocer de los recursos de revisión que se interpongan contra resoluciones definitivas de los Tribunales de lo Contencioso Administrativo, a que se refieren la fracción XXIX-H del artículo 73, la BASE PRIMERA, fracción V, inciso n) y BASE QUINTA del artículo 122 de esta Constitución, pero solo en aquellos casos en que así lo dispongan las leyes y conforme a los procedimientos que establezca la Ley de Amparo en relación con la revisión en amparo indirecto, sin que en contra de dichas resoluciones proceda juicio o recurso alguno.

La parte conducente de dicho numeral, señala:

Artículo 104. Los Tribunales de la Federación conocerán:
(…)
De los recursos de revisión que se interpongan contra las resoluciones definitivas de los tribunales de justicia administrativa a que se refieren la fracción XXIX-H del artículo 73 y la BASE PRIMERA, fracción V, inciso n) y BASE QUINTA del artículo 122 de esta Constitución, sólo en los casos que señalen las leyes. Las revisiones, de las cuales conocerán los Tribunales Colegiados de Circuito, se sujetarán a los trámites que la ley reglamentaria de los artículos 103 y 107 de esta Constitución fije para la revisión en amparo indirecto, y en contra de las resoluciones que en ellas dicten los Tribunales Colegiados de Circuito no procederá juicio o recurso alguno;
(…)

En relación con el Tribunal Federal de Justicia Fiscal y Administrativa, todavía hasta el año 2006 se consideraba al recurso de revisión como de naturaleza excepcional, pues solo podían promoverlo las autoridades en determinados supuestos y cumpliendo con ciertos requisitos, prueba de ello es la jurisprudencia número

2a./J.205/2004, sustentada por la Segunda Sala de la Suprema Corte de Justicia de la Nación, cuyo rubro dispone:

"REVISIÓN FISCAL. DADA SU NATURALEZA EXCEPCIONAL, ES IMPROCEDENTE CONTRA LAS RESOLUCIONES DICTADAS POR EL PLENO O LAS SECCIONES DE LA SALA SUPERIOR DEL TRIBUNAL FEDERAL DE JUSTICIA FISCAL Y ADMINISTRATIVA EN EJERCICIO DE SU COMPETENCIA ORIGINARIA."
(TMX 131680)

Por otro lado, y en concordancia con lo anterior, el 27 de diciembre de 2006, se publicó en el Diario Oficial de la Federación una reforma al artículo 63 de la Ley Federal de Procedimiento Contencioso Administrativo, según la cual, las resoluciones que concluyan juicios o procedimientos en todas las materias, pueden impugnarse por la autoridad ante los Tribunales Colegiados de Circuito, con lo cual se impide que el Tribunal Federal de Justicia Administrativa sea una etapa terminal.

Posteriormente, a través de publicaciones en el Diario Oficial de la Federación de fechas 12 de junio de 2009 y 10 de diciembre de 2010, se introdujo al sistema de impartición de justicia en materia fiscal y administrativa federal, el juicio en línea y el juicio sumario respectivamente.

De esta manera, a partir de tales implementaciones, resultaba posible tramitar el Juicio de Nulidad ante el entonces Tribunal Federal de Justicia Fiscal y Administrativa de tres formas distintas: Vía Ordinaria o Tradicional, Vía Sumaria o a través del Juicio en Línea.

El 18 de julio de 2016, fue publicada otra reforma a la Ley Orgánica del Tribunal, en el que cambió de nueva cuenta de denominación, para quedar como Tribunal Federal de Justicia Administrativa.

En dicho ordenamiento, se establece que este Tribunal formará parte del Sistema Nacional Anticorrupción.

Estará integrado por la Sala Superior, la Junta de Gobierno y Administración, y las Salas Regionales.

La Sala Superior se integra por 16 Magistrados. Funciona en un Pleno General, en Pleno Jurisdiccional, y en tres Secciones.

De los 16 Magistrados, 14 ejercerán funciones jurisdiccionales, uno de los cuales será el Presidente y los otros dos, formarán parte de la Junta de Gobierno y Asministración.

Las sesiones son públicas, salvo que la propia Ley, disponga algo en contrario.

En materia de Responsabilidades Administrativas, las Salas Especializadas en esta materia, analizarán la parte que antes les correspondía a las propias autoridades administrativas (Auditoría Superior de la Federación y Órganos Internos de Control) en primera instancia y la Sala Superior conocerá del recurso de apelación en dicha materia.

Habrá Salas Regionales: Ordinarias, Auxiliares, Especializadas y Mixtas.

A partir de dicha reforma, el término para la interposición de la demanda de nulidad será de 30 días hábiles, en lugar de 45, y existe la posibilidad de tramitar el juicio de cuatro formas distintas, a saber: Vía Ordinaria o Tradicional, Vía Sumaria, Juicio en Línea o Juicio de Resolución Exclusiva de Fondo.

10.2. COMPOSICIÓN DEL TFJA

En términos del artículo 7 de la Ley Orgánica del TFJA, el Tribunal se integra de la siguiente forma:

a) Sala Superior.- Actúa en Pleno General, Jurisdiccional y en tres Secciones y se compone de 16 Magistrados, de los cuales catorce ejercen funciones jurisdiccionales y dos forman parte de la Junta de Gobierno y Administración. Funcionan en un Pleno General y en uno Jurisdiccional.

b) Salas Regionales.- En principio conocen de los supuestos señalados en los artículos 14 y 15 de la Ley Orgánica del TFJA. Conocen de los juicios en razón de territorio[34], atendiendo al domicilio del actor. De conformidad con el artículo 28 de la LOTFJA, serán ordinarias, auxiliares, especializadas y mixtas.

c) Junta de Gobierno y Administración.- Es el órgano del tribunal que tiene a su cargo la administración, vigilancia, disciplina y carrera judicial, y tiene autonomía técnica y de gestión.

De igual forma, dicha ley contempla la existencia de Salas Especializadas, mismas que conocen de materias específicas, tales como Juicio en Línea, Propiedad Intelectual, Resoluciones de Órganos Reguladores de la Actividad el Estado, Comercio Exterior, Responsabilidades Administrativas (estas últimas dos, se crearon a finales de 2014).

---

[34]   Con excepción a lo dispuesto en el artículo 34 de la Ley Orgánica del TFJFA.

Cuadro 3
Tribunal Federal de Justicia Administrativa

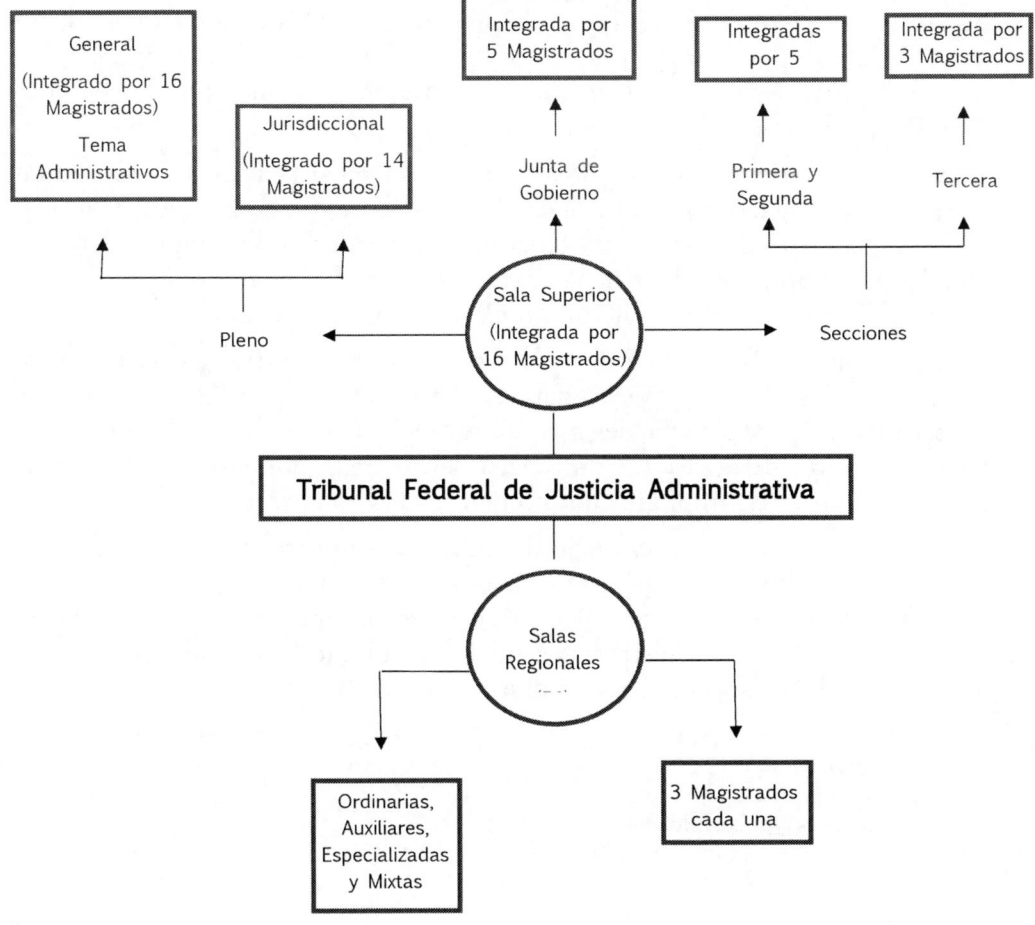

10.3. APLICACIÓN SUPLETORIA

Será de aplicación supletoria a la Ley Federal de Procedimiento Contencioso Administrativo, el Código Federal de Procedimientos Civiles, siempre que las disposiciones de este último no contravengan las que regulan al juicio contencioso administrativo federal.

10.4. PRINCIPIO DE LITIS ABIERTA

El Principio de litis abierta, que permite incluir conceptos de impugnación novedosos no planteados en el recurso de revocación, antes de la reforma de 15 diciembre de 1995 no existía, ya que se establecía el principio de litis cerrada que no permitía hacer valer conceptos novedosos, tampoco permitía hacer valer conceptos en contra de la resolución recurrida.

Sin embargo, actualmente cuando la resolución recaída a un recurso administrativo, no satisfaga el interés jurídico del recurrente, y éste la controvierta en el juicio contencioso administrativo federal, se entenderá que simultáneamente impugna la resolución recurrida en la parte que continúa afectándolo, pudiendo hacer valer conceptos de impugnación no planteados en el recurso.

Asimismo, cuando la resolución a un recurso administrativo declare por no interpuesto o lo deseche por improcedente, siempre que la Sala Regional competente determine la procedencia del mismo, el juicio contencioso administrativo procederá en contra de la resolución objeto del recurso, pudiendo en todo caso hacer valer conceptos de impugnación no planteados en el recurso.

Lo que ya no se permite en el juicio de nulidad, es aportar pruebas que —pudiéndolas haber exhibido en la Parte Oficiosa (ya sea dentro de una revisión o recurso de revocación)— no se hayan aportado y se pretenda hacerlo hasta el procedimiento contencioso administrativo o juicio de nulidad. Corrobora lo anterior, la siguiente tesis de jurisprudencia que dice a la letra:

Época: Décima Época
Registro: 2004012
Instancia: SEGUNDA SALA
*Tipo Tesis: **Jurisprudencia***
Fuente: Semanario Judicial de la Federación y su Gaceta
Localización: Libro XXII, julio de 2013, Tomo 1
Materia(s): Administrativa
Tesis: 2a./J. 73/2013 (10a.)
Pág. 917
[JJ]; 10a. Época; 2a. Sala; S.J.F. y su Gaceta; Libro XXII, julio de 2013, Tomo 1; Pág. 917
JUICIO CONTENCIOSO ADMINISTRATIVO. EL PRINCIPIO DE LITIS ABIERTA QUE LO RIGE, NO IMPLICA PARA EL ACTOR UNA NUEVA OPORTUNIDAD DE OFRECER LAS PRUEBAS QUE, CONFORME A LA LEY, DEBIÓ EXHIBIR EN EL PROCEDIMIENTO DE ORIGEN O EN EL RECURSO ADMINISTRATIVO PROCEDENTE, ESTANDO EN POSIBILIDAD LEGAL DE HACERLO [MODIFICACIÓN DE LA JURISPRUDENCIA 2a./J. 69/2001 (*)].
*Esta Segunda Sala de la Suprema Corte de Justicia de la Nación modifica la jurisprudencia referida, al considerar que el principio de litis abierta derivado del artículo 1o. de la Ley Federal de Procedimiento Contencioso Administrativo cobra aplicación únicamente cuando la resolución dictada en un procedimiento administrativo se impugna a través del recurso administrativo procedente, antes de acudir ante el Tribunal Federal de Justicia Fiscal y Administrativa, y se traduce en la posibilidad para el actor de formular conceptos de impugnación no expresados en el recurso, pero **tal prerrogativa no implica la oportunidad de***

exhibir en juicio los medios de prueba que, conforme a la ley, debió presentar en el procedimiento administrativo de origen o en el recurso administrativo respectivo para desvirtuar los hechos u omisiones advertidos por la autoridad administrativa, estando en posibilidad legal de hacerlo. *De haber sido esa la intención del legislador, así lo habría señalado expresamente, como lo hizo tratándose del recurso de revocación previsto en el Código Fiscal de la Federación en el que, por excepción, se concede al contribuyente el derecho de ofrecer las pruebas que por cualquier motivo no exhibió ante la autoridad fiscalizadora, para procurar la solución de las controversias fiscales en sede administrativa con la mayor celeridad posible y evitar su impugnación en sede jurisdiccional, esto porque la autoridad administrativa puede ejercer cualquiera de las acciones inherentes a sus facultades de comprobación y supervisión, como lo es, entre otras, solicitar información a terceros para compulsarla con la proporcionada por el recurrente o revisar los dictámenes emitidos por los contadores públicos autorizados, lo que supone contar con la competencia legal necesaria y los elementos humanos y materiales que son propios de la administración pública. Por tanto, tal prerrogativa no puede entenderse extendida al juicio contencioso administrativo, pues no sería jurídicamente válido declarar la nulidad de la resolución impugnada con base en el análisis de pruebas que el particular no presentó en el procedimiento de origen o en el recurso administrativo, estando obligado a ello y en posibilidad legal de hacerlo, como lo prescribe el artículo 16 de la Constitución Política de los Estados Unidos Mexicanos, al indicar que los gobernados deben conservar la documentación indispensable para demostrar el cumplimiento de las disposiciones fiscales y exhibirla cuando sea requerida por la autoridad administrativa en ejercicio de sus facultades de comprobación. Estimar lo contrario significaría sostener que el Tribunal Federal de Justicia Fiscal y Administrativa puede sustituirse en las facultades propias de la autoridad fiscal y declarar la nulidad de sus actos por causas atribuibles al particular.*

SEGUNDA SALA

Contradicción de tesis 528/2012. Entre las sustentadas por el Segundo Tribunal Colegiado en Materia Administrativa del Cuarto Circuito y el Segundo Tribunal Colegiado de Circuito del Centro Auxiliar de la Segunda Región, con residencia en San Andrés Cholula, Puebla. 13 de marzo de 2013. Mayoría de tres votos. Disidentes: Margarita Beatriz Luna Ramos y Sergio A. Valls Hernández. Ponente: Alberto Pérez Dayán. Secretaria: Georgina Laso de la Vega Romero.

Tesis de jurisprudencia 73/2013 (10a.). Aprobada por la Segunda Sala de este Alto Tribunal, en sesión privada del diecisiete de abril de dos mil trece.

Nota: La Segunda Sala, al resolver la CONTRADICCIÓN DE TESIS 528/2012. por mayoría de tres votos, determinó modificar el criterio sostenido por la propia Sala en la tesis de jurisprudencia 2a./J. 69/2001, de rubro: "CONTENCIOSO ADMINISTRATIVO. LAS PRUEBAS DEBEN ADMITIRSE EN EL JUICIO Y VALORARSE EN LA SENTENCIA, AUN CUANDO NO SE HUBIERAN OFRECIDO EN EL PROCEDIMIENTO.", que aparece publicada en el Semanario Judicial de la Federación y su Gaceta, Novena Época, Tomo XIV, diciembre de 2001, página 223.

10.5. IMPUGNACIÓN DE NORMAS GENERALES

A partir de la entrada en vigor de la Ley Federal de Procedimiento Contencioso Administrativo, se prevé la posibilidad de impugnar los actos administrativos, Decretos y Acuerdos de carácter general diversos a los Reglamentos, ya que estos últimos son susceptibles de impugnarse vía amparo indirecto.

En efecto, ahora a través de una demanda de nulidad se puede impugnar un decreto o acuerdo general de manera autoaplicativa, o bien, cuando el contribuyente sufra el primer acto de aplicación, mediante la emisión de una resolución administrativa en donde se le aplique dicho acuerdo o decreto, caso en el cual podrá impugnar tanto el acto administrativo como el Acuerdo General, en su caso.

Estos acuerdos generales pueden traducirse en la Resolución Miscelánea o en las Circulares que publica el Servicio de Administración Tributaria, recordando que solamente pueden otorgar derechos a los particulares y no obligaciones, sin embargo cuando no es así, esto será susceptible de impugnarse vía juicio de nulidad.

Las Normas Oficiales Mexicanas sí pueden impugnarse vía juicio de nulidad como reglas administrativas generales.

La Resolución Miscelánea es otra fuente formal del Derecho, dictada por una persona distinta al Ejecutivo, pero sujeta a los principios de primacía y reserva de ley.

10.6. JUICIO DE LESIVIDAD

Los fundamentos de esta institución los encontramos en los artículos 36 del CFF y en el último párrafo del artículo 2º de la LFPCA.

Estamos en el caso de que las autoridades de la Administración Pública Federal (anteriormente solo operaba para autoridades fiscales), tendrán acción para controvertir una resolución administrativa favorable a un particular cuando estime que es contraria a la ley.

En efecto, el juicio de lesividad tiene por objeto nulificar o modificar una resolución favorable emitida a favor de un particular, sea persona física o moral, por violentar el interés público.

Por eso se menciona que el Juicio de Nulidad es de ida y vuelta, ya que en este supuesto el particular actúa como demandado por excepción, y no como actor dentro del Juicio de Nulidad.

La autoridad puede modificar o anular una resolución favorable a un particular acudiendo al TFJA, ya que no lo puede hacer de *motu proprio*.

Sin embargo, las resoluciones favorables que la Administración Pública pretende nulificar o modificar, no se encuentran correctamente identificadas, esto es, no existe legislación o reglamentación que prevea cuáles son las resoluciones que podrán ser objeto de nulificación en el citado juicio.

En los últimos años han venido aumentando los casos de juicio de lesividad, cuestión que es muy delicada, ya que desde nuestro punto de vista, esta figura se traduce en una inseguridad jurídica institucionalizada e igualmente sugiero que sea abrogada, toda vez que las resoluciones favorables a los gobernados constituyen derechos adquiridos, no simples expectativas de derechos. De ahí lo grave del asunto.

Es preciso comentar que en los casos del juicio de lesividad, no se actualiza ninguna de las causales de nulidad previstas en el artículo 51 de la LFPCA, para anular una resolución de este tipo.

El artículo 36 del CFF utiliza el verbo "modificar", que desde nuestro punto de vista tiene efectos hacia el futuro, tal y como lo señala en su definición el Diccionario de la Real Academia Española:

> "(Del lat. modificāre).
> **1.** tr. Transformar o cambiar algo mudando alguno de sus accidentes.
> **2.** tr. Fil. Dar un nuevo modo de existir a la sustancia material. Se usa también en sentido moral.

En este orden de ideas, resulta delicado que el TFJA pueda ANULAR una resolución, actuando hacia el pasado.

Corrobora lo anterior el inciso b) de la fracción II del artículo 3º de la LFPCA, que a la letra dispone:

> ARTÍCULO 3o.- Son partes en el juicio contencioso administrativo:
> I. El demandante.
> **II. Los demandados. Tendrán ese carácter:**
> a) La autoridad que dictó la resolución impugnada.
> **b) El particular a quien favorezca la resolución cuya modificación o nulidad pida la autoridad administrativa.**
> c) El Jefe del Servicio de Administración Tributaria o el titular de la dependencia u organismo desconcentrado o descentralizado que sea parte en los juicios en que se controviertan resoluciones de autoridades federativas coordinadas, emitidas con fundamento en convenios o acuerdos en materia de coordinación, respecto de las materias de la competencia del Tribunal.
> Dentro del mismo plazo que corresponda a la autoridad demandada, la Secretaría de Hacienda y Crédito Público podrá apersonarse como parte en los juicios en que se controvierta el interés fiscal de la Federación.
> III. El tercero que tenga un derecho incompatible con la pretensión del demandante
> (Énfasis añadido)

Efectivamente al ser diferentes términos con consecuencias jurídicas distintas, la propia ley distingue entre modificar y anular, toda vez que modificar opera hacia el futuro y anular hacia el pasado con efectos retroactivos.

El origen del juicio de lesividad proviene de: Autorizaciones, Solicitudes de confirmación de criterios, Solicitudes de devolución y de RECURSOS DE REVOCACIÓN.

El que se pueda modificar una resolución a un Recurso de Revocación es gravísimo, porque se puede presentar el caso en el que la propia autoridad resuelva a favor del contribuyente y posteriormente modifique su parecer, sin que exista cosa juzgada[35].

Estimamos que en este supuesto, las causales de ilegalidad de la autoridad deben ser de fondo, esto es, no podrían ser de forma, de los actos de procedimiento que la propia autoridad llevó a cabo, alegando su propia torpeza.

La autoridad que tiene legitimación activa para promover el juicio, es la Jurídica de quien resolvió la consulta o la solicitud de devolución, con la aclaración de que el propio artículo 22 del CFF menciona que una devolución no constituye una resolución favorable, luego, en principio una autoridad no tendría que acudir al juicio de lesividad para revocar una devolución efectuada a un contribuyente.

Lo anterior, además de que debemos considerar que la promoción del juicio de lesividad es del todo discrecional, ya que la Administración Pública no tendrá que cubrir requisito alguno para promover el citado juicio.

En España también existe esta figura, pero con garantía de audiencia previa para el contribuyente, disponiendo que mientras esté el mismo funcionario, no debe haber cambio de criterio y que dicha resolución debe ser previamente declarada por la autoridad emisora como lesiva al interés público[36].

En el sistema jurídico español, la autoridad debe acreditar —previo al juicio— la lesión al interés público derivada de la emisión de la resolución favorable, en beneficio del particular. Esta acreditación del daño al interés público se manifiesta a través de la emisión de un acto administrativo denominado "declaración administrativa previa de lesividad", en el cual de manera fundada y motivada se acredite tal extremo.

Al existir el juicio de lesividad, el contribuyente tendrá 5 años de inseguridad jurídica. Por otro lado, nos parece congruente que el término para promover este juicio de lesividad, no sea de 30 días hábiles, sin embargo, estimamos que 5 años es demasiado tiempo para mantener a los particulares en un estado de incertidumbre jurídica. Aunque la Suprema Corte ya se haya pronunciado respecto del tema de igualdad procesal en razón de los 5 años, declarando la constitucionalidad del artículo en comento, aduciendo la (sic) "prescripción del crédito fiscal". En la especie, estimamos que lo que se viola no es una igualdad procesal, sino el derecho humano de seguridad jurídica.

---

[35]   Atendiendo al contenido del criterio 1ª IV/2008, de rubro "JUICIO DE LESIVIDAD. EL ARTÍCULO 36 DEL CÓDIGO FISCAL DE LA FEDERACIÓN, AL PREVER SU PROCEDENCIA CONTRA LAS RESOLUCIONES ADMINISTRATIVAS DE CARÁCTER INDIVIDUAL FAVORABLES A UN PARTICULAR, NO ATENTA CONTRA LA INSTITUCIÓN DE LA COSA JUZGADA". *(TMX 96331).*

[36]   GONZÁLEZ PÉREZ JESÚS. "Derecho Procesal Administrativo" 1 edición. Tomo 3, Instituto de Estudios Políticos, Madrid, página 75.

Dicha tesis es del tenor siguiente:

"*Época: Novena Época*
Registro: 170713
Instancia: Pleno
Tipo de Tesis: Aislada
Fuente: Semanario Judicial de la Federación y su Gaceta
Tomo XXVI, diciembre de 2007
Materia(s): Constitucional, Administrativa
Tesis: P. XXXVII/2007
Página: 23

**JUICIO DE LESIVIDAD. EL PLAZO QUE ESTABLECE EL ARTÍCULO 207 DEL CÓ-
DIGO FISCAL DE LA FEDERACIÓN, VIGENTE HASTA EL 31 DE DICIEMBRE DE 2005,
PARA PROMOVERLO, NO VIOLA EL PRINCIPIO DE IGUALDAD PROCESAL.**

*Cuando la autoridad hacendaria se percata de que una resolución fiscal dictada en
favor de un contribuyente es, a su parecer, indebida y lesiva para el fisco, no puede revocarla válidamente por sí y ante sí, ni puede hacer gestión directa ante el particular para
exigirle el reembolso que resulte, sino que para ello debe promover el juicio contencioso
administrativo de anulación o de lesividad ante el Tribunal Federal de Justicia Fiscal y Administrativa. Ahora bien, el hecho de que el artículo 207 del Código Fiscal de la Federación,
vigente hasta el 31 de diciembre de 2005, otorgue a la autoridad fiscal el plazo de 5 años
para promover el referido juicio y al particular sólo le conceda el de 45 días, no viola el
principio de igualdad procesal. Ello es así, porque el mencionado principio se infringe si
a una de las partes se le concede lo que se niega a la otra, por ejemplo, que al actor se le
permitiera enjuiciar, probar o alegar y al demandado no, o viceversa; pero dicho principio
no puede considerarse transgredido porque no se tenga el mismo plazo para ejercitar un
derecho, pues no se pretende una igualdad numérica sino una razonable igualdad de posibilidades para el ejercicio de la acción y de la defensa; además, la circunstancia de que
se otorgue a la autoridad un término más amplio para promover el juicio de nulidad contra
una resolución favorable al particular, se justifica en atención al cúmulo de resoluciones
que se emiten y al tiempo que tarda la autoridad en advertir la lesión al interés público,
y porque aquélla defiende el patrimonio de la colectividad, que es indispensable para el
sostenimiento de las instituciones y de los servicios públicos a que está obligado el Estado,
mientras que el particular defiende un patrimonio propio que le sirve para fines personales.
Debe agregarse que la igualdad procesal en el juicio contencioso administrativo se corrobora con el contenido de los artículos 212, 213, 214, 230 y 235 del Código citado, de los
que se infiere la posibilidad que tiene el particular de conocer la demanda instaurada en su
contra, las pruebas aportadas por la autoridad actora, así como la oportunidad de contestar
la demanda e impugnar dichas pruebas. Finalmente, si se aceptara que las autoridades hacendarias sólo tuvieran 45 días para promover la demanda de nulidad, vencido este plazo
la resolución quedaría firme por consentimiento tácito, con lo cual se volvería nugatorio el
plazo prescriptorio de 5 años que tiene el fisco para exigir el crédito fiscal.*

*Contradicción de tesis 15/2006-PL. Entre las sustentadas por la Primera y la Segunda
Salas de la Suprema Corte de Justicia de la Nación. 15 de marzo de 2007. Unanimidad
de diez votos. Ausente: José Ramón Cossío Díaz. Ponente: Mariano Azuela Güitrón. Secretaria: Oliva Escudero Contreras.*

*El Tribunal Pleno, el quince de octubre en curso, aprobó, con el número XXXVII/2007,
la tesis aislada que antecede. México, Distrito Federal, a quince de octubre de dos mil siete.*

*Nota: Esta tesis no constituye jurisprudencia porque no resuelve el tema de la con-
tradicción planteada."*

(TMX 54508)

Desde nuestro punto de vista, no se haría nugatoria la exigibilidad del crédito, sino que correría el término de la caducidad de las facultades del fisco para determinar y/o sancionar a los contribuyentes.

El artículo 36 no señala los efectos de la sentencia. ¿Qué pasa con los recargos y la multa? Nos parece bastante injusto que se le tengan que cobrar al contribuyente.

El artículo 13, fracción III de la LFPCA señala que los efectos se retrotraen a los 5 años anteriores a la interposición de la demanda.

La 2ª Sala de la SCJN concluyó que no viola garantías, porque los efectos son los que se derivan de la anulación de cualquier acto, tal y como se corrobora con la jurisprudencia de la Segunda Sala, que a la letra dispone:

> *"Época: Novena Época*
> *Registro: 170714*
> *Instancia: Pleno*
> *Tipo de Tesis: Jurisprudencia*
> *Fuente: Semanario Judicial de la Federación y su Gaceta*
> *Tomo XXVI, diciembre de 2007*
> *Materia(s): Constitucional, Administrativa*
> *Tesis: P./J. 81/2007*
> *Página: 9*
> **JUICIO DE LESIVIDAD. EL ARTÍCULO 36, PRIMER PÁRRAFO, DEL CÓDIGO FISCAL DE LA FEDERACIÓN QUE LO PREVÉ, SIN ESPECIFICAR LAS CAUSAS Y EFECTOS DE LA DECLARACIÓN DE NULIDAD, NO VIOLA LA GARANTÍA DE SEGURIDAD JURÍDICA.**
> *El citado precepto que establece la facultad de las autoridades fiscales para promover juicio a fin de modificar una resolución de carácter individual favorable al particular y la competencia del Tribunal Federal de Justicia Fiscal y Administrativa para resolverlo, sin precisar las causas y las consecuencias jurídicas de la sentencia que declara total o parcialmente la nulidad de esa resolución, no viola la garantía de seguridad jurídica contenida en el artículo 16 de la Constitución Política de los Estados Unidos Mexicanos, pues este juicio se ubica en el ámbito de lo contencioso administrativo, proceso que desde su creación tuvo como fin salvaguardar la seguridad jurídica como valor fundamental del derecho de los particulares, pero también respecto de los actos del Estado, evitando que los que se encuentran investidos de ilegalidad produzcan sus efectos en el mundo jurídico, facultando al Tribunal Federal de Justicia Fiscal y Administrativa para reconocer la validez o declarar la nulidad de los actos cuya impugnación ha estado sujeta al juicio respectivo, de tal suerte que la acción de nulidad en sede contenciosa administrativa puede ejercitarse por el particular que estima que se han lesionado sus derechos o por la autoridad administrativa, cuando estime que la resolución que reconozca derechos al particular lesionan los del Estado. En este caso, el juicio de lesividad constituye un juicio contencioso administrativo regido por la Ley Federal de Procedimiento Contencioso Administrativo, que en sus artículos 51 y 52 establece las causas de ilegalidad y los alcances de la sentencia que llegue a dictarse, por lo que el aspecto relativo a las consecuencias de la sentencia de nulidad decretada en un juicio de lesividad se rige por esas normas y que ésta sea absoluta o para determinados efectos, atiende, como en todos los juicios contenciosos, a los vicios propios del acto impugnado y a la especial y diversa jurisdicción de que está dotada la autoridad administrativa; esto es, si la resolución impugnada*

nació con motivo de un procedimiento de pronunciamiento forzoso o en el ejercicio de una facultad discrecional de una autoridad.

Contradicción de tesis 15/2006-PL. Entre las sustentadas por la Primera y la Segunda Salas de la Suprema Corte de Justicia de la Nación. 15 de marzo de 2007. Unanimidad de diez votos. Ausente: José Ramón Cossío Díaz. Ponente: Mariano Azuela Güitrón. Secretaria: Oliva Escudero Contreras.

El Tribunal Pleno, el quince de octubre en curso, aprobó, con el número 81/2007, la tesis jurisprudencial que antecede. México, Distrito Federal, a quince de octubre de dos mil siete."

(TMX 54507)

Siendo así, podemos concluir que los efectos de las sentencias del TFJA, en caso de nulificar o modificar total o parcialmente la resolución favorable combatida, serán retroactivos.

Sin duda alguna, estos efectos retroactivos de las sentencias, constituyen la violación más latente al derecho fundamental de seguridad jurídica. Lo anterior es así, ya que se les perjudica en demasía, siendo que es la propia Administración Pública, quien, debido a un error o ineficacia, emitió la resolución favorable; la nulificación o modificación de esa resolución podrá acarrear actualizaciones, recargos e inclusive, multas.

Otra crítica que amerita esta institución, es que no hay un límite en el monto para que la autoridad pueda acudir al multicitado juicio de lesividad.

Esta figura, encuentra su origen en la existencia de funcionarios corruptos o ineptos, que emiten una resolución favorable a un contribuyente sin que tenga derecho, ya sea porque no era una situación real y concreta o porque estuviera emitida por una autoridad incompetente, etc., así, posteriormente ante la salida del cargo del funcionario corrupto, quien ocupe dicho cargo, quiere revocarla. Sin embargo, nos parece desafortunada esta medida, ya que estamos en presencia de una legislación por castigo o por excepción, siendo que lo más lógico es que se castigue a ese funcionario y/o contribuyente corruptos, con otros medios que nuestra legislación contempla.

En este tema, lo lamentable y/o criticable no es el plazo de 5 años con el que cuentan las autoridades para presentar la demanda, sino el de la inseguridad jurídica para los contribuyentes, que teniendo una respuesta favorable no pueden estar completamente seguros, porque la autoridad puede intentar revocarla.

Esta figura desincentiva la inversión de extranjeros y de nacionales, y estamos en total desacuerdo, **de ahí que mi propuesta es desaparecerla**, o por lo menos, que no se le den efectos retroactivos a las sentencias, salvo que se acredite mala fe, tanto del funcionario como del particular que se vio favorecido con dicha resolución, al margen de la ley, ya que no se puede tratar igual a alguien que actuó dolosamente, respecto de aquellos contribuyentes que lo hicieron de buena fe.

10.7. PARTES EN EL JUICIO

1. *El demandante*. Por regla general, siempre será el particular, salvo en el caso del juicio de lesividad, en donde la autoridad podrá aparecer como actor en el Juicio de Nulidad.

2. *Los demandados*. Tendrán ese carácter:

a) La autoridad que dictó la resolución impugnada.

b) El particular a quien favorezca la resolución cuya modificación o nulidad pida la autoridad administrativa.

c) El Jefe del Servicio de Administración Tributaria o el titular de la dependencia u organismo desconcentrado o descentralizado que sea parte en los juicios en que se controviertan resoluciones de autoridades federativas coordinadas, emitidas con fundamento en convenios o acuerdos en materia de coordinación, respecto de las materias de la competencia del Tribunal.

Dentro del mismo plazo que corresponda a la autoridad demandada, la Secretaría de Hacienda y Crédito Público podrá apersonarse como parte en los juicios en que se controvierta el interés fiscal de la Federación.

3. *El tercero que tenga un derecho incompatible con la pretensión del demandante*. Ejemplo: En el caso de una liquidación de Impuesto Sobre la renta, en la que se modifica la base gravable y hay una determinación en relación con la Participación de los Trabajadores en las Utilidades de las Empresas. El tercero sería el Sindicato o Representante de los Trabajadores de la empresa deudora del crédito fiscal.

10.8. FIRMA DE LAS PROMOCIONES

Toda promoción deberá contener la firma autógrafa o la firma electrónica avanzada de quien la formule, y sin este requisito se tendrá por no presentada, a menos que, para el caso de tramitación de un juicio en la vía tradicional, el promovente no sepa o no pueda firmar, caso en el que imprimirá su huella digital y firmará otra persona a su ruego.

Este requisito tan sencillo es importantísimo, ya que por un descuido de no firmar la demanda, se tendrá por no presentada, a pesar de que se haya presentado en tiempo y que evetualmente se hubiera demostrado la ilegalidad de la resolución impugnada.

Cuando la resolución afecte a dos o más personas, la demanda deberá ir firmada por cada una de ellas, y designar a un representante común que elegirán de entre ellas mismas, si no lo hicieren, el Magistrado Instructor nombrará con tal carácter a cualquiera de los interesados, al admitir la demanda.

Un ejemplo de lo anterior, lo constituyen algunas resoluciones determinantes en materia de comercio exterior, en la que el Agente Aduanal es responsable solidario por las contribuciones omitidas, caso en el cual, el oficio determinante es notificado tanto al agente aduanal como al importador. En este supuesto, pueden ocurrir ambos a impugnar dicha resolución en la misma Demanda de Nulidad, para lo cual deberán señalar un representante común.

10.9. REPRESENTACIÓN Y AUTORIZACIÓN EN EL JUICIO DE NULIDAD

En términos del artículo 5º de la LFPCA, ante el Tribunal no procederá la gestión de negocios. Quien promueva a nombre de otra deberá acreditar que la representación le fue otorgada a más tardar en la fecha de la presentación de la demanda o de la contestación, en su caso.

La representación de los particulares se otorgará en escritura pública o carta poder firmada ante dos testigos y ratificadas las firmas del otorgante y testigos ante notario o ante los secretarios del Tribunal, sin perjuicio de lo que disponga la legislación de profesiones. La representación de los menores de edad será ejercida por quien tenga la patria potestad. Tratándose de otros incapaces, de la sucesión y del ausente, la representación se acreditará con la resolución judicial respectiva.

La representación de las autoridades corresponderá a las unidades administrativas encargadas de su defensa jurídica, según lo disponga el Ejecutivo Federal en su Reglamento o decreto respectivo y en su caso, conforme lo disponga la Ley Federal de Entidades Paraestatales. Tratándose de autoridades de las Entidades Federativas coordinadas, conforme lo establezcan las disposiciones locales.

Los particulares o sus representantes podrán autorizar por escrito a licenciado en derecho que a su nombre reciba notificaciones. La persona así autorizada podrá hacer promociones de trámite, rendir pruebas, presentar alegatos e interponer recursos. Las autoridades podrán nombrar delegados para los mismos fines.

Ahora bien, a partir de 2010, también se pueden autorizar a personas con capacidad legal, quienes no tendrán todas las facultades de un licenciado en derecho, pero sí podrán oír notificaciones e imponerse de los autos.

La persona así autorizada carece de facultades para promover amparo directo en contra de las sentencias emitidas por el TFJA; antes, los autorizados podían promover amparo directo, pero dicha situación cambió en virtud de la siguiente tesis de jurisprudencia emitida por la Suprema Corte de Justicia de la Nación en septiembre de 2012:

Época: Décima Época
Registro: 2001581
Instancia: Segunda Sala
Tipo de Tesis: Jurisprudencia
Fuente: Semanario Judicial de la Federación y su Gaceta
Libro XII, septiembre de 2012, Tomo 2
Materia(s): Común
Tesis: 2a./J. 90/2012 (10a.)
Página: 1176

AUTORIZADO EN EL PROCEDIMIENTO CONTENCIOSO ADMINISTRATIVO. CARECE DE FACULTADES PARA PROMOVER JUICIO DE AMPARO DIRECTO (MODIFICACIÓN DE LA JURISPRUDENCIA 2a./J. 199/2004).

El artículo 5o., último párrafo, de la Ley Federal de Procedimiento Contencioso Administrativo, permite que el actor en el juicio contencioso o su representante legal, autorice por escrito a un licenciado en derecho para que a su nombre reciba notificaciones, quien podrá elaborar promociones de trámite, rendir pruebas, presentar alegatos e interponer recursos. Por su parte, el artículo 13 de la Ley de Amparo señala que cuando alguno de los interesados tenga reconocida su personalidad ante la autoridad responsable, ésta será admitida en el juicio constitucional para todos los efectos legales, siempre que se compruebe tal circunstancia con las constancias respectivas. Ahora, de esta última disposición no deriva que el autorizado para oír notificaciones tenga atribuciones para promover juicio de amparo directo en representación de su autorizante, ya que conforme a la fracción I del artículo 107 de la Constitución Política de los Estados Unidos Mexicanos, reformado mediante decreto publicado en el Diario Oficial de la Federación el 6 de junio de 2011, el juicio de amparo se seguirá siempre a instancia de parte agraviada y tratándose de actos o resoluciones provenientes de tribunales judiciales, administrativos o del trabajo, el quejoso debe aducir ser titular de un derecho subjetivo que se afecte de manera personal y directa; todo lo cual significa que únicamente el directamente afectado con alguna determinación jurisdiccional puede demandar la protección de la Justicia Federal, principio que la legislación reglamentaria de dicho precepto constitucional señala al disponer en su artículo 4o., que el juicio de amparo sólo podrá seguirlo el agraviado, su representante legal o su defensor, personas estas últimas que en todo caso podrían ser reconocidas en términos del citado artículo 13 para efectos de la promoción del juicio de amparo directo, pero no los autorizados para oír notificaciones, cuya participación se limita a la defensa del actor exclusivamente en la jurisdicción ordinaria.

Solicitud de modificación de jurisprudencia 5/2012. Primer Tribunal Colegiado de Circuito del Centro Auxiliar de la Novena Región, con residencia en Zacatecas, Zacatecas, en auxilio del Primer Tribunal Colegiado en Materias Administrativa y de Trabajo del Décimo Primer Circuito. 16 de mayo de 2012. Unanimidad de cuatro votos. Ausente: José Fernando Franco González Salas. Ponente: Margarita Beatriz Luna Ramos. Secretaria: Ma. de la Luz Pineda Pineda.

Tesis de jurisprudencia 90/2012 (10a.). Aprobada por la Segunda Sala de este Alto Tribunal, en sesión privada del ocho de agosto de 2012.

Nota:

La presente tesis deriva de la resolución dictada en la solicitud de modificación de jurisprudencia relativa al expediente 5/2012, en la cual la Segunda Sala de la Suprema Corte de Justicia de la Nación, por unanimidad de cuatro votos de los señores Ministros Sergio Salvador Aguirre Anguiano, Margarita Beatriz Luna Ramos (ponente), Luis María Aguilar Morales y presidente Sergio A. Valls Hernández, determinó modificar el criterio contenido en la tesis 2a./J. 199/2004, de rubro: "AUTORIZADO EN EL PROCEDIMIENTO CONTENCIOSO ADMINISTRATIVO. ESTÁ FACULTADO PARA PROMOVER EL JUI-

CIO DE AMPARO.", derivado de la contradicción de tesis 118/2004-SS, y que aparece publicado en el Semanario Judicial de la Federación y su Gaceta, Novena Época, Tomo XXI, enero de 2005, página 506.

Esta tesis fue objeto de la denuncia relativa a la contradicción de tesis 134/2013, desechada por acuerdo de 19 de marzo de 2013.

Por ejecutoria del 19 de marzo de 2014, la Segunda Sala declaró inexistente la contradicción de tesis 435/2013 derivada de la denuncia de la que fue objeto el criterio contenido en esta tesis, al estimarse que no son discrepantes los criterios materia de la denuncia respectiva.

(TMX 31526)

Siendo así, indefectiblemente el actor o su representante legal, deben interponer la demanda de amparo directo, y no así, alguno de sus autorizados.

10.10. CONDENACIÓN EN COSTAS

En principio, en términos del artículo 6º de la LFPCA, en los juicios de nulidad no habrá lugar a condenación en costas. Cada parte será responsable de sus propios gastos y los que originen las diligencias que promuevan.

De ahí que siempre el contribuyente tendrá en principio una desventaja, porque independientemente de que se declare la nulidad lisa y llana de la resolución combatida, el gasto de la fianza (en su caso) como garantía del interés fiscal y del abogado, ya no los podrá recuperar, más allá que sean deducibles para efectos de impuesto sobre la renta y acreditable el IVA por dichos gastos.

Únicamente habrá lugar a condena en costas a favor de la autoridad demandada, cuando se controviertan resoluciones con **propósitos notoriamente dilatorios**.

Se entenderá que el actor tiene propósitos notoriamente dilatorios cuando al dictarse una sentencia que reconozca la validez de la resolución impugnada, se beneficia económicamente por la dilación en el cobro, ejecución o cumplimiento, siempre que los conceptos de impugnación formulados en la demanda sean notoriamente improcedentes o infundados. Esto es, si se pierde el juicio y existen estos propósitos notoriamente dilatorios, habrá lugar a la condena en costas a favor de la autoridad.

Cuando la ley prevea que las cantidades adeudadas se aumentan con actualización por inflación y con alguna tasa de interés o de recargos, se entenderá que no hay beneficio económico por la dilación.

De modo tal que, podemos concluir que es prácticamente imposible que se actualice esta hipótesis normativa en los juicios de nulidad, por la razón apuntada en el párrafo antecedente, si es que estamos en presencia de un asunto de índole fiscal.

10.11. INDEMNIZACIÓN DE DAÑOS Y PERJUICIOS

En primer término, resulta importante admitir que la LFPCA vino a mejorar en este aspecto al antiguo Título VI del Código Fiscal de la Federación, ya que ahora los contribuyentes cuando fungen como actores en los juicios de nulidad estamos en condiciones de solicitar —a través de un incidente— la indemnización de daños y perjuicios en algunos casos. En concreto, cuando la autoridad cometa falta grave al dictar la resolución impugnada y no se allane al contestar la demanda.

Esto es, tenemos dos condicionantes, para que el gobernado pueda solicitar esta indemnización:

– Que la autoridad cometa falta grave al dictar la resolución impugnada, y

– No se allane al contestar la demanda,

Ahora bien, habrá falta grave, cuando una resolución:

1. Se anule por ausencia de fundamentación o de motivación, en cuanto al fondo o a la competencia;

2. Sea contraria a una tesis de jurisprudencia de la Suprema Corte de Justicia de la Nación en materia de legalidad, siempre y cuando la jurisprudencia sea publicada con anterioridad a la contestación de la demanda, y

3. Se anule por desvío de poder.

Respecto de esta reforma, que en principio es favorable para los contribuyentes, también tenemos que hacer los siguientes comentarios, a saber:

En primer término, la fracción I del artículo 6º de la LFPCA se contradice al señalar que una resolución se anule por **AUSENCIA** de fundamentación o de motivación en cuanto al **FONDO**, o a la competencia.

Esto es, una resolución puede anularse por ausencia de fundamentación y/o ausencia de motivación, situación que dará lugar a una nulidad para efectos de que se emita una nueva fundada y/o motivada. En cambio si se anula en cuanto al **FONDO**, estamos en presencia de una **INDEBIDA** fundamentación y/o motivación, cuestión que da lugar a una nulidad lisa y llana, sin dejar la oportunidad a la autoridad de emitir una nueva.

Por lo que hace al tema de la competencia, si estamos en presencia de una ausencia de fundamentación o de una indebida fundamentación, la sentencia deberá declarar la nulidad lisa y llana en todo caso; sin embargo, la autoridad quedará facultada para emitir una nueva resolución fundada o debidamente fundada, siempre que no hayan caducado sus facultades, que dicho sea de paso y tal y como se encuentra redactado el artículo 67 del CFF, parecería ser que las facultades de la autoridad para determinar y sancionar a los contribuyentes no caducan nunca con todas las causales de suspensión que tiene dicha figura.

Precisamente estas dos causales de ilegalidad: Ausencia de fundamentación o motivación y la de competencia, son las que el Tribunal puede hacer valer de oficio. (Artículo 51 LFPCA).

Por lo que se refiere al segundo supuesto de falta grave, cabe mencionar que única y exclusivamente estaremos en presencia de una jurisprudencia dictada por la SCJN en materia DE LEGALIDAD, en un solo supuesto: Contradicción de tesis de Tribunales Colegiados de Circuito o de Plenos de Circuito, toda vez que la competencia originaria en materia de legalidad está reservada a los Tribunales Colegiados de Circuito y no a nuestro Máximo Tribunal, quien solo estudia aspectos de constitucionalidad.

Ahora bien, debemos tener en cuenta la reforma del 6 de junio de 2011 al artículo 107, fracción XIII de la Constitución Política de los Estados Unidos Mexicanos, en virtud de la cual, existe la posibilidad de que la contradicción de tesis, sea analizada por un Pleno de Circuito y no necesariamente por la Suprema Corte de Justicia de la Nación.

Y por lo que se refiere al tercer supuesto de falta grave en que puede incurrir la autoridad (desvío de poder), cabe señalar que como esta figura fue copiada del Derecho Francés, en nuestro derecho fiscal-administrativo no se presenta, ya que siempre se actualizará en primera instancia alguna causal de nulidad prevista dentro de los primeros cuatro supuestos de ilegalidad establecidos en el artículo 51 de la LFPCA (incompetencia, ausencia de fundamentación y/o motivación, vicios de procedimiento e indebida fundamentación y/o motivación).

Ahora bien, este precepto señala que la solicitud de indemnización de daños y perjuicios debe hacerse valer vía incidente. En este orden de ideas, se prevé que la falta grave se debe cometer en el dictado de la resolución impugnada, y está sujeto a la condición de que la AUTORIDAD NO SE ALLANE en la contestación de la demanda.

De modo tal que, si bien es cierto que desde la notificación de la resolución impugnada podemos apreciar que se puede actualizar el supuesto normativo de falta grave, debemos esperar a que la autoridad en su contestación no se allane. Una vez contestada la demanda sin que exista un allanamiento, me parece que estaríamos en condiciones de interponer el incidente respectivo. Lo anterior, a pesar de que el artículo 6º de la LFPCA hable de anulación de la resolución, misma que solo se presentará al dictar sentencia en primera instancia.

En este orden de ideas, y de acuerdo a diversos artículos de la Ley, podríamos llegar a tres interpretaciones en cuanto al momento en el que se debe interponer este incidente, a saber:

1. *Con posterioridad a la contestación de la demanda.* Ya que hasta ese momento el actor sabe con certeza que la autoridad no se allanó. Además, corrobora lo

anterior el artículo 52 de la LFPCA (relativo a la sentencia) cuando en su último párrafo señala que la sentencia se pronunciará sobre la indemnización o costas, solicitadas por las partes cuando se adecue a los supuestos del artículo 6º de la LFPCA.

2. *Cuando se dicte la sentencia*, porque los casos de falta grave hacen alusión a que se ANULE la resolución (Artículo 6º), y únicamente el Tribunal Federal de Justicia Administrativa, puede anular una resolución.

3. *Desde la presentación de la demanda*. Lo corroboraría el artículo 20 fracción V de la Ley que regula lo relativo a la contestación de la demanda, señalando que la autoridad podrá hacer valer los argumentos por medio de los cuales desvirtúe el derecho a indemnización que solicita la actora. Este criterio me parece que no aplicaría, ya que esto se refiere al reclamo de una indemnización de daños y perjuicios, de conformidad *con la primera parte del artículo 34 de la Ley del Servicio de Administración Tributaria*.

El incidente se tramitará de conformidad con lo que establece el cuarto párrafo del artículo 39 de la LFPCA, que señala la forma en que debe substanciarse: Se corre traslado a las partes por el término de 3 días, y se ofrecen pruebas, que deben aportarse para probar y acreditar los daños y perjuicios causados.

Sin embargo, es importante precisar que el artículo 34 de la Ley del SAT, regula dos figuras distintas:

1. Indemnización de daños y perjuicios causados por la responsabilidad de los servidores públicos del SAT, con motivo del ejercicio de las atribuciones que les correspondan, e

2. Indemnización de gastos y perjuicios a cargo del Estado, figura que se encuentra regulada en la LFPCA.

Esta reforma se publicó en el DOF el 12 de junio de 2003, entrando en vigor al día siguiente. Además, a diferencia del actual artículo 6º de la LFPCA, indica que esta solicitud se puede hacer valer en la propia Demanda de Nulidad o en otra por separado de aquella en la que se combate igualmente la resolución combatida. O incluso, en el primer caso "daños y perjuicios" puede no haber resolución.

Nos parece que viene mejor explicada la forma en que debe dictar sentencia el Tribunal en la ley del SAT que en la LFPCA, ya que en la LFPCA sólo indica el artículo 52 que la sentencia se pronunciará sobre la indemnización o pago de costas solicitados por las partes.

En cambio, el artículo 34 LSAT, menciona lo siguiente:

Las sentencias del Tribunal en materia de responsabilidad, deberán, en su caso:

1. Declarar el derecho a la indemnización.

2. Determinar el monto de los daños y perjuicios, y

3. Condenar al SAT a su pago.

Corrobora lo anterior, la siguiente tesis aislada de nuestro Poder Judicial Federal:

"No. Registro: 176,281
Tesis aislada
Materia(s):Administrativa
Novena Época
Instancia: Tribunales Colegiados de Circuito
Fuente: Semanario Judicial de la Federación y su Gaceta
Tomo: XXIII, enero de 2006
Tesis: I.7o.A.432 A
Página: 2385
INDEMNIZACIÓN POR "GASTOS Y PERJUICIOS" A CARGO DEL ESTADO. LOS REQUISITOS PARA SU PROCEDENCIA NO SON APLICABLES TRATÁNDOSE DEL PAGO DE 'DAÑOS Y PERJUICIOS' (INTERPRETACIÓN DEL ARTÍCULO 34 DE LA LEY DEL SERVICIO DE ADMINISTRACIÓN TRIBUTARIA).- *De la lectura del precepto anterior se advierte que regula dos instituciones jurídicas, a saber: 1. El pago de los "daños y perjuicios" causados por la responsabilidad de los servidores públicos del Servicio de Administración Tributaria, con motivo del ejercicio de las atribuciones que les correspondan, lo que se previene en sus primeros seis párrafos; y, 2. La obligación del Servicio de Administración Tributaria, contenida en el párrafo séptimo, de indemnizar al particular afectado por los "gastos y perjuicios" ocasionados cuando alguna unidad administrativa de dicho órgano cometa falta grave al dictar la resolución impugnada y no se allane al contestar la demanda en el concepto de impugnación de que se trate, considerándose faltas graves las que se indican en las fracciones I, II y III, del propio precepto. Ahora bien, ambas instituciones tienen naturaleza distinta, pues los perjuicios a que se circunscribe la sanción procesal de "gastos y perjuicios" deben entenderse como la privación de la ganancia lícita que debió obtener el particular con el cumplimiento de la obligación de la autoridad de allanarse a la demanda en los casos establecidos en el artículo 34; y en el caso de los "daños y perjuicios", éstos se traducen en la obligación del Estado de resarcir la privación de la ganancia lícita que debió obtener el particular, cuando exista responsabilidad directa y objetiva de su parte. En ese sentido, el artículo 34, párrafo séptimo, y sus fracciones I, II y III, de la Ley del Servicio de Administración Tributaria, no exigen para la procedencia de la indemnización por "daños y perjuicios" que: a) La autoridad cometa falta grave al dictar la resolución impugnada, y b) No se allane al contestar la demanda, pues estos requisitos se refieren al pago de los "gastos y perjuicios".*
SÉPTIMO TRIBUNAL COLEGIADO EN MATERIA ADMINISTRATIVA DEL PRIMER CIRCUITO.
Amparo directo 384/2005. Comercializadora e Importadora Duck, S.A. de C.V. 3 de noviembre de 2005. Unanimidad de votos. Ponente: Adela Domínguez Salazar. Secretario: Francisco García Sandoval.
(TMX 218835)

10.12. RESPONSABILIDAD DE LOS MIEMBROS DEL TRIBUNAL

Serán responsables, en los siguientes casos, cuando:

I. Expresan su juicio respecto de los asuntos que estén conociendo, fuera de las oportunidades en que esta Ley lo admite.

De ahí, que en ocasiones, cuando los litigantes acudimos al Tribunal para platicar del asunto, no emiten opinión alguna.

II. Informan a las partes y en general a personas ajenas al Tribunal sobre el contenido o el sentido de las resoluciones jurisdiccionales, antes de que éstas se emitan y en los demás casos, antes de su notificación formal.

III. Informan el estado procesal que guarda el juicio a personas que no estén autorizadas por las partes en los términos de esta Ley, salvo que se trate de notificaciones por Boletín Jurisdiccional o en los supuestos en que la legislación en materia de transparencia y acceso a la información pública, disponga que tal cuestión deba hacerse de su conocimiento.

En efecto, en el Tribunal cualquier persona que quiera saber algo sobre un asunto en específico, debe estar perfectamente identificado y autorizado en el expediente para recibir información al respecto.

IV. Dan a conocer información confidencial o comercial reservada.

Por otro lado, de igual manera, podrá imponerse una multa, a quien interponga demandas, recursos o promociones notoriamente frívolas e improcedentes. De ahí, que hay que hacer valer demandas de nulidad que sí tengan fondo y sentido, so pena de ser multados.

10.13. CAUSALES DE IMPROCEDENCIA Y SOBRESEIMIENTO

Los fundamentos legales de improcedencia y sobreseimiento se encuentran en los artículos 8 y 9 de la LFPCA, respectivamente, mismos que son del tenor siguiente:

> **ARTÍCULO 8o.-** Es improcedente el juicio ante el Tribunal en los casos, por las causales y contra los actos siguientes:
>
> **I.** Que no afecten los intereses jurídicos del demandante, salvo en los casos de legitimación expresamente reconocida por las leyes que rigen al acto impugnado.
>
> **II.** Que no le competa conocer a dicho Tribunal.
>
> **III.** Que hayan sido materia de sentencia pronunciada por el Tribunal, siempre que hubiera identidad de partes y se trate del mismo acto impugnado, aunque las violaciones alegadas sean diversas.
>
> **IV.** Cuando hubiere consentimiento, entendiéndose que hay consentimiento si no se promovió algún medio de defensa en los términos de las leyes respectivas o juicio ante el Tribunal, en los plazos que señala esta Ley.
>
> Se entiende que no hubo consentimiento cuando una resolución administrativa o parte de ella no impugnada, cuando derive o sea consecuencia de aquella otra que haya sido expresamente impugnada.
>
> **V.** Que sean materia de un recurso o juicio que se encuentre pendiente de resolución ante una autoridad administrativa o ante el propio Tribunal.
>
> **VI.** Que puedan impugnarse por medio de algún recurso o medio de defensa, con excepción de aquéllos cuya interposición sea optativa.
>
> **VII.** Conexos a otro que haya sido impugnado por medio de algún recurso o medio de defensa diferente, cuando la ley disponga que debe agotarse la misma vía.

Para los efectos de esta fracción, se entiende que hay conexidad siempre que concurran las causas de acumulación previstas en el artículo 31 de esta Ley.

VIII. Que hayan sido impugnados en un procedimiento judicial.

IX. Contra reglamentos.

X. Cuando no se hagan valer conceptos de impugnación.

XI. Cuando de las constancias de autos apareciere claramente que no existe la resolución o acto impugnados.

XII. Que puedan impugnarse en los términos del artículo 97 de la Ley de Comercio Exterior, cuando no haya transcurrido el plazo para el ejercicio de la opción o cuando la opción ya haya sido ejercida.

XIII. Dictados por la autoridad administrativa para dar cumplimiento a la decisión que emane de los mecanismos alternativos de solución de controversias a que se refiere el artículo 97 de la Ley de Comercio Exterior[37].

XIV. Que hayan sido dictados por la autoridad administrativa en un procedimiento de resolución de controversias previsto en un tratado para evitar la doble tributación, si dicho procedimiento se inició con posterioridad a la resolución que recaiga a un recurso de revocación o después de la conclusión de un juicio ante el Tribunal.

XV. Que sean resoluciones dictadas por autoridades extranjeras que determinen impuestos y sus accesorios cuyo cobro y recaudación hayan sido solicitados a las autoridades fiscales mexicanas, de conformidad con lo dispuesto en los tratados internacionales sobre asistencia mutua en el cobro de los que México sea parte.

No es improcedente el juicio cuando se impugnen por vicios propios, los mencionados actos de cobro y recaudación.

XVI. Cuando la demanda se hubiere interpuesto por la misma parte y en contra del mismo acto impugnado, por dos o más ocasiones.

XVII. En los demás casos en que la improcedencia resulte de alguna disposición de esta Ley o de una ley fiscal o administrativa.

La procedencia del juicio será examinada aun de oficio.

Artículo 9. Procede el sobreseimiento:

Por desistimiento del demandante

Cuando durante el juicio aparezca o sobrevenga alguna de las causas de improcedencia a que se refiere el artículo anterior.

En el caso que el demandante muera durante el juicio si su pretensión es intransmisible o, si su muerte, deja sin materia el proceso.

Si la autoridad demandada deja sin efecto la resolución o acto impugnados, siempre y cuando se satisfaga la pretensión del demandante.

Si el juicio se queda sin materia.

En los demás casos en que por disposición legal haya impedimento para emitir resoluciones en cuanto al fondo.

El sobreseimiento del juicio podrá ser total o parcial.

Cuando analizamos estos dos temas en tratándose de Recurso de Revocación, realizamos los comentarios conducentes, mismos que remitimos a su lectura, porque aplican prácticamente de la misma manera.

Sin embargo, abundamos un poco en este tema a continuación:

---

[37] *Las fracciones XII y XIII se refieren a temas de cuotas compensatorias y Medios Alternativos de Solución de Controversias.*

10.13.1. *Procedencia del Juicio Contencioso Administrativo Federal (Juicio de Nulidad)*

La procedencia del Juicio de Nulidad se desprende principalmente de los artículos que se transcriben y comentan a continuación:

Ley Federal de Procedimiento Contencioso Administrativo

*"ARTÍCULO 2o.- El juicio contencioso administrativo federal, procede contra las **resoluciones administrativas definitivas** que establece la Ley Orgánica del Tribunal Federal de Justicia Fiscal y Administrativa.*

Asimismo, procede dicho juicio contra los actos administrativos, Decretos y Acuerdos de carácter general, diversos a los Reglamentos, cuando sean autoaplicativos o cuando el interesado los controvierta en unión del primer acto de aplicación.

Las autoridades de la Administración Pública Federal, tendrán acción para controvertir una resolución administrativa favorable a un particular cuando estime que es contraria a la ley."

Ley Orgánica del Tribunal Federal de Justicia Administrativa

"Capítulo II

De la competencia del Tribunal y los Conflictos de Intereses

Artículo 3. El Tribunal conocerá de los juicios que se promuevan contra las resoluciones definitivas, actos administrativos y procedimientos que se indican a continuación:

I. Los decretos y acuerdos de carácter general, diversos a los reglamentos, cuando sean autoaplicativos o cuando el interesado los controvierta con motivo de su primer acto de aplicación;

II. Las dictadas por autoridades fiscales federales y organismos fiscales autónomos, en que se determine la existencia de una obligación fiscal, se fije en cantidad líquida o se den las bases para su liquidación;

III. Las que nieguen la devolución de un ingreso de los regulados por el Código Fiscal de la Federación, indebidamente percibido por el Estado o cuya devolución proceda de conformidad con las leyes fiscales;

IV. Las que impongan multas por infracción a las normas administrativas federales;

V. Las que causen un agravio en materia fiscal distinto al que se refieren las fracciones anteriores;

VI. Las que nieguen o reduzcan las pensiones y demás prestaciones sociales que concedan las leyes en favor de los miembros del Ejército, de la Fuerza Aérea y de la Armada Nacional o de sus familiares o derechohabientes con cargo a la Dirección de Pensiones Militares o al erario federal, así como las que establezcan obligaciones a cargo de las mismas personas, de acuerdo con las leyes que otorgan dichas prestaciones.

Cuando para fundar su demanda el interesado afirme que le corresponde un mayor número de años de servicio que los reconocidos por la autoridad respectiva, que debió ser retirado con grado superior al que consigne la resolución impugnada o que su situación militar sea diversa de la que le fue reconocida por la Secretaría de la Defensa Nacional o de Marina, según el caso; o cuando se versen cuestiones de jerarquía, antigüedad en el grado o tiempo de servicios militares, las sentencias del Tribunal sólo tendrán efectos en cuanto a la determinación de la cuantía de la prestación pecuniaria que a los propios militares corresponda, o a las bases para su depuración;

VII. Las que se dicten en materia de pensiones civiles, sea con cargo al erario federal o al Instituto de Seguridad y Servicios Sociales de los Trabajadores del Estado;

VIII. Las que se originen por fallos en licitaciones públicas y la interpretación y cumplimiento de contratos públicos, de obra pública, adquisiciones, arrendamientos y servi-

cios celebrados por las dependencias y entidades de la Administración Pública Federal centralizada y paraestatal, y las empresas productivas del Estado; así como, las que estén bajo responsabilidad de los entes públicos federales cuando las leyes señalen expresamente la competencia del tribunal;

IX. Las que nieguen la indemnización por responsabilidad patrimonial del Estado, declaren improcedente su reclamación o cuando habiéndola otorgado no satisfaga al reclamante. También, las que por repetición, impongan la obligación a los servidores públicos de resarcir al Estado el pago correspondiente a la indemnización, en los términos de la ley de la materia;

X. Las que requieran el pago de garantías a favor de la Federación, las entidades federativas o los Municipios, así como de sus entidades paraestatales y las empresas productivas del Estado;

XI. Las que traten las materias señaladas en el artículo 94 de la Ley de Comercio Exterior;

XII. Las dictadas por las autoridades administrativas que pongan fin a un procedimiento administrativo, a una instancia o resuelvan un expediente, en los términos de la Ley Federal de Procedimiento Administrativo;

XIII. Las que resuelvan los recursos administrativos en contra de las resoluciones que se indican en las demás fracciones de este artículo;

XIV. Las que se funden en un tratado o acuerdo internacional para evitar la doble tributación o en materia comercial, suscritos por México, o cuando el demandante haga valer como concepto de impugnación que no se haya aplicado en su favor alguno de los referidos tratados o acuerdos;

XV. Las que se configuren por negativa ficta en las materias señaladas en este artículo, por el transcurso del plazo que señalen el Código Fiscal de la Federación, la Ley Federal de Procedimiento Administrativo o las disposiciones aplicables o, en su defecto, en el plazo de tres meses, así como las que nieguen la expedición de la constancia de haberse configurado la resolución positiva ficta, cuando ésta se encuentre prevista por la ley que rija a dichas materias.

No será aplicable lo dispuesto en el párrafo anterior en todos aquellos casos en los que se pudiere afectar el derecho de un tercero, reconocido en un registro o anotación ante autoridad administrativa;

XVI. Las resoluciones definitivas por las que se impongan sanciones administrativas a los servidores públicos en términos de la legislación aplicable, así como contra las que decidan los recursos administrativos previstos en dichos ordenamientos, además de los órganos constitucionales autónomos;

XVII. Las resoluciones de la Contraloría General del Instituto Nacional Electoral que impongan sanciones administrativas no graves, en términos de la Ley General de Instituciones y Procedimientos Electorales;

XVIII. Las sanciones y demás resoluciones emitidas por la Auditoría Superior de la Federación, en términos de la Ley de Fiscalización y Rendición de Cuentas de la Federación, y

XIX. Las señaladas en esta y otras leyes como competencia del Tribunal.

Para los efectos del primer párrafo de este artículo, las resoluciones se considerarán definitivas cuando no admitan recurso administrativo o cuando la interposición de éste sea optativa.

El Tribunal conocerá también de los juicios que promuevan las autoridades para que sean anuladas las resoluciones administrativas favorables a un particular, cuando se consideren contrarias a la ley."

De lo anterior se desprende que, el diseño legal que escogió el legislador para fijar la procedencia del juicio contencioso administrativo viene estrictamente ligada a la competencia material del TFJA o materia del juicio, es decir, hay un reenvío del artículo 2 de la LFPCA, al artículo 3 de la LOTFJA que señala puntualmente fracción por fracción, todos y cada uno de los supuestos por los cuales se puede acudir ante el TFJA a demandar la nulidad de una resolución administrativa y que doctrinalmente englobábamos en 4 puntos fundamentales al principio del libro bajo el tema *1.1. RESOLUCIONES MATERIA DE IMPUGNACIÓN*, consistentes en: a) Determinación de créditos fiscales (fracción II); b) Negativa de devoluciones de impuestos (fracción III); c) Imposición de sanciones (fracción IV); y, iv) Cualquier resolución que cause un agravio en materia fiscal distinta de las anteriores (fracción V).

En efecto, las anteriormente mencionadas son las más importantes para nuestra materia, ya que en estos cuatro supuestos se engloba prácticamente cualquier acto de autoridad fiscal susceptible de ser impugnado por el contribuyente/actor afectado. Sin embargo, para la materia administrativa en general resulta relevante conocer las demás causales de procedencia enunciadas en el artículo en comento y que son tan literales, que no nos detendremos a comentar.

En lo que vale la pena detenerse, es en el concepto de *definitividad* que se menciona tanto en el artículo 2 de la LFPCA, como en el artículo 3 de la LOTFJA. Al respecto, tanto la doctrina como los tribunales han considerado que en el juicio contencioso administrativo rige una suerte de principio de definitividad —no confundir con el principio de mismo nombre en el juicio de amparo— en virtud del cual, se entiende que sólo serán impugnables ante el Tribunal las resoluciones que tengan el carácter de definitivas. Pero ¿qué se entiende por resolución definitiva? El propio artículo 3 refiere que: *"Para los efectos del primer párrafo de este artículo, las resoluciones se considerarán definitivas **cuando no admitan recurso administrativo o cuando la interposición de éste sea optativa."***

No obstante, la Segunda Sala de la Suprema Corte de Justicia de la Nación en la tesis 2a. X/2003, estableció que para saber cuándo estamos en presencia de una resolución definitiva y, por ende, determinar si el juicio de nulidad es procedente, entonces, se debe cumplir no solo con lo dispuesto en el segundo párrafo del artículo 11 de la Ley Orgánica del Tribunal Federal de Justicia Fiscal y Administrativa (texto similar al actual artículo 3 de la Ley Orgánica vigente), sino que también, la resolución en estudio debe ser el producto final o la voluntad definitiva de la administración pública, que normalmente se puede identificar de alguna de las siguientes maneras:

1) Como última resolución dictada para poner fin a un procedimiento.

2) Como manifestación aislada que no requiere de un procedimiento que le anteceda para poder reflejar la última voluntad oficial.

Para mayor referencia, a continuación, se transcribe la tesis comentada:

"Época: Novena Época
Registro: 184733
Instancia: Segunda Sala
Tipo de Tesis: Aislada
Fuente: Semanario Judicial de la Federación y su Gaceta
Tomo XVII, Febrero de 2003
Materia(s): Administrativa
Tesis: 2a. X/2003
Página: 336
TRIBUNAL FEDERAL DE JUSTICIA FISCAL Y ADMINISTRATIVA. "RESOLUCIONES
ADMINISTRATIVAS DEFINITIVAS". ALCANCE DEL CONCEPTO A QUE SE REFIERE EL
ARTÍCULO 11, PRIMER PÁRRAFO, DE LA LEY ORGÁNICA DE DICHO TRIBUNAL.
La acción contenciosa administrativa promovida ante el Tribunal Federal de Justicia
Fiscal y Administrativa, aun cuando sólo requiere la afectación de un interés, no consti-
*tuye una potestad procesal contra todo acto de la Administración Pública, pues **se trata***
de un mecanismo de jurisdicción restringida donde la procedencia de la vía está con-
***dicionada a que los actos administrativos constituyan "resoluciones definitivas"**, y que*
se encuentran mencionadas dentro de las hipótesis de procedencia que prevé el citado
artículo 11; ahora bien, aunque este precepto establece que tendrán carácter de "resolu-
ciones definitivas" las que no admitan recurso o admitiéndolo sea optativo, es contrario
a derecho determinar el alcance de la definitividad para efectos del juicio contencioso
*administrativo sólo por esa expresión, ya que también **debe considerarse la naturaleza***
jurídica de la resolución, sea ésta expresa o ficta, la cual debe constituir el producto fi-
nal o la voluntad definitiva de la Administración Pública, que suele ser de dos formas: a)
como última resolución dictada para poner fin a un procedimiento, y b) como manifes-
tación aislada que no requiere de un procedimiento que le anteceda para poder reflejar
***la última voluntad oficial**. En ese tenor, cuando se trata de resoluciones definitivas que*
*culminan un procedimiento administrativo, **las fases de dicho procedimiento o actos***
de naturaleza procedimental no podrán considerarse resoluciones definitivas, pues ese
carácter sólo lo tendrá la última decisión del procedimiento, y cuando se impugne ésta
podrán reclamarse tanto los vicios de procedimiento como los cometidos en el dictado
de la resolución; mientras que, cuando se trate de actos aislados expresos o fictos de la
Administración Pública serán definitivos en tanto contengan una determinación o de-
cisión cuyas características impidan reformas que ocasionen agravios a los gobernados.
Contradicción de tesis 79/2002-SS. Entre las sustentadas por los Tribunales Colegia-
dos Primero del Sexto Circuito y Noveno del Primer Circuito, ambos en Materia Admi-
nistrativa. 17 de enero de 2003. Cinco votos. Ponente: José Vicente Aguinaco Alemán.
Secretario: Emmanuel G. Rosales Guerrero.
Nota: Esta tesis no constituye jurisprudencia ya que no resuelve el tema de la contra-
dicción planteada."
(Énfasis añadido)

Efectivamente, de la tesis anterior se desprenden los conceptos anteriormente explicados y resulta ser muy ilustrativa para acotar la procedencia del juicio contencioso administrativo federal ante el TFJA, sin embargo, vale la pena detenernos a realizar algunas críticas y comentarios.

En primer lugar, la tesis que suelen usar en la práctica las Salas del TFJA para determinar si una resolución es o no definitiva, fue emitida en el año 2003, siendo que el texto del artículo 11 de la Ley Orgánica del Tribunal Federal de Justicia Fiscal y Administrativa, si bien se parece al actual artículo 3 de la LOTFJA, lo cierto es que tienen una diferencia fundamental que se muestra a continuación:

Ley Orgánica del Tribunal Federal de Justicia Fiscal y Administrativa (Publicada en el DOF el 15 de diciembre de 1995)	Ley Orgánica del Tribunal Federal de Justicia Administrativa (Publicada en el DOF el 18 de julio de 2016)
Artículo 11. El Tribunal Federal de Justicia Fiscal y Administrativa conocerá de los juicios que se promuevan contra las resoluciones definitivas que se indican a continuación: (…)	Artículo 3. El Tribunal conocerá de los juicios que se promuevan contra las resoluciones definitivas, actos administrativos y procedimientos.

Como se puede observar, la diferencia estriba en que antes, el artículo que fija la competencia material del Tribunal establecía estrictamente que, solamente procedía el juicio contra las **resoluciones definitivas** que se indican; mientras que, el actual artículo regula que el juicio procede en contra de resoluciones administrativas, actos administrativos y **procedimientos** que se indican. En otras palabras, la jurisprudencia resultaba 100% aplicable y relevante de acuerdo con la redacción del artículo que prevalecía en el año 2003 —cuadro de la izquierda— toda vez que, ni siquiera existía la posibilidad de impugnar procedimientos como ahora lo indica la ley que se encuentra vigente —cuadro de la derecha— con lo cual, se considera que hoy por hoy se encuentra desfasada.

Esto plantea un debate interesante, ya que tradicionalmente se ha venido interpretando que en el TFJA únicamente se pueden impugnar resoluciones definitivas, dejando de lado actos que forman parte de un procedimiento, sin embargo se insiste en que, la redacción actual del multicitado artículo 3, prevé expresamente la posibilidad de impugnar **procedimientos** y **actos administrativos**.

No se ignora que la propia tesis prevé que, a propósito de la resolución final que se vio precedida por un procedimiento, se pueden impugnar los vicios del procedimiento que se detecten; es decir, como naturalmente se puede atacar una ilegalidad cometida por una autoridad dentro de un procedimiento, es esperando hasta que éste culmine con una determinación que represente la voluntad última de la autoridad y, entonces, acudir al Tribunal a demandar la nulidad de esa resolución definitiva y del procedimiento que le dio origen.

No obstante, cuando leemos e interpretamos el encabezado del artículo 3, en unión a la fracción V del propio dispositivo *(V. Las que causen un agravio en materia fiscal distinto al que se refieren las fracciones anteriores)* se puede inferir que existen procedimientos que, sin culminar aún con una resolución definitiva, ya están causando un agravio en materia fiscal, sin que se trate de una multa, una determinación de un crédito fiscal, negativa de devolución de impuestos, etc., con lo cual es discutible que los Tribunales hayan dado por sentado que ese procedimiento sólo se pueda atacar a propósito de la resolución en la que desemboque, siendo que el artículo que prevé su competencia, literalmente permite la impugnación de procedimientos de forma aislada, toda vez que el numeral en comento distingue a través de una conjunción copulativa "y", indicando todos los tipos de actuaciones susceptibles de ser impugnados, esto es, las resoluciones definitivas, los actos administrativos y los **procedimientos**.

Máxime que se trata simplemente de una tesis aislada y no una jurisprudencia, que no resulta obligatoria para el TFJA, sin embargo, es el criterio más aceptado hasta el momento para determinar la procedencia del juicio de nulidad y hasta el momento, ninguna Sala se ha apartado de este criterio bajo los argumentos que se plantearon anteriormente.

A manera de conclusión, se debe establecer que, actualmente los Tribunales toman por cierto que las únicas resoluciones que se pueden impugnar son las que revisten el carácter de definitivas, concepto que ya fue previamente explorado y por lo tanto, surgen cuestionamientos tales como: ¿Se trata de una mala técnica legislativa el hecho que se haya previsto la posibilidad presentar una demanda en contra de un procedimiento? ¿Se está haciendo nugatoria esa posibilidad actualmente en Tribunales o en realidad nunca existió? ¿Tiene un propósito especial que se diga textualmente que se pueden impugnar procedimientos y no solo resoluciones y actos definitivos?

Como respuesta a los cuestionamientos anteriores, y para no sufrir un desechamiento de demanda en la práctica, no queda más que asumir que todas las resoluciones que impugnemos ante el TFJA deben revestir el carácter de definitivas y pensar que se previó la posibilidad de impugnar procedimientos de forma expresa, considerando que sus vicios se pueden atacar a propósito de la resolución definitiva en la que desembocan, toda vez que en principio, un mero procedimiento no causa agravio en materia fiscal, sino hasta que concluye con una resolución final.

Sin embargo, también sostenemos que no en todos los casos es así, ya que hay procedimientos que desde que se instauran, causan agravio al gobernado como puede ser soportar una auditoría, tan es así que dicha afectación ya ha sido reconocida por el PJF en diversas tesis y jurisprudencias al punto que el juicio de amparo indirecto es procedente en contra de una orden de visita y primera solicitud de documentación e información con las que inician las visitas domiciliarias y revisiones de gabinete respectivamente, tema en el que no abundaremos por no ser parte de la procedencia del juicio contencioso administrativo federal, pero que resulta muy ilustrativo para confirmar que hay procedimientos que sí causan agravio sin que se tenga que esperar su resolución final.

Sin embargo, nuestra opinión en definitiva es que no procede juicio contencioso administrativo federal en contra de una orden de visita o el inicio de una revisión de gabiente, o en general, en contra de un procedimiento en sí mismo, sino que es procedente en contra de la resolución definitiva que viene precedida de un procedimiento, en su caso.

10.14. IMPEDIMENTOS Y EXCUSAS

Los magistrados del Tribunal estarán impedidos para conocer de un asunto, cuando:

I. Tengan interés personal en el negocio.

II. Sean cónyuges, parientes consanguíneos, afines o civiles de alguna de las partes o de sus patronos o representantes, en línea recta sin limitación de grado y en línea transversal dentro del cuarto grado por consanguinidad y segundo por afinidad.

III. Hayan sido patronos o apoderados en el mismo negocio.

IV. Tengan amistad estrecha o enemistad con alguna de las partes o con sus patronos o representantes.

V. Hayan dictado la resolución o acto impugnados o han intervenido con cualquier carácter en la emisión del mismo o en su ejecución. No resulta raro que un funcionario del SAT o de la SHCP, se convierta en Magistrado del TFJA.

VI. Figuren como parte en un juicio similar, pendiente de resolución.

VII. Estén en una situación que pueda afectar su imparcialidad en forma análoga o más grave que las mencionadas.

Al igual que los Magistrados del TFJA, los peritos del Tribunal estarán impedidos para dictaminar en los casos a que nos hemos referido.

Los magistrados tienen el deber de excusarse del conocimiento de los negocios en que ocurra alguno de los impedimentos señalados, expresando concretamente en qué consiste el impedimento.

Si no lo hacen, las partes pueden solicitar a través de un incidente, la recusación por causa de impedimento. Tema que trataremos más adelante, a propósito de los incidentes de previo y especial pronunciamiento regulados en la LFPCA.

Ahora bien, manifestada por un magistrado la causa de impedimento, el Presidente de la Sección o de la Sala Regional turnará el asunto al Presidente del Tribunal, a fin de que la califique y, de resultar fundada, se procederá en los términos de la Ley Orgánica del Tribunal Federal de Justicia Administrativa.

10.15. SUSPENSIÓN DEL ACTO RECLAMADO

La suspensión del acto impugnado es una medida cautelar para mantener la situación de hecho existente y así impedir que la resolución impugnada pueda dejar el litigio sin materia o causar un daño irreparable al actor y se tramitará en términos del artículo 28 LFPCA.

La suspensión de la ejecución del acto impugnado, se concederá siempre que no se afecte el interés social, no se contravengan disposiciones de orden público y que sean de difícil reparación los daños o perjuicios que se causen al solicitante con la ejecución del acto impugnado.

De igual forma, se deberá ofrecer una garantía.

Ahora bien, la solicitud de suspensión podrá ser formulada en la demanda o en escrito diverso presentado ante la Sala en que se encuentre radicado el juicio, en cualquier tiempo mientras no se dicte sentencia firme y se tramitará por cuerda separada, bajo la responsabilidad del Magistrado Instructor.

El Magistrado Instructor, deberá conceder o negar la suspensión provisional de la ejecución, a más tardar dentro del día hábil siguiente a la presentación de la solicitud.

Todo lo anterior, es con independencia que la suspensión de la ejecución, se puede solicitar de igual forma, ante la propia autoridad administrativa.

Para estos efectos, remitimos al lector al capítulo correspondiente donde tocamos el tema de Garantía del Interés Fiscal.

10.16. PROMOCIÓN DEL JUICIO ORDINARIO

La demanda debe presentarse dentro de los 30 días hábiles siguientes a aquel en que se dé alguno de los siguientes supuestos:

1. Haya surtido efectos la notificación de la resolución impugnada.

2. Haya iniciado la vigencia el decreto, acuerdo, acto o resolución administrativa de carácter general impugnada cuando sea autoaplicativa.

También cabe la posibilidad que en una misma demanda se controvierta una resolución determinante y al mismo tiempo un decreto o acuerdo general.

3. También será de 30 días hábiles, siguientes a aquel en el que surta efectos la notificación de la resolución de la Sala o Sección que habiendo conocido una queja, decida que la misma es improcedente y deba tramitarse como juicio. Para ello, se prevendrá al promovente, para que, dentro de dicho plazo presente demanda en contra de esa resolución definitiva; ya que no es lo mismo plantear

agravios como instancia de queja, que hacer valer conceptos de impugnación en una demanda de nulidad.

Por otro lado, en tratándose del juicio de lesividad, la autoridad demandada cuenta con el plazo de 5 años para la interposición de la demanda, contados a partir del día siguiente a la fecha en que la resolución que se pretende revocar, se haya emitido, salvo que haya producido efectos de tracto sucesivo, caso en el que se podrá demandar la modificación o nulidad en cualquier época sin exceder de 5 años del último efecto. Pero los efectos de la sentencia, en caso de ser total o parcialmente desfavorables para el particular, sólo se retrotraerán a los 5 años anteriores a la presentación de la demanda.

La demanda se interpondrá por escrito o en línea, manifestando la opción al interponer la demanda, so pena de ser tramitada en la vía tradicional.

En el caso de juicios de lesividad, siempre será en línea.

10.16.1. Causales de Suspensión al Plazo de Presentación de la Demanda de Nulidad

1. Fallecimiento del demandante. Se suspenderá hasta un año, si antes no se hubiere aceptado el cargo de albacea.

2. Cuando se solicita un procedimiento de solución de controversias contenido en un Tratado Internacional, incluyendo, en su caso, el procedimiento arbitral. En estos casos, cesará la suspensión cuando se notifique la resolución que da por terminado dicho procedimiento inclusive, en el caso de que se dé por terminado a petición del interesado.

3. Incapacidad, y

4. Declaración de ausencia, decretada por autoridad judicial.

Estas dos últimas se suspenden hasta por un año. La suspensión cesará cuando se acredite que se ha aceptado el cargo de tutor del incapaz o representante legal del ausente, siendo en perjuicio del particular si durante el plazo antes mencionado no se provee sobre su representación.

10.16.2. Datos de la demanda y documentos que deben adjuntarse

Dicha demanda debe cumplir con los requisitos que al efecto precisan los artículos **14 y 15 LFPCA**, mismos que a la letra disponen:

> **"ARTÍCULO 14.-** *La demanda deberá indicar:*
> *El nombre del demandante, domicilio fiscal y su domicilio para oír y recibir notificaciones dentro de la jurisdicción de la Sala Regional competente, así como su dirección de correo electrónico.*

Cuando se presente alguno de los supuestos a que se refiere el Capítulo XI, del Título II, de esta ley, el juicio será tramitado por el Magistrado Instructor en la vía sumaria.

***II.** La resolución que se impugna. En el caso de que se controvierta un decreto, acuerdo, acto o resolución de carácter general, precisará la fecha de su publicación.*

***III.** La autoridad o autoridades demandadas o el nombre y domicilio del particular demandado cuando el juicio sea promovido por la autoridad administrativa.*

***IV.** Los hechos que den motivo a la demanda.*

***V.** Las pruebas que ofrezca.*

En caso de que se ofrezca prueba pericial o testimonial se precisarán los hechos sobre los que deban versar y señalarán los nombres y domicilios del perito o de los testigos.

En caso de que ofrezca pruebas documentales, podrá ofrecer también el expediente administrativo en que se haya dictado la resolución impugnada.

Se entiende por expediente administrativo el que contenga toda la información relacionada con el procedimiento que dio lugar a la resolución impugnada; dicha documentación será la que corresponda al inicio del procedimiento, los actos administrativos posteriores y a la resolución impugnada. La remisión del expediente administrativo no incluirá las documentales privadas del actor, salvo que las especifique como ofrecidas. El expediente administrativo será remitido en un solo ejemplar por la autoridad, el cuál estará en la Sala correspondiente a disposición de las partes que pretendan consultarlo.

***VI.** Los conceptos de impugnación.*

***VII.** El nombre y domicilio del tercero interesado, cuando lo haya.*

***VIII.** Lo que se pida, señalando en caso de solicitar una sentencia de condena, las cantidades o actos cuyo cumplimiento se demanda.*

En cada demanda sólo podrá aparecer un demandante, salvo en los casos que se trate de la impugnación de resoluciones conexas, o que se afecte los intereses jurídicos de dos o más personas, mismas que podrán promover el juicio contra dichas resoluciones en una sola demanda.

En los casos en que sean dos o más demandantes éstos ejercerán su opción a través de un representante común.

En la demanda en que promuevan dos o más personas en contravención de lo dispuesto en el párrafo anterior, el Magistrado Instructor requerirá a los promoventes para que en el plazo de cinco días presenten cada uno de ellos su demanda correspondiente, apercibidos que de no hacerlo se desechará la demanda inicial.

Cuando se omita el nombre del demandante o los datos precisados en las fracciones II y VI, el Magistrado Instructor desechará por improcedente la demanda interpuesta. Si se omiten los datos previstos en las fracciones III, IV, V, VII y VIII, el Magistrado Instructor requerirá al promovente para que los señale dentro del término de cinco días, apercibiéndolo que de no hacerlo en tiempo se tendrá por no presentada la demanda o por no ofrecidas las pruebas, según corresponda.

Si en el lugar señalado por el actor como domicilio del tercero, se negare que sea éste, el demandante deberá proporcionar al Tribunal la información suficiente para proceder a su primera búsqueda, siguiendo al efecto las reglas previstas en el Código Federal de Procedimientos Civiles.

Cuando no se señale dirección de correo electrónico, no se enviará el aviso electrónico que corresponda.

***ARTÍCULO 15.-** El demandante deberá adjuntar a su demanda:*

***I.** Una copia de la misma y de los documentos anexos para cada una de las partes.*

***II.** El documento que acredite su personalidad o en el que conste que le fue reconocida por la autoridad demandada, o bien señalar los datos de registro del documento con la que esté acreditada ante el Tribunal, cuando no gestione en nombre propio.*

III. El documento en que conste la resolución impugnada.

IV. En el supuesto de que se impugne una resolución negativa ficta, deberá acompañar una copia en la que obre el sello de recepción de la instancia no resuelta expresamente por la autoridad.

V. La constancia de la notificación de la resolución impugnada.

VI. Cuando no se haya recibido constancia de notificación o la misma hubiere sido practicada por correo, así se hará constar en el escrito de demanda, señalando la fecha en que dicha notificación se practicó. Si la autoridad demandada al contestar la demanda hace valer su extemporaneidad, anexando las constancias de notificación en que la apoya, el Magistrado Instructor procederá conforme a lo previsto en el artículo 17, fracción V, de esta Ley. Si durante el plazo previsto en el artículo 17 citado no se controvierte la legalidad de la notificación de la resolución impugnada, se presumirá legal la diligencia de notificación de la referida resolución.

VII. El cuestionario que debe desahogar el perito, el cual deberá ir firmado por el demandante.

VIII. El interrogatorio para el desahogo de la prueba testimonial, el que debe ir firmado por el demandante en el caso señalado en el último párrafo del artículo 44 de esta Ley.

IX. Las pruebas documentales que ofrezca.

Los particulares demandantes deberán señalar, sin acompañar, los documentos que fueron considerados en el procedimiento administrativo como información confidencial o comercial reservada. La Sala solicitará los documentos antes de cerrar la instrucción.

Cuando las pruebas documentales no obren en poder del demandante o cuando no hubiera podido obtenerlas a pesar de tratarse de documentos que legalmente se encuentren a su disposición, éste deberá señalar el archivo o lugar en que se encuentra para que a su costa se mande expedir copia de ellos o se requiera su remisión, cuando ésta sea legalmente posible. Para este efecto deberá identificar con toda precisión los documentos y tratándose de los que pueda tener a su disposición, bastará con que acompañe copia de la solicitud debidamente presentada por lo menos cinco días antes de la interposición de la demanda. Se entiende que el demandante tiene a su disposición los documentos, cuando legalmente pueda obtener copia autorizada de los originales o de las constancias.

Si no se adjuntan a la demanda los documentos a que se refiere este precepto, el Magistrado Instructor requerirá al promovente para que los presente dentro del plazo de cinco días. Cuando el promovente no los presente dentro de dicho plazo y se trate de los documentos a que se refieren las fracciones I a VI, se tendrá por no presentada la demanda. Si se trata de las pruebas a que se refieren las fracciones VII, VIII y IX, las mismas se tendrán por no ofrecidas.

Cuando en el documento en el que conste la resolución impugnada a que se refiere la fracción III de este artículo, se haga referencia a información confidencial proporcionada por terceros independientes, obtenida en el ejercicio de las facultades que en materia de operaciones entre partes relacionadas establece la Ley del Impuesto sobre la Renta, el demandante se abstendrá de revelar dicha información. La información confidencial a que se refiere la ley citada, no podrá ponerse a disposición de los autorizados en la demanda para oír y recibir notificaciones, salvo que se trate de los representantes a que se refieren los artículos 46, fracción IV, quinto párrafo y 48, fracción VII, segundo párrafo del Código Fiscal de la Federación."

Al respecto, es importante precisar que a diferencia de lo que sucede en el Recurso de Revocación, en términos del artículo 14 LFPCA, si en el escrito inicial de demanda se omite el nombre del demandante, resolución que se impugna, fecha de publicación del decreto, acuerdo, acto o resolución de carácter general o conceptos de impugnación, el Magistrado Instructor desechará por improcedente la demanda presentada, esto es, sin mediar requerimiento.

Mientras que, por lo que hace a la omisión de las autoridades demandadas, los hechos, pruebas, nombre y domicilio del tercero interesado y los puntos petitorios, el Magistrado Instructor requerirá al promovente para señalarlos dentro de un término de cinco días hábiles, bajo el apercibimiento que de no hacerlo en tiempo se tendrá por no presentada la demanda o por no ofrecidas las pruebas en su caso.

En efecto, a diferencia del Recurso de Revocación, en el que si no se señalan los hechos, incluso previo requerimiento, la única consecuencia es tenerlos por no señalados, en juicio contencioso administrativo federal, la consecuencia será muy grave, ya que se considera como no presentada la demanda, situación que nos parece injusta.

Esto genera una falta de equidad procesal, pues tanto el recurso de revocación, como el juicio de nulidad, son los medios ordinarios de defensa que tiene el contribuyente, y debería haber un tratamiento igual respecto a la omisión de señalar los hechos en el escrito inicial, pues las consecuencias en ambos son desproporcionadas entre sí, a pesar de que, ambos medios de defensa se relacionan y tienen similitudes en su procedencia, e incluso son optativos por el particular, puesto que es indiferente la promoción de uno u otro, ya que el alcance es el mismo.

Se debería homologar esta situación, tanto en recurso de revocación como en demanda de nulidad, ya que la regulación diferente en este tema de los hechos, viola el artículo 25 de la Convención Americana de Derechos Humanos[38] a la que se "adhirió" México pues, son dos medios ordinarios cuyo objeto es el mismo, pero del cual uno sí cumple con ser un recurso sencillo y rápido, mientras que el otro se ve envuelto en formulismos (como que la consecuencia de no señalar los hechos sea tener por no presentada la demanda), propiciando así que sea un recurso con requisitos excesivos que dejan en indefensión al particular.

De igual forma, si no se señala correo electrónico, no se enviará el aviso electrónico que corresponda.

---

[38]   **Artículo 25.** Protección Judicial
1. Toda persona *tiene derecho a un recurso sencillo y rápido* o a cualquier otro recurso efectivo ante los jueces o tribunales competentes, que la ampare contra actos que violen sus derechos fundamentales reconocidos por la Constitución, la ley o la presente Convención, aun cuando tal violación sea cometida por personas que actúen en ejercicio de sus funciones oficiales. (...).

Ahora bien, por lo que hace a los documentos que se deberán acompañar a la demanda, dispone el artículo 15 LFPCA que ha quedado transcrito, que en caso de no adjuntarlos, el Magistrado Instructor requerirá al promovente para que los presente dentro del plazo de cinco días hábiles.

Cuando no se atienda el requerimiento señalado en el párrafo que antecede en tiempo y forma y se trate de copias de traslado con su anexos, documento con el que se acredite personalidad, documento en que conste la resolución impugnada, sello de recepción para el caso de negativa ficta (o confirmativa en su caso), constancia de notificación de la resolución impugnada o el apunte de no haber sido legalmente notificado, entonces se tendrá por no presentada la demanda, mientras que cuando se trate del cuestionario a desahogar por peritos, interrogatorio para el desahogo de la prueba testimonial o pruebas documentales, las mismas se tendrán por no ofrecidas.

A continuación, agregarmos un cuadro donde se resumen las diferencias de estos temas en tratándose de Recurso de Revocación y Juicio de Nulidad, a saber:

	Recurso de Revocación	Demanda de Nulidad
Nombre del Contribuyente/ Actor	Req. —10 días— por no presentado.	Desechan sin previo requerimiento
Autoridad a la que se dirige/Aut. Demandada	Req. —10 días— por no presentado.	Req. —5 días— por no presentada.
Hechos	Req. —5 días— **por no señalados.**	Req. —5 días— **por no presentada.**
Pruebas*	Req. —5 días— por no ofrecidas.	Req. —5 días— por no ofrecidas.
Acto Recurrido/ Acto Impugnado	Req. —5 días— por no presentado.	Desechan sin previo requerimiento
Agravios/ Conceptos de impugnación	Req. —5 días— por no presentado.	Desechan sin previo requerimiento

*(Excepto poder, resolución impugnada, sello de recepción en negativa y confirmativa ficta, constancias de notificación o señalamiento de no haber sido notificado; casos en los que se tendrá por no presentada la demanda o el recurso en su caso).

Ahora bien, el actor puede manifestar a través del escrito inicial de demanda que NO conoce el acto o resolución impugnada o bien, manifestar que no le fue legalmente notificada.

Para ello, deberá seguir lo dispuesto por el artículo **16 LFPCA**, a efecto de que la Sala determine si efectivamente hubo o no notificación o si la misma fue ilegal, tema que trataremos a continuación.

10.16.3. *Impugnación de Notificaciones*

10.16.3.1. Antecedentes

Antes del 1º de enero de 2014, los particulares tenían la opción de combatir una resolución no notificada o notificada ilegalmente vía Recurso de Revocación de conformidad con el artículo 129 del Código Fiscal de la Federación, que señalaba textualmente lo siguiente:

> *"Artículo 129.- Cuando se alegue que un acto administrativo no fue notificado o que lo fue ilegalmente, siempre que se trate de los recurribles conforme al artículo 117, se estará a las reglas siguientes:*
>
> *I. Si el particular afirma conocer el acto administrativo, la impugnación contra la notificación se hará valer mediante la interposición del recurso administrativo que proceda contra dicho acto, en el que manifestará la fecha en que lo conoció.*
>
> *En caso de que también impugne el acto administrativo, los agravios se expresarán en el citado recurso, conjuntamente con los que se formulen contra la notificación.*
>
> *II. Si el particular niega conocer el acto, manifestará tal desconocimiento interponiendo el recurso administrativo ante la autoridad fiscal competente para notificar dicho acto. La citada autoridad le dará a conocer el acto junto con la notificación que del mismo se hubiere practicado, para lo cual el particular señalará en el escrito del propio recurso, el domicilio en que se le debe dar a conocer y el nombre de la persona facultada al efecto. Si no hace alguno de los señalamientos mencionados, la autoridad citada dará a conocer el acto y la notificación por estrados.*
>
> *El particular tendrá un plazo de veinte días a partir del día hábil siguiente al en que la autoridad se los haya dado a conocer, para ampliar el recurso administrativo, impugnando el acto y su notificación o sólo la notificación.*
>
> *III. La autoridad competente para resolver el recurso administrativo estudiará los agravios expresados contra la notificación, previamente al examen de la impugnación que, en su caso, se haya hecho del acto administrativo.*
>
> *IV. Si se resuelve que no hubo notificación o que fue ilegal, tendrá al recurrente como sabedor del acto administrativo desde la fecha en que manifestó conocerlo o en que se le dio a conocer en los términos de la fracción II, quedando sin efectos todo lo actuado en base a aquélla, y procederá al estudio de la impugnación que, en su caso, hubiese formulado en contra de dicho acto.*
>
> *Si resuelve que la notificación fue legalmente practicada y, como consecuencia de ello, la impugnación contra el acto se interpuso extemporáneamente, se sobreseerá dicho recurso por improcedente.*
>
> *En el caso de actos regulados por otras leyes federales, la impugnación de la notificación efectuada por autoridades fiscales se hará mediante el recurso administrativo que, en su caso, establezcan dichas leyes y de acuerdo con lo previsto por este artículo."*

Del artículo anterior, se desprendía que cuando en el recurso de revocación el particular argumentara que el acto recurrido no fue notificado o fue notificado ilegalmente, estaría facultado para combatir la notificación, siempre que tal desconocimiento lo señalara desde la interposición del recurso, para que la autoridad recurrida, al contestar el mismo, exhibiera el acto recurrido y su notificación, y se concediera al particular un plazo de 20 días hábiles para ampliar su recurso, haciendo valer agravios en contra del acto recurrido y su notificación.

Sin embargo, a partir del 1° de enero de 2014[39] se derogó la Sección Segunda denominada de la "De la Impugnación de las Notificaciones" del Título Quinto del Código Fiscal de la Federación, con lo cual, quedó eliminada la posibilidad para los contribuyentes de acudir al recurso de revocación para reclamar lo referido en el párrafo anterior.

10.16.3.2. Regulación Actual

Ahora bien, la posibilidad de impugnar la ilegalidad o el desconocimiento de las notificaciones subsiste **vía juicio de nulidad,** de acuerdo con lo que establece el artículo 16 de la Ley Federal de Procedimiento Contencioso Administrativo, que analizaremos a continuación y que a la letra dispone:

"ARTÍCULO 16.- Cuando se alegue que la resolución administrativa no fue notificada o que lo fue ilegalmente, siempre que se trate de las impugnables en el juicio contencioso administrativo federal, se estará a las reglas siguientes:

I. Si el demandante afirma conocer la resolución administrativa, los conceptos de impugnación contra su notificación y contra la resolución misma, deberán hacerse valer en la demanda, en la que manifestará la fecha en que la conoció.

II. Si el actor manifiesta que no conoce la resolución administrativa que pretende impugnar, así lo expresará en su demanda, señalando la autoridad a quien la atribuye, su notificación o su ejecución. En este caso, al contestar la demanda, la autoridad acompañará constancia de la resolución administrativa y de su notificación, mismas que el actor deberá combatir mediante ampliación de la demanda.

III. El Tribunal estudiará los conceptos de impugnación expresados contra la notificación, en forma previa al examen de los agravios expresados en contra de la resolución administrativa.

Si resuelve que no hubo notificación o que fue ilegal, considerará que el actor fue sabedor de la resolución administrativa desde la fecha en que manifestó conocerla o en la que se le dio a conocer, según se trate, quedando sin efectos todo lo actuado en base a dicha notificación, y procederá al estudio de la impugnación que se hubiese formulado contra la resolución.

Si resuelve que la notificación fue legalmente practicada y, como consecuencia de ello la demanda fue presentada extemporáneamente, sobreseerá el juicio en relación con la resolución administrativa combatida."

En efecto, del artículo anterior se desprende que existen dos supuestos distintos para la impugnación de notificaciones de créditos fiscales:

1. Que el *contribuyente conozca* la resolución administrativa cuya notificación pretende impugnar. En este primer caso, el actor quedará obligado a enderezar conceptos de impugnación, tanto en contra de la resolución administrativa, como

---

[39]   Consultar DOF de 9 de diciembre de 2013.

en contra de la notificación de la misma *desde la demanda inicial*, señalando la fecha en que se hizo conocedor de la resolución impugnada.

2. Que el *contribuyente no conozca* la resolución administrativa cuya notificación pretende impugnar.

2.1. En este segundo supuesto, el actor deberá señalar —bajo protesta de decir verdad— que desconoce la resolución administrativa y la autoridad a quien se le atribuye la ejecución y/o notificación de dicha resolución.

2.2. Posteriormente, el Magistrado Instructor estará obligado a correr traslado de la demanda a la autoridad a la que se le está atribuyendo el acto administrativo en cuestión, misma que a su vez *deberá exhibirlo junto con su notificación al momento de rendir su contestación de demanda.*

2.3. Por su parte, el actor deberá hacer valer los conceptos de impugnación para demostrar la ilegalidad, tanto de la notificación como del acto administrativo, *a través de su ampliación de demanda.*

Cabe señalar que, en ambos casos, el Magistrado está obligado a estudiar de manera prioritaria la legalidad o ilegalidad de la notificación del acto administrativo impugnado y, posteriormente, estará facultado para estudiar aquellos conceptos de impugnación enderezados en contra del acto administrativo como tal.

Así las cosas, la Sala que conozca del asunto podrá resolver en dos sentidos:

a) Que no hubo una notificación o que la misma fue ilegal y, por lo tanto, se considerará que el actor conoció la resolución en la fecha en que así lo manifestó (caso 1), o bien, en la fecha en la que se le dio a conocer (caso 2) que, normalmente, será en la fecha en que se le notifique al actor la contestación de la demanda. Lo anterior, tendrá como consecuencia que quede sin efectos todo lo actuado con base en dicha notificación y, la Sala procederá al estudio de la impugnación de la resolución impugnada, con los argumentos que se hayan hecho valer.

b) Que la notificación fue legal y, por lo tanto, la demanda pudo haber sido presentada de forma extemporánea, dando lugar al sobreseimiento del juicio en contra de la resolución impugnada, de conformidad con la fracción IV, del artículo 8 de la LFPCA[40], en relación con la fracción II, del artículo 9 de la propia Ley[41].

---

[40] *"ARTÍCULO 8o.- Es improcedente el juicio ante el Tribunal en los casos, por las causales y contra los actos siguientes:*
(...)
IV. Cuando hubiere consentimiento, entendiéndose que hay consentimiento si no se promovió algún medio de defensa en los términos de las leyes respectivas o juicio ante el Tribunal, en los plazos que señala esta Ley."

[41] *"ARTÍCULO 9o.- Procede el sobreseimiento:*
(...)

Finalmente, por lo que respecta al inciso **a)** anteriormente señalado, es importante apuntar que, si la fecha en que se da a conocer la notificación de un crédito fiscal que esté siendo impugnando, excede el plazo de 6 meses que al efecto señala el primer párrafo, del artículo 50 del Código Fiscal de la Federación[42], entonces, esta cuestión se debe hacer valer en la ampliación de demanda, o bien, desde la demanda inicial —previendo que la notificación será declarada ilegal— para que la Sala del Tribunal Federal de Justicia Administrativa que conozca del asunto, lo estudie de manera preferente y pueda concluir que la determinación del crédito fue extemporánea y, por lo tanto, declare la nulidad lisa y llana de la resolución impugnada con fundamento en el párrafo cuarto, del propio artículo 50, que dispone lo siguiente:

> *"Artículo 50.-*
> *(…)*
> *Cuando las autoridades no emitan la resolución correspondiente dentro del plazo mencionado, quedará sin efectos la orden y las actuaciones que se derivaron durante la visita o revisión de que se trate."*

10.16.4. Contestación a la Demanda

No encontrándose irregularidades en la demanda, o subsanadas éstas, el Magistrado Instructor emplazará al demandado para que la conteste dentro de los 30 días siguientes a aquel en que surta efectos el emplazamiento. El plazo para la ampliación a la contestación será de 10 días, en lugar de 30.

Tanto la contestación a la demanda como la ampliación a la contestación (en su caso), deberán cumplir los requisitos que al efecto precisan los artículos **20 y 21 LFPCA**, mismos que a la letra disponen:

> *"**ARTÍCULO 20.-** El demandado en su contestación y en la contestación de la ampliación de la demanda, expresará:*
> *I. Los incidentes de previo y especial pronunciamiento a que haya lugar.*

II. Cuando durante el juicio aparezca o sobrevenga alguna de las causas de improcedencia a que se refiere el artículo anterior."

42   *"Artículo 50.- Las autoridades fiscales que al practicar visitas a los contribuyentes o al ejercer las facultades de comprobación a que se refiere el artículo 48 de este Código, conozcan de hechos u omisiones que entrañen incumplimiento de las disposiciones fiscales, determinarán las contribuciones omitidas mediante resolución que se notificará personalmente al contribuyente o por medio del buzón tributario, dentro de* **un plazo máximo de seis meses** *contado a partir de la fecha en que se levante el acta final de la visita o, tratándose de la revisión de la contabilidad de los contribuyentes que se efectúe en las oficinas de las autoridades fiscales, a partir de la fecha en que concluyan los plazos a que se refieren las fracciones VI y VII del artículo 48 de este Código."*

II. Las consideraciones que, a su juicio, impidan se emita decisión en cuanto al fondo o demuestren que no ha nacido o se ha extinguido el derecho en que el actor apoya su demanda.

III. Se referirá concretamente a cada uno de los hechos que el demandante le impute de manera expresa, afirmándolos, negándolos, expresando que los ignora por no ser propios o exponiendo cómo ocurrieron, según sea el caso.

IV. Los argumentos por medio de los cuales se demuestra la ineficacia de los conceptos de impugnación.

V. Los argumentos por medio de los cuales desvirtúe el derecho a indemnización que solicite la actora.

VI. Las pruebas que ofrezca.

VII. En caso de que se ofrezca prueba pericial o testimonial, se precisarán los hechos sobre los que deban versar y se señalarán los nombres y domicilios del perito o de los testigos. Sin estos señalamientos se tendrán por no ofrecidas dichas pruebas.

ARTÍCULO 21.- El demandado deberá adjuntar a su contestación:

I. Copias de la misma y de los documentos que acompañe para el demandante y para el tercero señalado en la demanda.

II. El documento en que acredite su personalidad cuando el demandado sea un particular y no gestione en nombre propio.

III. El cuestionario que debe desahogar el perito, el cual deberá ir firmado por el demandado.

IV. En su caso, la ampliación del cuestionario para el desahogo de la pericial ofrecida por el demandante.

V. Las pruebas documentales que ofrezca.

Tratándose de la contestación a la ampliación de la demanda, se deberán adjuntar también los documentos previstos en este artículo, excepto aquéllos que ya se hubieran acompañado al escrito de contestación de la demanda.

Para los efectos de este artículo será aplicable, en lo conducente, lo dispuesto por el artículo 15.

Las autoridades demandadas deberán señalar, sin acompañar, la información calificada por la Ley de Comercio Exterior como gubernamental confidencial o la información confidencial proporcionada por terceros independientes, obtenida en el ejercicio de las facultades que en materia de operaciones entre partes relacionadas establece la Ley del Impuesto sobre la Renta. La Sala solicitará los documentos antes de cerrar la instrucción."

La contestación a la demanda, es muy importante para la autoridad, ya que a través de la misma, pretenderá fortalecer lo planteado en la resolución combatida (sin poder cambiar los fundamentos de derecho, ni mejorar la motivación), y desvirtuar lo que hizo valer el actor en la demanda.

Asimismo, será importante que conteste los hechos señalados por la demandante, y haga valer —en su caso— los incidentes de previo y especial pronunciamiento.

De igual forma, será el momento procesal oportuno de exhibir pruebas documentales y contestar la pericial (en su caso), incluso aumentando preguntas al cuestionario, señalar al perito; y en el caso de la testimonial, señalará a sus testigos.

Ahora bien, en caso de resolución negativa ficta, la autoridad demandada o la facultada para contestar la demanda, expresará los hechos y el derecho en que se apoya la misma.

En la contestación de la demanda, o hasta antes del cierre de la instrucción, la autoridad demandada podrá allanarse a las pretensiones del demandante o revocar la resolución impugnada, caso en el cual el asunto quedará concluido en definitiva de manera favorable al actor.

Cuando haya contradicciones entre los hechos y fundamentos de derecho dados en la contestación de la autoridad federativa coordinada que dictó la resolución impugnada y la formulada por el titular de la dependencia u organismo desconcentrado o descentralizado, unicamente se tomará en cuenta, respecto a esas contradicciones, lo expuesto por éstos últimos.

10.16.5. Ampliación a la demanda

En términos del artículo 17 LFPCA, se podrá ampliar la demanda dentro de los 10 días siguientes a aquél en que surta efectos la notificación del acuerdo que admita su contestación, en los casos siguientes:

I. Cuando se impugne una negativa ficta.

II. Contra el acto principal del que derive la resolución impugnada en la demanda, así como su notificación, cuando se den a conocer en la contestación.

III. En los casos previstos en el artículo anterior.

IV. Cuando con motivo de la contestación, se introduzcan cuestiones que, sin violar el primer párrafo del artículo 22, no sean conocidas por el actor al presentar la demanda.

V. Cuando la autoridad demandada plantee el sobreseimiento del juicio por extemporaneidad en la presentación de la demanda.

En el escrito de ampliación de demanda, se deberá señalar el nombre del actor y el juicio en que se actúa, debiendo adjuntar, con las copias necesarias para el traslado, las pruebas y documentos que en su caso se presenten.

Por su parte, la autoridad cuenta con 10 días hábiles para efectuar su contestación a la ampliación atendiendo los requisitos establecidos en el ya citado artículo 20 LFPCA.

Nos parece que la fracción III del artículo 17 de la LFPCA es redundante, ya que el supuesto del artículo 16 viene previsto en la diversa fracción II del mismo numeral 17.

Resulta muy importante la ampliación de la demanda, en el caso de que el actor manifieste desde la demanda que no conoce el acto impugnado ni su notificación. Lo anterior, ya que la ampliación hará las veces de una demanda inicial, en un caso común y corriente, y la ampliación a la contestación deberá sostener la legalidad de la notificación y de la resolución combatida.

10.16.6. Pruebas

Como en cualquier juicio, las pruebas en el juicio contencioso administrativo revisten una trascendental importancia a fin de comprobar los hechos que se hacen valer en la Demanda de Nulidad. Esto es, el que afirma está obligado a comprobar su dicho, luego, será muy importante que el actor pruebe los hechos de los que deriva su derecho y el demandado sus excepciones.

En Juicio de Nulidad son admisibles toda clase de pruebas, excepto la confesional de la autoridad mediante absolución de posiciones y la de petición de informes, salvo que los informes se limiten a hechos que consten en documentos que obren en poder de las autoridades.

Pueden presentarse pruebas supervenientes hasta antes de que se dicte sentencia. Y en ese caso, se le dará vista a la contraparte.

El Magistrado Instructor, hasta antes de que se cierre la instrucción, puede acordar la exhibición de cualquier documento que tenga relación con los hechos (medidas para mejor proveer), incluso ordenar la práctica de una pericial, cuando se presenten cuestiones de carácter técnico y las partes no la hayan ofrecido.

Los actos administrativos se presumen legales, por eso es que se reconoce la validez, y se declara la nulidad de una resolución combatida.

Las autoridades deben probar los hechos cuando el afectado los niegue lisa y llanamente, salvo que dicha negativa implique una afirmación.

10.16.6.1. Prueba Pericial

Esta prueba es muy común que se presente en los juicios contenciosos administrativos federales, en tratándose de la materia fiscal, sobre todo por lo que hace a la prueba pericial en materia contable. Lo anterior, ya que hay muchos asuntos con cuestiones técnicas muy complicadas de entender con solo argumentos por escrito, sino que hacen falta ejercicios numéricos para un mejor entendimiento y comprensión.

En el acuerdo de contestación o de la ampliación a la contestación, se requerirá a las partes para que en 10 días presenten a sus peritos, a fin de que acrediten que reúnen los requisitos, acepten el cargo y protesten su legal desempeño.

Posteriormente, se concede el plazo de 15 días hábiles para que rindan su dictamen y lo ratifiquen. Solo se tomarán en cuenta los dictámenes rendidos en tiempo y los ratificados de la misma forma, así que se recomienda estar muy atentos a dichos requerimientos, para que efectivamente sea tomada en cuenta esta prueba.

Por una sola vez, se puede solicitar la ampliación del plazo y la sustitución del perito.

Los peritos deberán rendir su propio dictamen autónomo e independiente y exponer sus razones o sustentos en los que se apoyan, por lo que no deberán sustentar su dictamen en las respuestas expuestas por otro perito, ni remitirse a ellas para justificar su opinión técnica.

El perito tercero lo designa la Sala Regional, de entre los adscritos. En caso de perito valuador, será una institución de crédito, debiendo pagar los honorarios las partes. En todos los demás casos, los cubrirá el Tribunal. También este perito tercero, tendrá quince días para rendir su dictamen.

El Magistrado Instructor, dentro del plazo de tres días posteriores a la notificación del acuerdo que tenga por rendido el dictamen del perito tercero, podrá ordenar que se lleve a cabo el desahogo de una junta de peritos, en la cual se planteen aclaraciones en relación a los dictámenes. El acuerdo por el que se fije el lugar, día y hora para la celebración de la junta de peritos deberá notificarse a todas las partes, así como a los peritos.

En la audiencia, el Magistrado Instructor podrá requerir que los peritos hagan las aclaraciones correspondientes, debiendo levantar el acta circunstanciada correspondiente.

En el caso de la Sala Superior del Tribunal, el Magistrado ponente podrá ordenar directamente la reapertura de la instrucción del juicio, a efecto de que la junta de peritos se realice en la Secretaría General o Adjunta de Acuerdos o en la Sala Regional, la cual podrá llevarse a cabo a través de medios electrónicos.

10.16.6.2. Prueba Testimonial

Se requiere a la oferente para que los presente, y si no puede, el Magistrado Instructor los citará. Se levantará acta pormenorizada, y les podrán hacer preguntas las partes y el Magistrado.

Las autoridades rinden testimonio por escrito.

Si los testigos están fuera de la sede de la Sala, se desahogará mediante exhorto, PREVIA CALIFICACIÓN DEL INTERROGATORIO PRESENTADO POR EL MAGISTRADO, pudiendo repreguntar el magistrado o juez que desahogue el exhorto.

10.16.6.3. Valoración de las Pruebas

De conformidad con lo que dispone el artículo 46 de la LFPCA:

> *"Harán* **prueba plena** *la confesión expresa de las partes, las presunciones legales que no admitan prueba en contrario, así como los hechos legalmente afirmados por autoridad en documentos públicos, incluyendo los digitales; pero, si en los documentos públicos citados se contienen declaraciones de verdad o manifestaciones de hechos de particulares, los documentos sólo prueban plenamente que, ante la autoridad que los expidió, se hicieron tales declaraciones o manifestaciones, pero no prueban la verdad de lo declarado o manifestado."*

Continúa diciendo dicho numeral:

> *"Tratándose de actos de comprobación de las autoridades administrativas, se entenderán como legalmente afirmados los hechos que constan en las actas respectivas."*

Sin embargo, esta afirmación no es del todo correcta, ya que puede haber algún error por parte de un tercero que atiende la diligencia en una *v.gr.* visita domiciliaria, luego, ya sea dentro de la misma facultad de comprobación, o incluso, en Recurso de Revocación, se puede demostrar que lo afirmado en dicha acta fue equivocado.

El valor de las pruebas pericial y testimonial, así como el de las demás pruebas, quedará a la prudente apreciación de la Sala.

Cuando se trate de documentos digitales con firma electrónica distinta a una firma electrónica avanzada o sello digital, para su valoración se estará a lo dispuesto por el artículo 210-A del Código Federal de Procedimientos Civiles.

Cuando por el enlace de las pruebas rendidas y de las presunciones formadas, la Sala adquiera convicción distinta acerca de los hechos materia del litigio, podrá valorar las pruebas sin sujetarse a lo dispuesto en las fracciones anteriores, debiendo fundar razonadamente esta parte de su sentencia.

10.16.7. Alegatos

En términos del artículo 47 LFPCA, el Magistrado Instructor, cinco días después de que haya concluido la sustanciación del juicio y no existiere ninguna cuestión pendiente que impida su resolución, notificará por boletín electrónico a las partes que tienen un término de cinco días para formular alegatos por escrito. Los alegatos son una instancia tendiente a reforzar lo expuesto en el escrito inicial de demanda y en su caso, refutar lo expuesto por la contraparte a través de su contestación, presentados en tiempo deberán ser considerados al dictar sentencia.

Resulta muy importante esta etapa procesal, porque es un resumen de lo ocurrido en el juicio hasta ese momento, y puede ser fundamental para la legal solución del asunto.

Al vencer el plazo de cinco días a que se refiere el párrafo anterior, con alegatos o sin ellos, se emitirá el acuerdo correspondiente en el que se declare cerrada la instrucción, esto es, que las partes ya no están posibilitadas para realizar actuación procesal alguna.

10.16.8. *Sentencia*

La sentencia se puede emitir por unanimidad o mayoría de votos de los tres magistrados de la Sala, Sección o Pleno que conozca del asunto y deberá dictarse dentro de los 45 días siguientes a aquel en que se dicte el acuerdo de cierre de instrucción, aunque resulta importante comentar que en la práctica no necesariamente se cumple con este plazo.

Para ello, el Magistrado Instructor formulará el proyecto respectivo dentro de los 30 días siguientes al del cierre de la instrucción. Pero si va a sobreseer el juicio, no será necesario que haya quedado cerrada la instrucción.

El plazo para que el Magistrado Ponente del Pleno o Sección del TFJA formule su proyecto, correrá a partir de que tenga en su poder el expediente integrado.

Cuando se decida un asunto por mayoría, el magistrado disidente podrá únicamente votar en contra (total o parcialmente), o bien, formular voto particular razonado, mismo que deberá presentar en un plazo que no supere los 10 días.

Ahora bien, en caso de que el proyecto presentado no sea aceptado por los otros Magistrados, ya sea del Pleno, Sección o Sala, el magistrado ponente o instructor engrosará el fallo con los argumentos de la mayoría y el proyecto podrá quedar como voto particular.

10.16.8.1. Fundamentación de la sentencia

Las sentencias del Tribunal se fundarán en derecho y resolverán sobre la pretensión del actor que se deduzca de su demanda, en relación con una resolución impugnada, teniendo la facultad de invocar hechos notorios.

Cuando se hagan valer diversas causales de ilegalidad, la sentencia de la Sala deberá examinar primero aquéllos que puedan llevar a declarar la nulidad lisa y llana.

Efectivamente, en el caso de que en una demanda de nulidad, se hagan valer conceptos de impugnación de fondo, forma y de procedimiento, el Tribunal se encuentra obligado a examinar en primer término los relativos al fondo del asunto, que lo puedan llevar a declarar una nulidad lisa y llana. De ahí la importancia de que los litigantes ayudemos en este sentido, y en un debido orden, hagamos valer en primer término con buena redacción y entendimiento, los argumentos tendientes a controvertir el fondo del asunto.

Ahora bien, en el caso de que la sentencia declare la nulidad de una resolución por la omisión de los requisitos formales exigidos por las leyes (artículo 51, fracción II de la LFPCA), o por vicios de procedimiento (fracción III del artículo 51 de la LFPCA), la misma deberá señalar en qué forma afectaron las defensas del particular y trascendieron al sentido de la resolución.

10.16.8.2. Suplencia de la deficiencia de la queja

Las Salas pueden corregir la cita de los preceptos de derecho que se estimen violados y examinar en su conjunto los agravios (conceptos de impugnación) y causales de ilegalidad sin cambiar los hechos.

Cabe señalar que aunque esto se encuentre previsto en ley, es poco común (aunque no imposible) que suceda.

10.16.8.3. Casos provenientes de Recursos de Revocación

Si el asunto proviene de un Recurso de Revocación, también la Sala puede pronunciarse sobre la legalidad de la resolución original (recurrida), si cuenta con los elementos para ello, en la parte que no satisfizo al demandante.

Es importante señalar que no se pueden anular o modificar actos de autoridades no impugnados de manera expresa.

De ahí la importancia de señalar en el proemio de la demanda, todas las partes de la resolución impugnada que se están combatiendo, *v.gr.* impuestos omitidos, actualización, recargos y multas.

En el caso de sentencias en que se condene a la autoridad a la restitución de un derecho subjetivo violado o a la devolución de una cantidad, el Tribunal deberá previamente constatar el derecho que tiene el particular, además de la ilegalidad de la resolución impugnada.

Para efectos de un debido entendimiento del presente libro, resulta importante recordar que el tema previsto en el artículo 51 de la LFPCA (Causales de ilegalidad del acto administrativo) fue estudiado a profundidad como segundo subtema del presente trabajo, al cual, remitimos a su lectura.

10.16.8.4. Sentidos y Efectos de la Sentencia

En este sentido, el artículo 52 de la Ley Federal de Procedimiento Contencioso Administrativo, dispone lo siguiente:

> **ARTÍCULO 52.-** *La sentencia definitiva podrá:*
> *I. **Reconocer la validez** de la resolución impugnada.*
> *II. **Declarar la nulidad** de la resolución impugnada.*
> *III. **Declarar la nulidad** de la resolución impugnada **para determinados efectos**, debiendo precisar con claridad la forma y términos en que la autoridad debe cumplirla, debiendo reponer el procedimiento, en su caso, desde el momento en que se cometió la violación.*
> *IV. Siempre que se esté en alguno de los supuestos previstos en las fracciones II y III, del artículo 51 de esta Ley, el Tribunal declarará la nulidad para el efecto de que se reponga el procedimiento o se emita nueva resolución; en los demás casos, cuando corresponda a la pretensión deducida, también podrá indicar los términos conforme a los cuales deberá dictar su resolución la autoridad administrativa.*
> *En los casos en que la sentencia implique una modificación a la cuantía de la resolución administrativa impugnada, la Sala Regional competente deberá precisar, el monto, el alcance y los términos de la misma para su cumplimiento.*
> *Tratándose de sanciones, cuando dicho Tribunal aprecie que la sanción es excesiva porque no se motivó adecuadamente o no se dieron los hechos agravantes de la sanción, deberá reducir el importe de la sanción apreciando libremente las circunstancias que dieron lugar a la misma.*
> *V. Declarar la nulidad de la resolución impugnada y además:*
> *a) Reconocer al actor la existencia de un derecho subjetivo y condenar al cumplimiento de la obligación correlativa.*
> *b) Otorgar o restituir al actor en el goce de los derechos afectados.*
> *c) Declarar la nulidad del acto o resolución administrativa de carácter general, caso en que cesarán los efectos de los actos de ejecución que afectan al demandante, inclusive el primer acto de aplicación que hubiese impugnado. La declaración de nulidad no tendrá otros efectos para el demandante, salvo lo previsto por las leyes de la materia de que se trate.*
> *d) Reconocer la existencia de un derecho subjetivo y condenar al ente público federal al pago de una indemnización por los daños y perjuicios causados por sus servidores públicos.*
> *Si la sentencia obliga a la autoridad a realizar un determinado acto o iniciar un procedimiento, conforme a lo dispuesto en las fracciones III y IV, deberá cumplirse en un plazo de cuatro meses contados a partir de que la sentencia quede firme.*
> *Dentro del mismo término deberá emitir la resolución definitiva, aún cuando, tratándose de asuntos fiscales, hayan transcurrido los plazos señalados en los artículos 46-A y 67 del Código Fiscal de la Federación.*
> *Si el cumplimiento de la sentencia entraña el ejercicio o el goce de un derecho por parte del demandante, transcurrido el plazo señalado en el párrafo anterior sin que la autoridad hubiere cumplido con la sentencia, el beneficiario del fallo tendrá derecho a una indemnización que la Sala que haya conocido del asunto determinará, atendiendo el tiempo transcurrido hasta el total cumplimiento del fallo y los perjuicios que la omisión hubiere ocasionado, sin menoscabo de lo establecido en el artículo 58 de esta Ley. El ejercicio de dicho derecho se tramitará vía incidental.*
> *Cuando para el cumplimiento de la sentencia, sea necesario solicitar información o realizar algún acto de la autoridad administrativa en el extranjero, se suspenderá el plazo*

a que se refiere el párrafo anterior, entre el momento en que se pida la información o en que se solicite realizar el acto correspondiente y la fecha en que se proporcione dicha información o se realice el acto.

Transcurrido el plazo establecido en este precepto, sin que se haya dictado la resolución definitiva, precluirá el derecho de la autoridad para emitirla salvo en los casos en que el particular, con motivo de la sentencia, tenga derecho a una resolución definitiva que le confiera una prestación, le reconozca un derecho o le abra la posibilidad de obtenerlo.

En el caso de que se interponga recurso, se suspenderá el efecto de la sentencia hasta que se dicte la resolución que ponga fin a la controversia.

La sentencia se pronunciará sobre la indemnización o pago de costas, solicitados por las partes, cuando se adecue a los supuestos del artículo 6o. de esta Ley.

Del artículo antes transcrito se desprende en primer término, el sentido que puede tener una sentencia:

1. Reconocer la validez de la resolución combatida, caso en el cual habrá perdido el contribuyente, como regla general.

2. Declarar la nulidad lisa y llana de la resolución impugnada.

3. Declarar la nulidad lisa y llana de la resolución combatida para efectos.

4. Declarar la nulidad para efectos, en el caso de que se actualice una ausencia de fundamentación o motivación, o bien, un vicio de procedimiento.

5. Reconocer un derecho subjetivo y condenar al cumplimiento de una obligación determinada.

En los casos en que la autoridad deba cumplimentar una sentencia que haya quedado firme, contará con el plazo de 4 meses para emitirla y notificarla, o bien, reponiendo el procedimiento y emitir una nueva resolución.

Asimismo, la sentencia se pronunciará sobre la indemnización o pago de costas, solicitados por las partes, cuando se adecue a los supuestos del artículo 6o. de esta Ley.

10.16.8.5. Plazo de cuatro meses para cumplimentar la sentencia

El artículo 52 de la LFPCA, resuelve el tema con claridad al mencionar en la parte conducente, lo siguiente:

"Si la sentencia obliga a la autoridad a realizar un determinado acto o iniciar un procedimiento, conforme a lo dispuesto en las fracciones III y IV, **deberá cumplirse en un plazo de cuatro meses contados a partir de que la sentencia quede firme**.

(…)

Transcurrido el plazo establecido en este precepto, sin que se haya dictado la resolución definitiva, precluirá el derecho de la autoridad para emitirla **salvo en los casos en que el particular, con motivo de la sentencia, tenga derecho a una resolución definitiva**

que le confiera una prestación, le reconozca un derecho o le abra la posibilidad de obtenerlo.

(…)"

(El resaltado es nuestro)

De la transcripción que antecede, se desprende claramente la consecuencia jurídica que deviene por el incumplimiento de la autoridad al no emitir una nueva resolución o reponer un procedimiento dentro del plazo de 4 meses, contados a partir de que la sentencia quede firme. Y establece claramente que dicha resolución dictada fuera de este plazo NO SERÁ ILEGAL, cuando *el particular, con motivo de la sentencia, tenga derecho a una prestación, le reconozca un derecho o le abra la posibilidad de obtenerlo.*

10.16.8.5.1. Antecedentes

Por decreto del 30 de diciembre de 1981, publicado en el Diario Oficial de la Federación el 31 del mismo mes y año en vigor el 1º de abril de 1982, se introdujo un párrafo en el artículo 239 del Código Fiscal de la Federación que señalaba:

"Si la sentencia obliga a la autoridad a realizar un determinado acto o iniciar un determinado procedimiento deberá cumplirse en un plazo de cuatro meses"

Dicho párrafo fue reformado por Decreto de 28 de diciembre de 1982, publicado en el Diario Oficial de la Federación el 31 de diciembre de ese año, adicionándose de la siguiente manera:

"…aún cuando hay transcurrido el plazo que señala el artículo 67 de este Código"[43]

Sin embargo, a través de jurisprudencia del Poder Judicial Federal, se había definido el tema, en el sentido de no considerar como ilegal una resolución emitida fuera de este plazo de cuatro meses, tesis que dispone a la letra:

"No. Registro: 191,886
Jurisprudencia
Materia(s): Administrativa
Novena Época
Instancia: Segunda Sala
Fuente: Semanario Judicial de la Federación y su Gaceta
Tomo: XI, mayo de 2000
Tesis: 2a./J. 41/2000
Página: 226
SENTENCIA DE NULIDAD FISCAL PARA EFECTOS. EL CUMPLIMIENTO FUERA DEL TÉRMINO LEGAL DE CUATRO MESES PREVISTO EN EL ARTÍCULO 239, ANTEPE-

---

43 Ibid. P. 306.

NÚLTIMO PÁRRAFO, DEL CÓDIGO FISCAL DE LA FEDERACIÓN, NO OCASIONA LA ILEGALIDAD DE LA RESOLUCIÓN DICTADA POR LA AUTORIDAD ADMINISTRATIVA EN ACATAMIENTO DE ELLA.

*Conforme a las jurisprudencias 44/98 y 45/98 del Pleno de la Suprema Corte de Justicia, que llevan por rubros "SENTENCIAS DE NULIDAD FISCAL PARA EFECTOS. LA FACULTAD QUE EL ARTÍCULO 239, FRACCIÓN III, DEL CÓDIGO FISCAL DE LA FEDERACIÓN, OTORGA AL TRIBUNAL FISCAL PARA DETERMINARLAS, PRESERVA LA GARANTÍA DE SEGURIDAD JURÍDICA PREVISTA EN EL ARTÍCULO 16 CONSTITUCIONAL." y "SENTENCIAS DE NULIDAD FISCAL PARA EFECTOS. EL ARTÍCULO 239, FRACCIÓN III, ÚLTIMO PÁRRAFO, DEL CÓDIGO FISCAL DE LA FEDERACIÓN, QUE ESTABLECE ESE SENTIDO ANTE LA ACTUALIZACIÓN DE LA AUSENCIA DE FUNDAMENTACIÓN Y MOTIVACIÓN DE LA RESOLUCIÓN IMPUGNADA, NO VIOLA LA GARANTÍA DE LEGALIDAD CONSAGRADA EN EL ARTÍCULO 16 CONSTITUCIONAL.", nuestro modelo de jurisdicción contencioso administrativa es mixto, pues dada la especial y heterogénea jurisdicción de que está dotado legalmente el Tribunal Fiscal de la Federación, en relación a ciertos actos sólo actuará como tribunal de mera anulación al tener como finalidad la de controlar la legalidad del acto y tutelar el derecho objetivo y, en cuanto a otros actos, como de plena jurisdicción para reparar el derecho subjetivo lesionado, siendo el alcance de la sentencia de nulidad no sólo el de anular el acto sino también el de fijar los derechos del recurrente, condenando a la administración a su restablecimiento, **por lo que para determinar cuándo una sentencia de nulidad debe ser para efectos es necesario acudir a la génesis de la resolución impugnada** a efecto de saber **si se originó con motivo de un trámite o procedimiento de pronunciamiento forzoso, en el que el orden jurídico exige de la autoridad la reparación de la violación detectada que no se colma con la simple declaración de nulidad de la autoridad, sino que requiere de un nuevo pronunciamiento para no dejar incierta la seguridad jurídica del administrado,** o **con motivo del ejercicio de una facultad discrecional en la que el tribunal no puede sustituir a la autoridad en la libre apreciación de las circunstancias y oportunidad para actuar que le otorgan las leyes.** De las anteriores determinaciones se desprende que el cumplimiento fuera del término legal de cuatro meses previsto en el artículo 239, antepenúltimo párrafo, del Código Fiscal de la Federación, que realice la autoridad administrativa de la sentencia de nulidad para efectos no puede ocasionar la ilegalidad de la resolución en que tal sentencia se acate, concretamente la causal de ilegalidad prevista en el artículo 238, fracción IV, del Código Fiscal Federal por haberse dejado de aplicar las disposiciones legales debidas, **porque ello contrariaría el fin perseguido por el legislador al atribuir al Tribunal Fiscal plena jurisdicción para tutelar el derecho subjetivo del administrado en los casos en que la nulidad lisa y llana sea insuficiente para restaurar el orden jurídico violado, afectándose al administrado por una actuación que le es ajena y dejándose al arbitrio de la autoridad administrativa el cumplimiento de la sentencia mediante su decisión de cumplir dentro del plazo legal o fuera de él,** pues a través de la ilegalidad de **la resolución con la que diera cumplimiento podría evadir la reparación de la resolución cometida.** Corrobora lo anterior el que mediante decreto publicado en el Diario Oficial de la Federación el quince de diciembre de mil novecientos noventa y cinco, en vigor a partir del primero de enero de mil novecientos noventa y seis, se haya modificado el anterior artículo 239-Ter que pasó a ser 239-B, del Código Fiscal **para establecerse como supuesto de procedencia del recurso de queja, la omisión de la autoridad de dar cumplimiento a la sentencia de nulidad si transcurrió el plazo legal, caso en el cual si la Sala resuelve que hubo omisión total concederá al funcionario responsable veinte días para que dé cumplimiento al fallo, procediendo también a imponerle una multa** equivalente a quince días de su salario y a notificar a su superior para que proceda jerárquicamente, pues carecería de sentido que se otorgara un término de veinte días a la autoridad para*

*que diera cumplimiento a la sentencia de nulidad para efectos, si se considerara que la
resolución relativa estaría afectada de ilegalidad, independientemente de la responsabilidad administrativa en que pudiera incurrir la autoridad demandada.*

*Contradicción de tesis 86/99-SS. Entre las sustentadas por los Tribunales Colegiados
Segundo y Cuarto en Materia Administrativa del Primer Circuito. 14 de abril del año
2000. Unanimidad de cuatro votos. Ausente: José Vicente Aguinaco Alemán. Ponente:
Mariano Azuela Güitrón. Secretaria: Lourdes Ferrer Mac Gregor Poisot.*

*Tesis de jurisprudencia 41/2000. Aprobada por la Segunda Sala de este Alto Tribunal,
en sesión pública del catorce de abril del año dos mil."*

(TMX 42563)

En este sentido, había que atender —tal y como lo menciona la tesis transcrita— a la GÉNESIS de la resolución impugnada, y al sentido del fallo del tribunal,
ya que si la sentencia resultaba favorable para el particular, era obvio que la resolución emitida fuera del plazo de 4 meses no sería ilegal, pero si era contraria
a sus intereses, nos parece que esta tesis no aplicaba, y la resolución sí hubiese
devenido en ilegal.

Dicho en otras palabras, si bien es cierto que la tesis habrá que interpretar-
la cuidadosamente, ya que menciona que habrá que atender a *la génesis de la
resolución impugnada a efecto de saber si se originó con motivo de un trámite
o procedimiento de pronunciamiento forzoso, en el que el orden jurídico exige
de la autoridad la reparación de la violación detectada que no se colma con la
simple declaración de nulidad de la autoridad, sino que requiere de un nuevo
pronunciamiento para no dejar incierta la seguridad jurídica del administrado,
o con motivo del ejercicio de una facultad discrecional en la que el tribunal no
puede sustituir a la autoridad en la libre apreciación de las circunstancias y
oportunidad para actuar que le otorgan las leyes,* esto es, si la sentencia declara
la nulidad para el efecto de que la autoridad emita un nuevo acto que va a bene-
ficiar al contribuyente, *v.gr.* una devolución de contribuciones, resulta obvio que
dicha resolución aún dictada fuera del plazo de 4 meses no sería ilegal. Por otro
lado, si la resolución que debe emitir la autoridad es para fundar y motivar un
acto o para reponer un procedimiento, resulta lógico que —aunque dicha norma no expresaba la consecuencia por el incumplimiento— de todos modos debía ser ilegal dicha resolución dictada fuera del término de 4 meses, lo anterior
se menciona con independencia de que muchos tribunales no lo interpretaran
de esta forma y concluyeran que dicha resolución aún dictada fuera del término
de 4 meses, resultaba legal.

Por otro lado, si la autoridad va a dictar una resolución que le ocasionará un
perjuicio al contribuyente, y no se emite dentro del plazo de 4 meses que marca la
Ley, entonces dicho actuar debe ser nulo, y no necesariamente la consecuencia al
incumplimiento debe contenerse en el propio artículo 239 del Código Tributario.
Sino que la sanción la encontrábamos en el artículo anterior, esto es, en la fracción

IV del artículo 238 del Código Fiscal, por estar dictada en contravención de lo que dispone el diverso 239 de ese mismo ordenamiento.

En efecto, no estamos de acuerdo con algunos tratadistas en el sentido de considerar como norma imperfecta al artículo en cuestión, al carecer de una consecuencia o sanción ante el incumplimiento de la sentencia[44].

Lo anterior es así —se insiste— porque la consecuencia jurídica de no cumplir con dicho precepto, venía definida claramente en el propio Código Fiscal de la Federación, pero en su artículo 238 fracción IV.

En este orden de ideas, pensar que en el propio precepto 239 del Código Fiscal de la Federación necesariamente deba establecerse la consecuencia a su incumplimiento, sería tanto como concluir que cada artículo de la legislación ordinaria fiscal deba contener la consecuencia a su incumplimiento, situación que resulta imposible e ilógica.

10.16.8.5.2. Regulación actual

Ahora bien, independientemente del anterior criterio, el ahora artículo 52 de la LFPCA, resuelve el tema con mayor claridad al mencionar en la parte conducente, lo siguiente:

> *"Si la sentencia obliga a la autoridad a realizar un determinado acto o a iniciar un procedimiento, conforme a lo dispuesto en las fracciones III y IV, deberá cumplirse en un plazo de cuatro meses contados a partir de que la sentencia quede firme.*
> …
> **Transcurrido el plazo** *establecido en este precepto, sin que se haya dictado la resolución definitiva,* **precluirá el derecho de la autoridad para emitirla salvo en los casos en que el particular, con motivo de la sentencia, tenga derecho a una prestación, le reconozca un derecho o le abra la posibilidad de obtenerlo."**
> (El resaltado es nuestro)

De la transcripción que antecede, se desprende claramente la consecuencia jurídica que deviene por el incumplimiento de la autoridad al no emitir una nueva resolución o reponer un procedimiento dentro del plazo de 4 meses, contados a partir de que la sentencia quede firme. Y establece claramente que dicha resolución dictada fuera de este plazo NO SERÁ ILEGAL, cuando *el particular, con motivo de la sentencia, tenga derecho a una prestación, le reconozca un derecho o le abra la posibilidad de obtenerlo.*

---

[44]   GARCIA MAYNEZ, Eduardo. Introducción al Estudio del Derecho. Porrúa. México. P. 89.

En efecto, con esta reforma se viene a clarificar perfectamente el tema, siendo loable dicha modificación realizada por el legislador, al establecer una caducidad especial a cargo de la autoridad.

Por otro lado, cabe mencionar que hasta el 28 de junio de 2006, el artículo 133-A del Código Fiscal de la Federación, en relación al Recurso de Revocación, establecía la misma consecuencia que el artículo 52 de la LFPCA que ha quedado transcrito —en tratándose de juicio de nulidad— esto es, mencionaba en la parte conducente que fue derogada por un tiempo, lo siguiente:

> *"Transcurrido dicho plazo sin dictar la resolución definitiva, la autoridad no podrá reiniciar un procedimiento o dictar una nueva resolución sobre los mismos hechos que dieron lugar a la resolución impugnada en el recurso, salvo en los casos en los que el particular, con motivo de la resolución al recurso, tenga derecho a una resolución definitiva que le confiera una prestación, le confirme un derecho o le abra la posibilidad de obtenerlo."*

Es preciso mencionar, que dicho precepto estaba perfectamente regulado y no dejaba lugar a duda alguna, sin embargo a partir del 29 de junio de 2006, dicho párrafo se derogó increíblemente, **pero a partir de 2007, ya está otra vez bien regulado en su inciso b) fracción I que establece que la resolución en cumplimiento no puede dictarse después de haber transcurrido los 4 meses.**

10.16.8.6. Firmeza de la Sentencia

De conformidad con el artículo 53 de la LFPCA, la sentencia definitiva queda firme, cuando:

> *I. No admita en su contra recurso o juicio.*
> *II. Admitiendo recurso o juicio, no fuere impugnada, o cuando, habiéndolo sido, el recurso o juicio de que se trate haya sido desechado o sobreseído o hubiere resultado infundado, y*
> *III. Sea consentida expresamente por las partes o sus representantes legítimos.*
> *A partir de que quede firme una sentencia y cause ejecutoria, correrán los plazos para el cumplimiento de las sentencias, previstos en los artículos 52 y 58-14 de esta Ley.*

10.16.8.7. Cumplimentación de las Sentencias

Lo anterior, se encuentra regulado en el artículo 57 de la LFPCA, que a la letra dispone:

> *"Las autoridades demandadas y cualesquiera otra autoridad relacionada, están obligadas a cumplir las sentencias del Tribunal Federal de Justicia Fiscal y Administrativa, conforme a lo siguiente:*
> *En los casos en los que la sentencia declare la nulidad y ésta se funde en alguna de las siguientes causales:*

a) Tratándose de la incompetencia, la autoridad competente podrá iniciar el procedimiento o dictar una nueva resolución, sin violar lo resuelto por la sentencia, siempre que no hayan caducado sus facultades. Este efecto se producirá aun en el caso de que la sentencia declare la nulidad en forma lisa y llana.

b) Si tiene su causa en un vicio de forma de la resolución impugnada, ésta se puede reponer subsanando el vicio que produjo la nulidad; en el caso de nulidad por vicios del procedimiento, éste se puede reanudar reponiendo el acto viciado y a partir del mismo.

En ambos casos, la autoridad demandada cuenta con un plazo de cuatro meses para reponer el procedimiento y dictar una nueva resolución definitiva, aún cuando hayan transcurrido los plazos señalados en los artículos 46-A y 67 del Código Fiscal de la Federación.

En el caso previsto en el párrafo anterior, cuando sea necesario realizar un acto de autoridad en el extranjero o solicitar información a terceros para corroborar datos relacionados con las operaciones efectuadas con los contribuyentes, en el plazo de cuatro meses no se contaá el tiempo transcurrido entre la petición de la información o de la realización del acto correspondiente y aquél en el que se proporcione dicha información o se realice el acto. Igualmente, cuando en la reposición del procedimiento se presente alguno de los supuestos a que se refiere el tercer párrafo del artículo 46-A del Código Fiscal de la Federación, tampoco se contará dentro del plazo de cuatro meses el periodo por el que se suspende el plazo para concluir las visitas domiciliarias o las revisiones de gabinete, previsto en dicho párrafo, según corresponda.

Si la autoridad tiene facultades discrecionales para iniciar el procedimiento o para dictar una nueva resolución en relación con dicho procedimiento, podrá abstenerse de reponerlo, siempre que no afecte al particular que obtuvo la nulidad de la resolución impugnada.

Los efectos que establece este inciso se producirán sin que sea necesario que la sentencia lo establezca, aun cuando la misma declare una nulidad lisa y llana.

Cuando la resolución impugnada esté viciada en cuanto al fondo, la autoridad no podrá dictar una nueva resolución sobre los mismos hechos, salvo que la sentencia le señale efectos que le permitan volver a dictar el acto. En ningún caso el nuevo acto administrativo puede perjudicar más al actor que la resolución anulada.

Para los efectos de este inciso, no se entenderá que el perjuicio se incrementa cuando se trate de juicios en contra de resoluciones que determinen obligaciones de pago que se aumenten con actualización por el simple transcurso del tiempo y con motivo de los cambios de precios en el país o con alguna tasa de interés o recargos.

Cuando prospere el desvío de poder, la autoridad queda impedida para dictar una nueva resolución sobre los mismos hechos que dieron lugar a la resolución impugnada, salvo que la sentencia ordene la reposición del acto administrativo anulado, en cuyo caso, éste deberá reponerse en el plazo que señala la sentencia.

En los casos de condena, la sentencia deberá precisar la forma y los plazos en los que la autoridad cumplirá con la obligación respectiva, conforme a las reglas establecidas en el artículo 52 de esta Ley.

Cuando se interponga el juicio de amparo o el recurso de revisión, se suspenderá el efecto de la sentencia hasta que se dicte la resolución que ponga fin a la controversia."

Por lo que hace al primer caso establecido en el numeral que ha quedado transcrito, en tratándose de la competencia, si bien es cierto que la autoridad —ahora competente— puede dictar una nueva resolución, mientras que sus facultades no hayan caducado, también tienen la limitante de determinar contribuciones sustentadas en hechos diferentes, de conformidad con el artículo 53-C del CFF.

Cabe señalar que estamos totalmente de acuerdo con lo que dispone dicho numeral, toda vez que crea certeza jurídica a los contribuyentes respecto de la forma en que la legislación ordena a las autoridades la cumplimentación de las sentencias, sobre todo favorables a los gobernados.

En efecto, estas facultades con las que cuenta el Tribunal, son de las llamadas de plenitud de jurisdicción, ya que no se limita solamente a anular resoluciones combatidas, sino que también puede ordenar el cumplimiento de las mismas, e incluso sancionar a las autoridades omisas.

Nos parece plausible este avance en nuestro modelo contencioso administrativo federal.

Corrobora lo que comentamos, la primera parte del artículo 58 de la LFPCA, que a la letra dispone:

> *"A fin de asegurar el pleno cumplimiento de las resoluciones del Tribunal a que este precepto se refiere, una vez vencido el plazo previsto por el artículo 52 de esta Ley, éste podrá actuar de oficio o a petición de parte, conforme a lo siguiente:*
>
> *I. La Sala Regional, la Sección o el Pleno que hubiere pronunciado la sentencia, podrá de oficio, por conducto de su Presidente, en su caso, requerir a la autoridad demandada que informe dentro de los tres días siguientes, respecto al cumplimiento de la sentencia. Se exceptúan de lo dispuesto en este párrafo las sentencias que hubieran señalado efectos, cuando la resolución impugnada derive de un procedimiento oficioso.*
>
> *Concluido el término anterior con informe o sin él, la Sala Regional, la Sección o el Pleno de que se trate, decidirá si hubo incumplimiento injustificado de la sentencia, en cuyo caso procederá como sigue:*
>
> *a) Impondrá a la autoridad demandada responsable una multa de apremio que se fijará entre trescientas y mil veces el salario mínimo general diario que estuviere vigente en el Distrito Federal, tomando en cuenta la gravedad del incumplimiento y las consecuencias que ello hubiere ocasionado, requiriéndola a cumplir con la sentencia en el término de tres días y previniéndole, además, de que en caso de renuencia, se le impondrán nuevas multas de apremio en los términos de este inciso, lo que se informará al superior jerárquico de la autoridad demandada.*
>
> *b) Si al concluir el plazo mencionado en el inciso anterior, persistiere la renuencia de la autoridad demandada a cumplir con lo sentenciado, la Sala Regional, la Sección o el Pleno podrá requerir al superior jerárquico de aquélla para que en el plazo de tres días la obligue a cumplir sin demora.*
>
> *De persistir el incumplimiento, se impondrá al superior jerárquico una multa de apremio de conformidad con lo establecido por el inciso a).*
>
> *c) Cuando la naturaleza del acto lo permita, la Sala Regional, la Sección o el Pleno podrá comisionar al funcionario jurisdiccional que, por la índole de sus funciones estime más adecuado, para que dé cumplimiento a la sentencia.*
>
> *Lo dispuesto en esta fracción también será aplicable cuando no se cumplimente en los términos ordenados la suspensión que se decrete, respecto del acto impugnado en el juicio o en relación con la garantía que deba ser admitida.*
>
> *d) Transcurridos los plazos señalados en los incisos anteriores, la Sala Regional, la Sección o el Pleno que hubiere emitido el fallo, pondrá en conocimiento de la Contraloría Interna correspondiente los hechos, a fin de ésta determine la responsabilidad del funcionario responsable del incumplimiento."*

10.16.8.8. Aclaración de Sentencia

En términos del artículo 54 LFPCA, cuando alguna de las partes estime contradictoria, ambigua u obscura una sentencia definitiva, podrá promover por una sola vez su aclaración dentro de los diez días siguientes a su surtimiento de efectos.

La instancia deberá señalar la parte de la sentencia cuya aclaración se solicita e interponerse ante la Sala o Sección que dictó la sentencia, la que deberá resolver en un plazo de cinco días siguientes a la fecha en que fue interpuesto, sin que pueda variar la sustancia de la sentencia. La aclaración no admite recurso alguno y se reputará parte de la sentencia recurrida.

Algo que resulta trascendental, es que su interposición interrumpe el término para su impugnación, pero la resolución a la aclaración no es susceptible de impugnarse, sino que forma parte de la sentencia cuya aclaración se solicita.

Esto es, la interposición de la aclaración, si bien interrumpe el término para la impugnación de la sentencia, no impide que se promueva demanda de amparo directo, pues no se trata de un recurso.

Corrobora lo anterior el contenido de la siguiente tesis de jurisprudencia emitida por el Pleno de la Suprema Corte de Justicia de la Nación y que a la letra dispone:

> *"Época: Novena Época*
> *Registro: 176612*
> *Instancia: Pleno*
> *Tipo de Tesis: Jurisprudencia*
> *Fuente: Semanario Judicial de la Federación y su Gaceta*
> *Tomo XXII, diciembre de 2005*
> *Materia(s): Común*
> *Tesis: P./J. 149/2005*
> *Página: 5*
> **ACLARACIÓN DE SENTENCIA. SU TRAMITACIÓN NO IMPIDE QUE SE PROMUE-**
> **VA AMPARO CONTRA LA SENTENCIA DEFINITIVA, AUN CUANDO AQUÉLLA ESTÉ**
> **PENDIENTE DE RESOLUCIÓN.**
> *La aclaración de sentencia no tiene la naturaleza de un recurso, porque no puede modificar, revocar o nulificar una sentencia; por tanto, su tramitación no impide que se promueva juicio de garantías contra la sentencia definitiva, una vez que ésta ha sido notificada; así, el hecho de que la demanda de garantías en contra de la sentencia definitiva se presente antes de que exista el pronunciamiento relativo a la aclaración de sentencia, no actualiza la causa de improcedencia prevista en la fracción XVIII del artículo 73, en relación con los numerales 44, 46 y 158 de la Ley de Amparo.*
> *Contradicción de tesis 12/2005-PL. Entre las sustentadas por el Cuarto Tribunal Colegiado en Materia Civil del Tercer Circuito y el Segundo Tribunal Colegiado en Materia Civil del Sexto Circuito. 26 de septiembre de 2005. Unanimidad de nueve votos. Ausentes: Juan Díaz Romero y Juan N. Silva Meza. Ponente: Olga Sánchez Cordero de García Villegas. Secretario: Carlos Mena Adame.*

El Tribunal Pleno, el veintidós de noviembre en curso, aprobó, con el número 149/2005, la tesis jurisprudencial que antecede. México, Distrito Federal, a veintidós de noviembre de dos mil cinco.

Nota: En la sesión celebrada el cuatro de septiembre de dos mil siete, se declaró infundada la solicitud de modificación de jurisprudencia 1/2006-PL, en la cual se solicitó la modificación de la tesis jurisprudencial P./J. 149/2005, por unanimidad de nueve votos de los señores Ministros integrantes del Tribunal Pleno: José Ramón Cossío Díaz, Margarita Beatriz Luna Ramos, José Fernando Franco González Salas, Genaro David Góngora Pimentel, José de Jesús Gudiño Pelayo, Sergio A. Valls Hernández, Olga Sánchez Cordero de García Villegas, Juan N. Silva Meza y Presidente Guillermo I. Ortiz Mayagoitia. Ausentes los señores Ministros Sergio Salvador Aguirre Anguiano (Ponente) y Mariano Azuela Güitrón. Hizo suyo el proyecto el señor Ministro José Ramón Cossío Díaz."

(TMX 28243)

De la transcripción que antecede, tenemos que una vez que se notificó la sentencia definitiva, es susceptible de impugnarse vía amparo directo o recurso de revisión fiscal, en su caso, y no es necesario esperar la resolución de aclaración de sentencia.

10.17. INCIDENTES

10.17.1. Incidentes de Previo y Especial Pronunciamiento

Los incidentes de previo y especial pronunciamiento, son:

1. **Incompetencia por materia,** y también se incluye el de incompetencia por razón de territorio.

2. **Acumulación de juicios:** Tiene por objeto evitar sentencias contradictorias, aunque de hecho se presenta, pero lo ideal es que no sea de esa manera.

Se presenta la conexidad, en los siguientes supuestos:

a) Las partes sean las mismas y se invoquen idénticos agravios. *v. gr.* Dos actas de requerimiento de pago notificadas en distintas fechas. O bien, dos demandas de nulidad en las que se impugnen dos resoluciones determinantes distintas pero en las que se usaron los mismos fundamentos y motivos, y fueron impugnados mediante los mismos conceptos de impugnación.

b) Siendo diferentes las partes e invocándose distintos agravios, el acto impugnado sea uno mismo o se impugne varias partes del mismo acto. *v.gr.* En tratándose de un asunto de comercio exterior, puede ser el caso en que un acto impugnado sea notificado a la empresa importadora y al Agente Aduanal.

c) Independientemente de que las partes y los agravios sean o no diversos, se impugnen actos o resoluciones que sean unos antecedente o consecuencia de los otros.

Ejemplo: Cuando se combate un acto dentro del Procedimiento Administrativo de Ejecución, en relación a un crédito fiscal que todavía se encuentra *sub judice*.

Si procede la acumulación y uno de los juicios se tramita en la vía tradicional y el otro en línea, el Magistrado Instructor requerirá a las partes del tradicional para que en 3 días manifiesten si optan por substanciar el juicio en línea; si no ejercen este derecho, continuará el juicio en la vía tradicional.

La acumulación se solicita ante el Magistrado Instructor que esté conociendo del juicio cuya demanda se presentó primero, y dentro del término de 6 días solicitará el envío de los autos del otro juicio.

El magistrado que conozca de la acumulación, en el plazo de cinco días, deberá formular proyecto de resolución que someterá a la Sala, la que dictará la determinación que proceda. La acumulación podrá tramitarse de oficio.

3. **Nulidad de notificaciones:** Dentro del juicio, ya no de la resolución impugnada.

Si se declara la nulidad, la Sala ordenará reponer la notificación anulada y las actuaciones posteriores. Asimismo, se impondrá una multa al actuario, equivalente a diez veces el salario mínimo general diario del área geográfica correspondiente al Distrito Federal, sin que exceda del 30% de su sueldo mensual. El actuario podrá ser destituido de su cargo, sin responsabilidad para el Estado en caso de reincidencia.

Es preciso comentar, que este tipo de situaciones difícilmente se presentan en la práctica, habida cuenta que las notificaciones ya las realiza el Tribunal mediante medios electrónicos (correo electrónico) y suelen ser bastante eficaces.

4. **Recusación de magistrados y peritos por causa de impedimento.**

Estos 4 incidentes son de previo y especial pronunciamiento, y el hecho de que sean de este tipo, no significa que tengan que hacerse valer hasta antes del cierre de la instrucción[45], sino que quiere decir que no puede continuar el juicio mientras no se resuelva el incidente respectivo.

10.17.2. *Otros incidentes*

1. **La reposición de autos.** Se presenta cuando se pierde el expediente, *v.gr.* Con el cambio de oficinas del TFJA hace muchos años, se pudo presentar algún caso.

Dicho incidente se encuentra regulado en el artículo 37 de la LFPCA, y en su parte conducente dispone:

---

[45]   En términos del artículo 39 de la LFPCA, los incidentes de incompetencia, de acumulación y de recusación por causa de impedimento, podrán promoverse hasta antes del cierre de instrucción.

"Con el acta se dará vista a las partes para que en el término de diez días prorrogables exhiban ante el instructor, en copia simple o certificada, las constancias y documentos relativos al expediente que obren en su poder, a fin de reponerlo. Una vez integrado, la Sala, en el plazo de cinco días, declarará repuestos los autos, se levantará la suspensión y se continuará con el procedimiento.

Cuando la pérdida ocurra encontrándose los autos a disposición de la Sala Superior, se ordenará a la Sala Regional correspondiente proceda a la reposición de autos y una vez integrado el expediente, se remitirá el mismo a la Sala Superior para la resolución del juicio."

Lo anterior resulta peligroso, ya que puede ser que la autoridad mejore la contestación o el actor mejore la demanda. Todo dependerá del momento en el que se pierda el expediente.

2. Interrupción del juicio por muerte, disolución, incapacidad o declaratoria de ausencia.

Durará como máximo un año, se decreta por el Magistrado Instructor, y si transcurrido el año no se presenta el albacea, representante legal o tutor, la Sala ordenará la reanudación del juicio, y las notificaciones se efectuarán por lista.

3. Falsedad de documentos.

Se debe hacer valer hasta antes del cierre de la instrucción, en virtud de que dicho documento puede ser clave para la emisión de la sentencia definitiva.

Menciona el artículo 36 de la LFPCA, en sus segundos, tercer y cuarto párrafos:

"Si alguna de las partes sostiene la falsedad de un documento firmado por otra, el Magistrado Instructor podrá citar a la parte respectiva para que estampe su firma en presencia del secretario misma que se tendrá como indubitable para el cotejo.

En los casos distintos de los señalados en el párrafo anterior, el incidentista deberá acompañar el documento que considere como indubitado o señalar el lugar donde se encuentre, o bien ofrecer la pericial correspondiente; si no lo hace, el Magistrado Instructor desechará el incidente.

La Sala resolverá sobre la autenticidad del documento exclusivamente para los efectos del juicio en el que se presente el incidente."

La crítica que hacemos al numeral que ha quedado transcirto, es que utiliza la conjunción disyuntiva "o", en tratándose del ofrecimiento de la prueba pericial u otras opciones que establece para tener como indubitado un documento. Pero el Magistrado no es perito para comparar las firmas de una de las partes con la que obre en el documento que contiene la firma cuestionada, de modo tal que, nos parece que debería practicarse necesariamente una pericial en materia grafoscópica cuando se revise la autenticidad una firma.

Cuando se promuevan estos incidentes (que no son de previo y especial pronunciamiento) continuará el trámite del proceso o juicio.

Si no está previsto algún trámite especial, los incidentes se substanciarán corriendo traslado de la promoción a las partes por el término de tres días. Con el escrito por el que se promueva el incidente o se desahogue el traslado concedido, se ofrecerán las pruebas pertinentes y se presentarán los documentos, los cuestionarios e interrogatorios de testigos y peritos, siendo aplicables para las pruebas pericial y testimonial las reglas relativas del principal.

10.18. COMPETENCIA ORIGINARIA DE LA SALA SUPERIOR

Para comprender a cabalidad las competencias originarias con que cuenta la Sala Superior del Tribunal Federal de Justicia Administrativa, ya sea actuando en Pleno o a través de sus Secciones, se deben consultar los artículos 14, 17, 18, 20 y 43 de la Ley Orgánica del Tribunal Federal de Justicia Administrativa.

A continuación, comentaremos los puntos más importantes, a saber:

Del primero de los artículos referidos, se desprende que la Tercera Sección se encuentra conformada por tres Magistrados (a diferencia de la Primera y Segunda Sección que se conforman por cinco), mismos que serán nombrados por el Presidente de la República y deberán de ser ratificados por dos terceras partes de los miembros presentes del Senado y su encargo durará quince años, de carácter improrrogables[46]. Esta Sección tendrá, entre otras, las siguientes facultades, a destacar: **i)** resolver el recurso de apelación interpuesto por las partes en contra de las resoluciones dictadas por las Salas Especializadas en materia de Responsabilidades Administrativas; **ii)** resolver el recurso de reclamación en términos de la Ley General de Responsabilidades Administrativas (en lo sucesivo LGRA); **iii)** fijar jurisprudencia por reiteración; **iv)** conocer del recurso por el cual se califica como grave la falta administrativa que se investiga contra un servidor público[47].

A nuestro parecer, el hecho de que el Tribunal pueda calificar la gravedad de una infracción o falta, resulta desafortunado y falto de técnica legislativa, toda vez que en realidad, la calificación de la gravedad de una falta administrativa la realiza la autoridad investigadora y la incluye en el informe de presunta responsabilidad administrativa, por lo tanto, lo que la fracción VIII del artículo 20 de la Ley en estudio debería de estipular, es que la Tercera Sección pueda conocer del recurso de inconformidad, o bien, especificar que pueda conocer del recurso por el cual el denunciante pretende impugnar la calificación de la gravedad por parte de la autoridad investigadora, ya que mediante este recurso,

---

[46] Artículo 43 de la LOTFJA.
[47] Artículo 20, fracción VIII de la LOTFJA.

en todo caso, se reclasifica la falta o se confirma la clasificación ya realizada por la autoridad investigadora); y, v) ejercer la facultad de atracción para resolver los procedimientos administrativos sancionadores por faltas graves y sancionar a los servidores públicos y particulares (persona física o moral) de acuerdo con la LGRA.

Continuando con nuestro análisis, el artículo 17 nos especifica las facultades con las que cuenta el Pleno Jurisdiccional del TFJA, dentro de las cuales destacan las siguientes:

> "*I. Establecer, modificar y suspender la jurisprudencia* del Tribunal conforme a las disposiciones legales aplicables, aprobar las tesis y precedentes del Pleno Jurisdiccional, así como ordenar su publicación en la Revista del Tribunal;
>
> II. Resolver las contradicciones de criterios, tesis o jurisprudencias sustentados por las Salas Regionales y Secciones de Sala Superior, según sea el caso, determinando cuál de ellos debe prevalecer, lo cual constituirá jurisprudencia;
>
> III. Resolver los juicios con características especiales, en términos de las disposiciones aplicables, incluidos aquellos que sean de competencia especial de la Primera y Segunda Secciones; con excepción de los que sean competencia exclusiva de la Tercera Sección;
>
> IV. Dictar sentencia interlocutoria en los incidentes que procedan respecto de los asuntos de su competencia, y cuya procedencia no esté sujeta al cierre de instrucción;
>
> V. Resolver la instancia de aclaración de sentencia, la queja relacionada con el cumplimiento de las resoluciones que emita y determinar las medidas que sean procedentes para la efectiva ejecución de sus sentencias;
>
> VIII. Conocer de asuntos de responsabilidades en los que se encuentren involucrados Magistrados de Salas Regionales;
>
> IX. La ejecución de la sanción a Magistrados de Salas Regionales;
>
> X. Resolver la instancia de aclaración de sentencia, la queja relacionada con el cumplimiento de las resoluciones que emita y determinar las medidas que sean procedentes para la efectiva ejecución de las sentencias;
>
> XI. Ordenar que se reabra la instrucción y la consecuente devolución de los autos que integran el expediente a la sala de origen, cuando se advierta una violación substancial al procedimiento o cuando considere que se realice algún trámite en la instrucción;
>
> XII. Podrá ejercer de oficio la facultad de atracción para la resolución de los recursos de reclamación y revisión, en casos de trascendencia que así considere o para fijar jurisprudencia..."

Por su parte, en el artículo 18 se establecen las **facultades originarias** de la Primera y Segunda Sección, de las que resultan importantes las siguientes fracciones, a saber:

> "II. Dictar sentencia definitiva en los juicios que traten las materias señaladas en el artículo 94 de la Ley de Comercio Exterior, a excepción de aquéllos en los que se controvierta exclusivamente la aplicación de cuotas compensatorias;
>
> III. Resolver los juicios con características especiales, en términos de las disposiciones aplicables, con excepción de los que sean competencia exclusiva de la Tercera Sección;
>
> IX. Resolver los juicios que se promuevan contra las resoluciones definitivas, actos administrativos y procedimientos que se funden en un tratado o acuerdo internacional para evitar la doble tributación, o en materia comercial, suscrito por México, o cuando

el demandante haga valer como concepto de impugnación que no se haya aplicado a su favor alguno de los referidos tratados o acuerdos.

Cuando exista una Sala Especializada con competencia en determinada materia, será dicha Sala quien tendrá la competencia original para conocer y resolver los asuntos que se funden en un Convenio, Acuerdo o Tratado Internacional relacionado con las materias de su competencia, salvo que la Sala Superior ejerza su facultad de atracción;"

Por lo hasta aquí visto, es muy claro que la facultad de atracción no es la única con la que cuenta el órgano supremo del TFJA, sino que cuenta con varias facultades, incluso en el ámbito estrictamente jurisdiccional y no meramente administrativas.

10.19. FACULTAD DE ATRACCIÓN

En términos del artículo 48, El Pleno o las Secciones del Tribunal podrán resolver los juicios con características especiales, esto es:

Casos en los que su materia, conceptos de impugnación o cuantía[48] se consideren de interés o trascendencia.

Casos en los que para su resolución sea necesario establecer, por primera vez, la interpretación directa de una ley, reglamento o disposición administrativa de carácter general; fijar el alcance de los elementos constitutivos de una contribución, hasta fijar jurisprudencia. En este caso el Presidente del Tribunal también puede solicitar la atracción.

La Tercera Sección de la Sala Superior podrá ejercer la facultad de atracción para resolver los procedimientos administrativos sancionadores por faltas graves y sancionar a los servidores públicos y particulares (persona física o moral) de acuerdo con la Ley General de Responsabilidades Administrativas.

Respecto de esta última facultad, no queda claro qué sucedería con el recurso de apelación en caso de que, en lugar de que la Sala Especializada sea la que se erija como la autoridad resolutora y sancione a un particular o funcionario por una falta grave, sea la Tercera Sección de la Sala Superior en uso de su facultad de atracción; esto pues, el recurso de apelación procede en contra de las resoluciones dictadas por las Salas Especializadas en materia de Responsabilidades Administrativas y lo conoce y resuelve la Tercera Sección, por lo tanto, si es esta Sección la que sancione, sería esta misma quien conocería del recurso de apelación en contra de su propia sanción. Se considera que, de ser así, se presenta el problema de que la Tercera Sección sería juez y parte en esos procedimientos y se atentaría contra

---

[48]   Tratándose de la cuantía, el valor del negocio deberá exceder de cinco mil veces el salario mínimo general del área geográfica correspondiente al Distrito Federal, elevado al año, al momento de la emisión de la resolución combatida.

la imparcialidad que toda determinación jurisdiccional debe de revestir; esto, era justamente uno de los problemas que la reforma buscaba resolver al propiciar que no fuera la propia autoridad administrativa la que investigara y sancionara las faltas graves, y por ello se justifica la intervención del Tribunal Federal de Justicia Administrativa (a través de las Salas Especializadas en la materia y la Tercera Sección) para fungir como autoridad sancionadora, sin embargo, se estima que en la citada reforma se cometió el mismo error; a menos que, la ley deba interpretarse en el sentido de que, en estos casos, el juicio únicamente tendría una sola instancia ante la Tercera Sección, sin derecho a la apelación. Cuestión que desafortunadamente no se especifica en la LOTFJA.

10.19.1. *Reglas Para El Ejercicio de la Facultad de Atracción*

a) La petición que formulen las Salas Regionales, el Magistrado Instructor o las autoridades, deberá presentarse hasta antes del cierre de instrucción.

En el caso del juicio de resolución exclusiva de fondo, la petición señalada en el párrafo anterior sólo se podrá formular por las partes en el juicio o los Magistrados de la Sección de la Sala Superior competente.

b) De igual forma, la Presidencia del Tribunal comunicará a la Sala Regional o al Magistrado Instructor en turno, el ejercicio de la facultad de atracción antes del cierre de instrucción.

c) Los acuerdos de la Presidencia que admitan la petición o que de oficio decidan atraer el juicio, serán notificados de manera personal a las partes. Al efectuar la notificación se les requerirá señalar domicilio en la Ciudad de México para recibir notificaciones, así como persona designada para recibirlas. En caso de no hacerlo, se notificará en el domicilio que obre en autos.

En estos casos, supone una desventaja al que está litigando su asunto en el interior de la República, ya que el juicio se resolverá en la Ciudad de México.

d) Una vez cerrada la instrucción, la Sala Regional o el Magistrado Instructor remitirá el expediente original a la Secretaría General de Acuerdos de la Sala Superior, la que lo turnará al Magistrado ponente que corresponda.

10.20. INSTANCIA DE QUEJA

Antes de entrar al estudio de esta figura, conviene recordar la naturaleza de nuestro TFJA, siendo un tribunal de anulación que cuenta con facultades de plena jurisdicción.

Corresponde al jurista Laferriere[49], autor del Tratado de la Jurisdicción Administrativa y de los Recursos Contenciosos, la distinción entre los contenciosos de anulación y de plena jurisdicción.

La distinción anterior obedece fundamentalmente a las facultades del juzgador. Así, las facultades del juez en el contencioso administrativo de anulación consisten en constatar la legalidad del acto administrativo y, llegado el caso, a reconocer la validez de dicho acto o declarar su nulidad[50].

El modelo de jurisdicción contencioso-administrativo de mera anulación conocido en Francia como recurso por exceso de poder o contencioso objetivo, solo controla la legalidad del acto y tutela el derecho objetivo y no así el subjetivo.

Por otra parte, el juzgador de lo contencioso de plena jurisdicción, posee las facultades propias de anulación, pero además está facultado para declarar, en su caso, la nulidad de la resolución impugnada para determinados efectos; puede sustituir a la autoridad administrativa, sobre todo con el fin de evitar el reenvío cuando conoce de resoluciones recaídas a instancias administrativas, las cuales al resolverse no satisfacen plenamente la pretensión del administrado o contribuyente; **puede hacer cumplir sus sentencias y sobre todo puede sancionar su incumplimiento**[51].

Esto es, a través de este modelo contencioso de plena jurisdicción se obliga al Tribunal a conocer y decidir en toda su extensión la reparación del derecho subjetivo del actor lesionado por el acto impugnado, **teniendo el alcance no solo de anular el acto, sino también de fijar los derechos del recurrente y condenar a la administración a restablecer y hacer efectivos tales derechos.**

En este orden de ideas, podemos concluir que el TFJA es un tribunal de anulación, con matices de plena jurisdicción, siendo uno de estos matices la instancia de queja.

10.20.1. *Antecedentes Históricos*

Fue hasta la reforma promulgada el 26 de diciembre de **1987**, cuando se introdujo en el Código Fiscal de la Federación el artículo **239-Ter**, precepto en el cual se estableció la instancia de queja, teniendo como finalidad que el propio Tribunal Fiscal se avocara al estudio y resolución del escrito de la actora, quien previo

49 LAFERRIERE, Edouard. Citado en el ensayo El Fundamento Constitucional de la Jurisdicción Administrativa, publicado en Tribunal Federal de Justicia Fiscal y administrativa a los LXV Años de la Ley de Justicia Fiscal. México, 2001, p. 69.
50 MARTÍNEZ ROSASLANDA, Sergio. La Autonomía y la Plena Jurisdicción de los Tribunales Contenciosos Administrativos. El caso del Tribunal Federal de Justicia Fiscal y Administrativa. México, 2004. p. 7.
51 Ibid. P. 7.

Juicio de Nulidad obtuvo sentencia firme y favorable a sus intereses y se queja de que la autoridad **repitió indebidamente el acto anulado o bien incurrió en defecto o en exceso, pero se excluía a los actos negativos de la autoridad.**

Mediante Decreto de 15 de diciembre de 1995, se modificó la denominación del artículo 239-Ter para quedar como 239-B, precepto que entró en vigor el 1º de enero de 1996, con la trascendental reforma al incluir en la fracción V, la procedencia de la instancia de queja en contra de la omisión total en el cumplimiento de las sentencias del Tribunal Fiscal.

Resulta conveniente, dejar precisado que antes de la reforma citada solo procedía el juicio de amparo, contra la omisión en la que incurrían las autoridades, la cual en algunos casos no se definía correctamente en atención al concepto que por "defecto" tenían dichos Tribunales[52].

10.20.2. Regulación actual

La instancia de queja constituye uno de esos matices **que convierte a dicho Tribunal en uno de plena jurisdicción,** en virtud de que a través de dicha figura jurídica y en términos del artículo 58 LFPCA, los particulares pueden ocurrir una sola ocasión ante el Tribunal para reclamar una repetición del acto reclamado, una omisión total en el cumplimiento de la sentencia (sea definitiva o interlocutoria), un cumplimiento que incurra en exceso o defecto, un incumplimiento a la orden de suspensión definitiva del acto reclamado, o bien, que se notifique fuera del plazo de 4 meses la resolución definitiva.

Asimismo, resulta loable por nuestros legisladores el hecho de que haya corregido la regulación de la instancia de la queja, por lo que se refiere a los casos en los que se interponga una queja en contra de una resolución definitiva que repita indebidamente una resolución previamente anulada, o bien que incurra en exceso o defecto, o que se notifique fuera del plazo de 4 meses que tenía la autoridad para cumplimentar la sentencia (casos 1 y 2 de la ley) en la que la Sala del TFJA la estime improcedente.

Esto es, cuando este procedimiento estaba regulado por el CFF (antes de 2006) se mencionaba que la Sala debía ordenar que se instruyera como juicio, pero era omiso el CFF en cuanto al término que tenía para instruirse como juicio y si le daban oportunidad al actor de hacer valer conceptos de impugnación, toda vez que no es lo mismo plantear una queja y hacer valer agravios en ese sentido, que

---

[52]   TOLEDO JIMENO, Miguel. Debida regulación de la queja prevista en el artículo 239-TER del Código Fiscal de la Federación, publicado en la Revista de la VIII Reunión Nacional de Magistrados. México. P. 304.

promover una demanda haciendo valer conceptos de impugnación. Dicha omisión ya ha sido corregida a través del artículo 58, fracción II de la LFPCA, que en la parte conducente dispone:

II. A petición de parte, el afectado podrá ocurrir en queja ante la Sala Regional, la Sección o el Pleno que la dictó, de acuerdo con las reglas siguientes:

a) Procederá en contra de los siguientes actos:

1.- La resolución que repita indebidamente la resolución anulada o la que incurra en exceso o en defecto, cuando se dicte pretendiendo acatar una sentencia.

2.- La resolución definitiva emitida y notificada después de concluido el plazo establecido por los artículos 52 y 57, fracción I, inciso b) de esta Ley, cuando se trate de una sentencia dictada con base en las fracciones II y III del artículo 51 de la propia ley, que obligó a la autoridad demandada a iniciar un procedimiento o a emitir una nueva resolución, siempre y cuando se trate de un procedimiento oficioso.

3.- Cuando la autoridad omita dar cumplimiento a la sentencia.

4.- Si la autoridad no da cumplimiento a la orden de suspensión definitiva de la ejecución del acto impugnado en el juicio contencioso administrativo federal.

La queja sólo podrá hacerse valer por una sola vez, con excepción de los supuestos contemplados en el subinciso 3, caso en el que se podrá interponer en contra de las resoluciones dictadas en cumplimiento a esta instancia.

b) Se interpondrá por escrito acompañado, si la hay, de la resolución motivo de la queja, así como de una copia para la autoridad responsable, se presentará ante la Sala Regional, la Sección o el Pleno que dictó la sentencia, dentro de los quince días siguientes a aquél en que surtió efectos la notificación del acto, resolución o manifestación que la provoca. En el supuesto previsto en el inciso anterior, subinciso 3, el quejoso podrá interponer su queja en cualquier tiempo, salvo que haya prescrito su derecho.

En dicho escrito se expresarán las razones por las que se considera que hubo exceso o defecto; repetición del acto impugnado o del efecto de éste; que precluyó la oportunidad de la autoridad demandada para emitir la resolución definitiva con la que concluya el procedimiento ordenado; o bien, que procede el cumplimiento sustituto.

El Magistrado Instructor o el Presidente de la Sección o el Presidente del Tribunal, en su caso, ordenarán a la autoridad a quien se impute el incumplimiento, que rinda informe dentro del plazo de cinco días en el que justificará el acto que provocó la queja. Vencido el plazo mencionado, con informe o sin él, se dará cuenta a la Sala Regional, la Sección o el Pleno que corresponda, la que resolverá dentro de los cinco días siguientes.

c) En caso de repetición de la resolución anulada, la Sala Regional, la Sección o el Pleno hará la declaratoria correspondiente, anulando la resolución repetida y la notificará a la autoridad responsable de la repetición, previniéndole se abstenga de incurrir en nuevas repeticiones.

Además, al resolver la queja, la Sala Regional, la Sección o el Pleno impondrá la multa y ordenará se envíe el informe al superior jerárquico, establecidos por la fracción I, inciso a) de este artículo.

d) Si la Sala Regional, la Sección o el Pleno resuelve que hubo exceso o defecto en el cumplimiento, dejará sin efectos la resolución que provocó la queja y concederá a la autoridad demandada veinte días para que dé el cumplimiento debido al fallo, precisando la forma y términos conforme a los cuales deberá cumplir.

e) Si la Sala Regional, la Sección o el Pleno comprueba que la resolución a que se refiere el inciso a), subinciso 2 de esta fracción, se emitió después de concluido el plazo legal, anulará ésta, declarando la preclusión de la oportunidad de la autoridad

*demandada para dictarla y ordenará se comunique esta circunstancia al superior jerár-
quico de ésta.*

*f) En el supuesto comprobado y justificado de imposibilidad de cumplir con la sen-
tencia, la Sala Regional, la Sección o el Pleno declarará procedente el cumplimiento sustituto y ordenará instruir el incidente respectivo, aplicando para ello, en forma supletoria,
el Código Federal de Procedimientos Civiles.*

*g) Durante el trámite de la queja se suspenderá el procedimiento administrativo de
ejecución que en su caso existiere.*

*III. Tratándose del incumplimiento de la resolución que conceda la suspensión de la
ejecución del acto impugnado o alguna otra de las medidas cautelares previstas en esta
Ley, procederá la queja mediante escrito interpuesto en cualquier momento hasta antes
de que se dicte sentencia definitiva ante el Magistrado Instructor.*

*En el escrito en que se interponga la queja se expresarán los hechos por los que se
considera que se ha dado el incumplimiento y en su caso, se acompañarán los documentos en que consten las actuaciones de la autoridad que pretenda vulnerar la suspensión
o la medida cautelar otorgada.*

*El Magistrado pedirá un informe a quien se impute el incumplimiento, que deberá
rendir dentro del plazo de cinco días, en el que, en su caso, se justificará el acto o la omisión que provocó la queja. Vencido dicho plazo, con informe o sin él, el Magistrado dará
cuenta a la Sala, la que resolverá en un plazo máximo de cinco días.*

*Si la Sala resuelve que hubo incumplimiento, declarará la nulidad de las actuaciones
realizadas en violación a la suspensión o de otra medida cautelar otorgada.*

*La resolución a que se refiere esta fracción se notificará también al superior jerár-
quico del servidor público responsable, entendiéndose por este último al que incum-
pla con lo resuelto, para que proceda jerárquicamente y la Sala impondrá al responsable o autoridad renuente, una multa equivalente a un mínimo de treinta días de su
salario, sin exceder del equivalente a sesenta días del mismo, tomando en cuenta la
gravedad del incumplimiento, el sueldo del servidor público de que se trate y su nivel
jerárquico.*

*También se tomará en cuenta para imponer la sanción, las consecuencias que el no
acatamiento de la resolución hubiera ocasionado, cuando el afectado lo señale, caso en
que el solicitante tendrá derecho a una indemnización por daños y perjuicios, la que,
en su caso, correrá a cargo de la unidad administrativa en la que preste sus servicios el
servidor público de que se trate, en los términos en que se resuelva la queja.*

*IV. A quien promueva una queja notoriamente improcedente, entendiendo por ésta la
que se interponga contra actos que no constituyan resolución administrativa definitiva, se
le impondrá una multa en monto equivalente a entre doscientas cincuenta y seiscientas
veces el salario mínimo general diario vigente en el Distrito Federal y, en caso de haberse
suspendido la ejecución, se considerará este hecho como agravante para graduar la sanción que en definitiva se imponga.*

*Existiendo resolución administrativa definitiva, si el Magistrado Instructor, la Sala Re-
gional, la Sección o el Pleno consideran que la queja es improcedente, porque se plantean cuestiones novedosas que no fueron materia de la sentencia, prevendrán al promovente para que presente su demanda dentro de los treinta días siguientes a aquél en que
surta efectos la notificación del auto respectivo, reuniendo los requisitos legales, en la vía
correspondiente, ante la misma Sala Regional que conoció del primer juicio, la que será
turnada al mismo Magistrado Instructor de la queja. No deberá ordenarse el trámite de
un juicio nuevo si la queja es improcedente por la falta de un requisito procesal para su
interposición."*

Como se puede advertir de la transcripción que antecede, correctamente se establece que cuando la Sala estime que una queja resulta improcedente, se ordenará instruirla como juicio, y otorga al actor 30 días hábiles para plantear conceptos de impugnación en contra de la resolución que en principio estimó incorrectamente que se trataba *v.gr.* de una repetición indebida.

Y lo anterior queda perfectamente relacionado con lo que dispone el artículo 13, fracción II de la LFPCA:

> *"La demanda deberá presentarse dentro de los plazos que a continuación se indican:*
> *(…)*
> *II.- De treinta días siguientes a aquél en el que surta efectos la notificación de la resolución de la Sala o Sección que habiendo conocido una queja, decida que la misma es improcedente y deba tramitarse como juicio. Para ello deberá prevenir al promovente para que, dentro de dicho plazo, presente demanda en contra de la resolución administrativa que tenga carácter definitivo."*

Ahora bien, desde nuestra perspectiva, debería desaparecer la limitante de interponer la queja en una sola ocasión, ya que podrían presentarse injusticias, en cambio si no existe límite en este sentido, por más instancias de queja que se interpongan de manera improcedente, la Sala actuaría en consecuencia, multando al contribuyente infractor.

Ahora bien, no debemos perder de vista que dicho precepto también puede interpretarse en el sentido de que los particulares pueden acudir a la queja por una sola vez, pero respecto de cada uno de los cuatro supuestos de procedencia, que hemos comentado anteriormente.

Sin embargo, se trata de eso: una forma de interpretar el precepto, de modo tal que, para evitar inseguridad jurídica debería desaparecer la limitante a que nos hemos referido.

Nos parece loable la regulación que ha venido mejorando a esta instancia, sin embargo habrá que señalar que en mi experiencia como litigante, hay algunos Magistrados del TFJA que no entienden bien los supuestos de procedencia y fondo de esta buena figura jurídica prevista en nuestra legislación contenciosa administrativa federal.

Cuadro 4
Juicio Contencioso Administrativo (Ordinario)

```
┌──────────────────────┐
│ Demanda ante el Tribunal │       La sala admite,      ╱ Admitida la ╲       Desahogo de pruebas
│  Federal de Justicia    │  →    desecha o previene  →  │ demanda, corre │  →
│   Administrativa.       │                            │ traslado, autoridad │
│                        │                            │  30 días para    │
│ Se tienen 30 días para su │                           ╲  contestación  ╱
│ presentación, contados a │
│ partir de que surta efectos │
│  la notificación de la   │
│  resolución impugnada.   │
└──────────────────────┘
```

Ampliación de Demanda, en su caso. (10 días)

Magistrado Instructor formula proyecto (30 días)

Cinco días después de que haya concluido la sustanciación del juicio y/o no existiere ninguna cuestión pendiente que impida su resolución, notificará a las partes que tienen un término de cinco días para formular **alegatos**

Contestación a la Ampliación (10 días)

Sentencia. Se resuelve Litis por mayoría o unanimidad de votos.

Cierre de Instrucción

10.21. JUICIO DE NULIDAD EN LA VÍA SUMARIA

Conforme a lo dispuesto por el artículo 58-2 de la LFPCA, resulta obligatorio tramitar los juicios en la vía sumaria, cuando se trate de resoluciones definitivas que:

i. Representen un importe que no exceda de quince veces el salario mínimo general vigente en el Distrito Federal, elevado al año al momento de su emisión y que:

a) Determinen un crédito fiscal.

b) Impongan multas o sanciones.

c) Exijan el pago de créditos fiscales, cuando el monto de los exigibles no exceda el importe citado.

d) Requieran el pago de una póliza de fianza o de una garantía otorgada a favor de la Federación, de organismos fiscales autónomos o de otras entidades paraestatales de aquélla, o

e) Resuelvan un recurso administrativo en el que se recurra cualquiera de las resoluciones señaladas en los incisos anteriores.

Tal y como resulta lógico, no obstante que para la interposición del juicio sumario es igualmente de 30 días hábiles, este tiene como propósito dar celeridad al trámite y resolución de los asuntos, teniendo la peculiaridad de que los plazos que corresponden a la etapa de instrucción y resolución se reducen de manera significativa de la siguiente manera:

– Contestación de demanda: 15 días. En el mismo auto en que se admita la demanda, se fijará el día para cierre de instrucción, mismo que no excederá de los 60 días siguientes a la emisión de dicho acuerdo y antes del cual se podrán presentar alegatos.

– Ampliación y contestación a la ampliación: 5 días

– Desahogo oportuno de las pruebas, a más tardar diez días antes de la fecha prevista para el cierre de instrucción.

– Por lo que toca a la prueba pericial, ésta se desahogará en los términos que prevé el artículo 43 de esta Ley, con la salvedad de que todos los plazos serán de tres días, salvo el que corresponde a la rendición y ratificación del dictamen, el cual será de cinco días, en el entendido de que cada perito deberá hacerlo en un solo acto ante el Magistrado Instructor.

– Incidente de acumulación y recusación: 10 días.

– Recurso de Reclamación: 5 días.

– Una vez cerrada la instrucción, el Magistrado pronunciará sentencia dentro de los 10 días siguientes.

– Si la sentencia ordena la reposición del procedimiento administrativo o realizar un determinado acto, la autoridad deberá cumplirla en un plazo que no exceda de un mes contado a partir de que dicha sentencia haya quedado firme, de conformidad con el artículo 53 de esta Ley.

– 3 días, término aplicable en el juicio sumario a falta de disposición expresa.

Por último, es importante mencionar que en términos del artículo 63 de la LFPCA, el Recurso de Revisión únicamente resulta procedente en contra de las sentencias emitidas por el Pleno y las Secciones de la Sala Superior, así como por las Salas Regionales del TFJA, **y no en contra de las sentencias que sean dictadas únicamente por el Magistrado Instructor.**

Es por lo anterior, que podemos válidamente concluir que no resulta procedente el Recurso de Revisión en contra de las sentencias que resuelvan los juicios de nulidad tramitados en la vía sumaria, por lo que una resolución definitiva que favorezca a los intereses de los particulares en esta instancia, resulta incontrovertible.

Dicha circunstancia incluso ha sido objeto de estudio y pronunciación a cargo de nuestro Poder Judicial de la Federación, a través de la siguiente tesis de jurisprudencia:

"Época: Décima Época
Registro: 2002047
Instancia: Tribunales Colegiados de Circuito
Tipo de Tesis: Jurisprudencia
Fuente: Semanario Judicial de la Federación y su Gaceta
Libro XIII, octubre de 2012, Tomo 4
Materia(s): Administrativa
Tesis: I.16o.A. J/2 (10a.)
Página: 2266

**REVISIÓN FISCAL. ES IMPROCEDENTE ESE RECURSO CONTRA LAS RESOLUCIO-
NES DICTADAS POR EL MAGISTRADO INSTRUCTOR EN FORMA UNITARIA EN EL JUI-
CIO CONTENCIOSO ADMINISTRATIVO FEDERAL TRAMITADO EN LA VÍA SUMARIA.**
*De una interpretación teleológica y sistemática de los artículos 58-1 a 58-15 de la
Ley Federal de Procedimiento Contencioso Administrativo, que regulan la vía sumaria
del juicio contencioso administrativo federal (adicionados mediante decreto publicado
en el Diario Oficial de la Federación el 10 de diciembre de 2010, en vigor a los 240
días naturales siguientes a esa fecha) en relación con el primer párrafo del artículo
63 del propio ordenamiento, se colige que las sentencias definitivas dictadas por el
Magistrado instructor de alguna Sala Regional del Tribunal Federal de Justicia Fiscal y
Administrativa, al resolver un juicio de la indicada naturaleza, quien actúa en forma
unitaria y no como un órgano colegiado, no es de las comprendidas en los supuestos
de procedencia del recurso de revisión fiscal, previstos en el segundo de los preceptos
señalados, que privilegian las decisiones colegiadas que adopten el Pleno o las Secciones de la Sala Superior o las Salas Regionales del referido órgano y que, por su importancia y trascendencia, ameriten su revisión por un Tribunal Colegiado de Circuito en
un medio de impugnación que es excepcional, restrictivo y selectivo, mientras que el legislador en los adicionados preceptos clasificó los asuntos materia de los juicios sumarios, atendiendo a una cuantía relativa y a la importancia ordinaria, común y cotidiana
que presentan las resoluciones definitivas impugnables, así como a la conveniencia de
que se resuelvan bajo una ágil tramitación, en cuyo diseño puso énfasis en otorgar a los
Magistrados instructores la facultad de dictar la sentencia en el sumario, "con lo cual
se potenciarán de manera verdaderamente notable los recursos humanos del tribunal,
pues en una misma Sala Regional de tres integrantes, se contará con cuatro órganos
resolutores; tres Magistrados que actuarán como instructores y unitarios en los juicios
sumarios, más la propia Sala Regional que seguirá conservando su competencia en la
vía ordinaria.". Por tanto, el mencionado recurso es improcedente contra las resoluciones dictadas por el Magistrado instructor en forma unitaria en el juicio contencioso
administrativo federal tramitado en la vía sumaria.*

*DÉCIMO SEXTO TRIBUNAL COLEGIADO EN MATERIA ADMINISTRATIVA DEL PRI-
MER CIRCUITO.*

*Revisión fiscal 74/2012. Titular de la Jefatura de Servicios Jurídicos de la Delegación
Norte del Distrito Federal del Instituto Mexicano del Seguro Social. 28 de junio de 2012.
Unanimidad de votos. Ponente: Raymundo Meneses Tepepa, secretario de tribunal autorizado por el Pleno del Consejo de la Judicatura Federal para desempeñar las funciones
de Magistrado. Secretario: Abel Méndez Corona.*

*Revisión fiscal 173/2012. Jefa del Departamento Contencioso, en suplencia por
ausencia del titular de la Jefatura de Servicios Jurídicos de la Delegación Sur del Distrito Federal del Instituto Mexicano del Seguro Social. 2 de agosto de 2012. Unanimidad de votos. Ponente: Ernesto Martínez Andreu. Secretario: Carlos Augusto Amado
Burguete.*

Revisión fiscal 243/2012. Titular de la Jefatura de Servicios Jurídicos y representante legal de las autoridades de la Delegación Sur del Distrito Federal del Instituto Mexicano del Seguro Social. 2 de agosto de 2012. Unanimidad de votos. Ponente: José Antonio Montoya García. Secretaria: Judith Alhelí Andrade Villafán.

Revisión fiscal 241/2012. Subadministrador Local Jurídico del Norte del Distrito Federal, en suplencia del titular de esa Administración y éste a su vez en representación del Secretario de Hacienda y Crédito Público. 15 de agosto de 2012. Unanimidad de votos. Ponente: María Guadalupe Molina Covarrubias. Secretario: Raymundo Meneses Tepepa.

Revisión fiscal 361/2012. Director General Jurídico, Contencioso y de Sanciones de la Comisión Nacional de Seguros y Fianzas, en representación del Presidente de dicha Comisión. 29 de agosto de 2012. Unanimidad de votos. Ponente: José Antonio Montoya García. Secretaria: María Elena Bautista Cuéllar."

(TMX 98377)

10.22. JUICIO DE NULIDAD EN LÍNEA

A partir del 12 de junio de 2009, entró en vigor el Juicio en Línea a sustanciarse en el Tribunal Federal de Justicia Administrativa, de esta forma, a partir de tal fecha y en términos de lo dispuesto por el artículo 13 de la LFPCA, el demandante tiene la opción de presentar la demanda por la vía tradicional o bien, hacerlo mediante el Juicio en Línea.

En este sentido, es importante mencionar que el particular tendrá la alternativa de elegir la manera en la que quiere tramitar la demanda, mientras que si el demandante es la autoridad, ésta no tendrá opción y necesariamente tendrá que hacerlo por medio del Juicio en Línea.

No obstante lo anterior, en términos del artículo 58-C de la LFPCA, cuando la demandante sea una autoridad, el particular demandado al contestar la demanda, tendrá derecho a ejercer su opción para que el juicio se tramite y resuelva en línea, pero si el particular rechaza tramitar el juicio en línea, contestará la demanda mediante el Juicio en la vía tradicional.

Ahora bien, es requisito que en la demanda se incluya el correo electrónico para recibir notificaciones, ya que si el demandante no señala expresamente dicho correo, se tramitará el Juicio en la vía tradicional y el acuerdo correspondiente se notificará por lista y en el Boletín Procesal del Tribunal.

Así las cosas, el Juicio en Línea implica la existencia de un **expediente electrónico,** mismo que incluirá todas las promociones, pruebas y otros anexos que presenten las partes, oficios, acuerdos y resoluciones, tanto interlocutorias como definitivas, así como las demás actuaciones que deriven de la substanciación del mismo, ya sean archivos electrónicos o documentos digitales, garantizando con ello su seguridad, inalterabilidad, autenticidad, integridad y durabilidad, pudiendo ser texto, imagen, audio o video.

Es por lo anterior, que cualquier actuación dentro del Juicio en Línea deberá ser validada con la Firma Electrónica Avanzada del demandante, para lo cual se señala que ésta producirá los mismos efectos legales que la firma autógrafa y garantizará la integridad del documento, teniendo el mismo valor probatorio.

En los juicios en línea, la autoridad requerida, desahogará las pruebas testimoniales utilizando el método de videoconferencia, cuando ello sea posible.

Una vez recibida por vía electrónica cualquier promoción de las partes, el Sistema de Justicia en Línea del Tribunal emitirá el Acuse de Recibo Electrónico correspondiente, señalando la fecha y la hora de recibido.

En este sentido, es importante precisar que para efectos de la presentación de promociones a través del sistema en línea, son hábiles las 24 horas de los días que así considere el TFJA.

Por otro lado, en términos del artículo 58-M de la LFPCA, en el Juicio en Línea no será necesario que las partes exhiban copias para correr los traslados que la Ley establece, salvo que hubiese tercero interesado, en cuyo caso, a fin de correrle traslado, el demandante deberá presentar en papel la copia de traslado con sus respectivos anexos.

Asimismo, las notificaciones en el Juicio en Línea, se tendrán como legalmente practicadas cuando el Sistema genere el Acuse de Recibo Electrónico, donde conste la fecha y hora en que la o las partes notificadas ingresaron al Expediente Electrónico, lo que deberá suceder dentro del plazo de 3 días hábiles siguientes a la fecha de envío de un aviso previo a la dirección de correo electrónico de la o las partes a notificar.

En caso de que en el plazo señalado, el Sistema de Justicia en Línea del Tribunal no genere el acuse de recibo donde conste que la notificación fue realizada, la misma se efectuará mediante lista y por Boletín Procesal al cuarto día hábil contado a partir de la fecha de envío del correo electrónico, fecha en que se tendrá por legalmente notificado.

Las autoridades, cuyos actos sean susceptibles de impugnarse ante el Tribunal, deberán registrar en la Secretaría General de Acuerdos o ante la Presidencia de las Salas Regionales, según corresponda, la Dirección de Correo Electrónico Institucional, así como el domicilio oficial de las unidades administrativas a las que corresponda su representación en los juicios contenciosos administrativos, para el efecto de emplazarlas electrónicamente a juicio en aquellos casos en los que tengan el carácter de autoridad demandada.

En el caso de que las autoridades demandadas no cumplan con esta obligación, todas las notificaciones que deben hacerse, incluyendo el emplazamiento, se harán a través del Boletín Procesal, hasta que se cumpla con dicha formalidad.

Para la presentación y trámite de los recursos de revisión y juicios de amparo que se promuevan contra las actuaciones y resoluciones derivadas del Juicio en Línea, no será aplicable lo dispuesto en el presente Capítulo.

En este orden de ideas, podemos concluir que la implementación del Juicio en Línea es una paso favorable en nuestro sistema de impartición de justicia, sin embargo y contrario a la postura que ha mantenido el propio TFJA, es una realidad que dicho sistema se ha encontrado con la resistencia de los abogados postulantes a las nuevas tecnologías, pero poco a poco esto ha ido cambiando, sobre todo tomando en consideración que la interposición de los recursos de revocación, indefectiblemte son por buzón tributario.

Llegará el día, en que será obligatorio y no optativo este Juicio de Nulidad en Línea, ya sea por temas ecológicos (reducir la utilización del papel, el traslado a Tribunales y a los domicilios para recibir notificaciones), de reducción de gastos y por cuestiones pragmáticas.

10.23. JUICIO DE RESOLUCIÓN EXCLUSIVA DE FONDO

Mediante decreto publicado el 27 de enero de 2017, se incorporaron los artículos 58-16 al 58-29 de la Ley Federal de Procedimiento Contencioso Administrativo, dando inicio al denominado juicio de resolución exclusiva de fondo (*"juicio de fondo"*), que se regirá por los principios de celeridad y oralidad. Igualmente, es importante apuntar que, se creó una Sala Especializada en Resolución de Juicios exclusivos de fondo, como única facultada para conocer de este tipo de juicios.

Este juicio, encuentra su origen en una serie de reformas propuestas por el Ejecutivo Federal en materia de justicia cotidiana, que atienden a la búsqueda de soluciones a los conflictos que genera la convivencia diaria en una sociedad democrática, advirtiendo que el excesivo formalismo y tecnicismo de procedimientos, que éstos sean demasiado engorrosos e inflexibles y que existan restricciones procedimentales que impidan pronunciamientos de fondo, representan ataduras en la obtención de justicia.

Este juicio, encuentra relación con los acuerdos conclusivos, ya que en ambos sólo se pueden hacer valer argumentos de fondo, que versan de manera general sobre los elementos del impuesto. Asimismo, su procedencia está ligada a las mismas facultades de comprobación: revisión de gabinete, visita domiciliaria y revisión electrónica; y en ambas figuras, hay presencia de la oralidad en las audiencias de fijación de *litis* y en las mesas de trabajo.

A continuación, destacamos algunos elementos que consideramos relevantes, a propósito de este tema:

10.23.1. Procedencia y pretensión

El juicio de fondo —como ya comentamos— procede a petición del actor planteada en la demanda, siempre que se impugnen resoluciones definitivas que deriven del ejercicio de las facultades de comprobación a que se refiere el artículo 42, fracciones ll, lll o lX del Código Fiscal de la Federación (el "CFF"), y la cuantía del asunto sea mayor a 200 veces la Unidad de Medida y Actualización, elevada al año, vigente al momento de emisión de la resolución combatida ($6'342,240.00 pesos para 2020).

El juicio de fondo será improcedente cuando se haya interpuesto recurso administrativo, y este haya sido desechado, sobreseído o se tenga por no presentado. Esto pues, es evidente que en ese tipo de juicios se entraría a un estudio formal respecto de la procedencia del recurso y no únicamente respecto del fondo del asunto, como es la verdadera intención de esta modalidad de juicio de nulidad.

Tampoco procede este tipo de juicios, cuando se pretenda impugnar la legalidad de la notificación de la resolución definitiva, en términos del artículo 16 de la LFPCA.

El actor sólo podrá plantear conceptos de impugnación tendientes a controvertir el fondo de la resolución administrativa, aun en el supuesto de que la resolución impugnada se encuentre motivada en el incumplimiento de requisitos formales o de procedimiento, siempre que acredite que la omisión en el pago de contribuciones no se produjo.

Entre otros, por concepto de impugnación tendiente a controvertir el fondo de la resolución, se entenderá aquel que se refiere al **sujeto, objeto, base, tasa o tarifa de las obligaciones revisadas,** que pretenda controvertir alguno de los siguientes supuestos:

1. Los hechos u omisiones calificados en la resolución impugnada como constitutivos de incumplimiento de las obligaciones revisadas;

2. La aplicación o interpretación de las normas involucradas;

3. Los efectos que haya atribuido la autoridad emisora al incumplimiento total o parcial de requisitos formales o de procedimiento que impacten o trasciendan al fondo de la controversia. Ejemplos: Cuando se lleve a cabo una determinación presuntiva de manera incorrecta, o cuando no se informe en la declaración anual de una persona física un donativo recibido de parte del cónyuge, superior a los $600,000.00;

4. La valoración o falta de apreciación de las pruebas relacionadas con los supuestos anteriores.

De ahí que sea un gran desafío para los Magistrados integrantes de la Sala Especializada, quienes deberán ponderar el fondo sobre la forma.

Si el Magistrado Instructor detecta que, además de conceptos de impugnación de fondo, hay conceptos de forma, simplemente deberá ignorarlos. Ahora bien, si la demanda solamente contiene conceptos de impugnación respecto de la forma, declarará improcedente el juicio de resolución exclusivo de fondo y lo mandará tramitar en la vía tradicional.

Cabe señalar que, en contra del acuerdo mediante el cual se ordene la improcedencia y consecuente reclasificación de la vía del juicio, procede el recurso de reclamación que deberá presentarse dentro de los 10 días siguientes a que surta efectos la notificación del acuerdo respectivo.

También se prevé que a través de este medio de defensa específico se combatan resoluciones o actos administrativos de carácter general, siempre y cuando éste sea combatido, ya sea con motivo del primer acto de aplicación, o sea simultáneamente impugnado junto con una resolución definitiva.

Si bien una de las cuestiones fundamentales que caracteriza esta modalidad, es que solamente se deben hacer valer conceptos de impugnación de fondo, no significa que el demandante no pueda hacer valer argumentos relativos al incumplimiento de requisitos formales; sin embargo, deberá acreditar que no omitió el pago de las contribuciones, o bien, que dicho vicio formal trasciende a uno de los elementos esenciales del tributo.

No se encuentra regulada correctamente, la consecuencia por omitir datos de la demanda; siendo así, podríamos interpretar que en esta modalidad, puede interponerse una demanda de nulidad sin señalar conceptos de impugnación, caso en el cual, la Sala Especializada, debería requerir al demandante, para que en 5 días los indique (artículo 58-18 LFPCA).

10.23.2. Suspensión de plano

Si la demanda es admitida, se ordenará suspender de plano la ejecución del acto impugnado, sin necesidad de que se garantice el interés fiscal. La suspensión subsistirá hasta que se dicte la resolución que ponga fin al juicio de fondo, sin prejuicio de los requisitos que para la suspensión establezcan las leyes que rijan los medios de impugnación que procedan contra la sentencia allí dictada. Esto es, ni siquiera la debe solicitar el promovente.

Sin embargo, cabe mencionar que este beneficio puede ser ineficaz, por las siguientes razones:

1. De conformidad con el CFF, el contribuyente cuenta con 10 días para garantizar, contados a partir del día siguiente en que surta efectos la notificación recaída a un recurso de revocación, por lo que el contribuyente tendrá que garantizar incluso antes de promover el juicio en esta modalidad (porque se tienen 30 días para interponer la demanda de nulidad y no solamente 10).

2. Tampoco hay claridad sobre el plazo para resolver sobre la suspensión, es decir, si le aplica el caso de 24 horas, y en este caso, ¿el Magistrado Instructor tendrá que admitir en este plazo la demanda?, ya que se prevé que la determinación de la suspensión se lleve a cabo en el mismo auto en que se admita la demanda.

10.23.3. Audiencia de fijación de litis

Una vez que obren en los autos, la demanda, contestación, y en su caso ampliación a ésta (solo procede la ampliación cuando la autoridad introduzca cuestiones novedosas en la contestación, sin violar el artículo 22 de la LFPCA) o contestación a la ampliación, se celebrará una audiencia oral de fijación de litis, en el que se definirá la controversia concreta a ser resuelta. La fecha para la celebración de esta audiencia, deberá ser señalada por el Magistrado Instructor en el acuerdo por el cual se tiene por admitida la contestación de demanda o en su caso, la contestación a la ampliación.

Nos parece inadecuado que se mencione que el Magistrado Instructor fijará la *litis*, ya que ésta la fijan las partes, y en consecuencia, la audiencia será más de confirmación de *litis*, que de fijación.

A la audiencia de fijación de litis, podrán acudir las partes directamente, sus representantes o sus autorizados legales. Si alguno de estos no acude, se entenderá que está conforme con las determinaciones que tome el Magistrado en dicha audiencia y *perderá su derecho a formular alegatos, incluso por escrito*.

Nos parece desproporcionada la sanción, tras la inasistencia de alguna de las partes: no poder formular alegatos. La consecuencia debería ser el consentimiento de la *litis*, pero no la preclusión de la oportunidad de hacer valer alegatos.

10.23.4. Reglas de contacto

Si durante la tramitación del Juicio de Fondo, alguna de las partes solicita una audiencia privada con el Magistrado Instructor o con alguno de los Magistrados de la Sala Especializada, ésta deberá celebrarse con la presencia de su contraparte; cuando estando debidamente notificadas las partes, alguna no acuda a la audiencia privada, ésta se llevará a cabo con la parte que esté presente.

10.23.5. Pruebas

En este proceso, sólo serán admisibles las pruebas que hayan sido ofrecidas en el procedimiento de comprobación, el procedimiento de acuerdos conclusivos, o el recurso administrativo, esto es, durante el procedimiento oficioso; y deberán relacionarse expresamente con lo que se pretenda acreditar. Cabe señalar que este requisito u obligación no está previsto en el juicio tradicional, pero sí está previsto en una tesis jurisprudencial.

Esto es, el momento procesal oportuno para la exhibición de pruebas, también aplica para el juicio tadicional, en línea y sumario, no de conformidad con la ley, pero sí a través de una jurisprudencia que incluso ha sido comentada en el presente libro.

Por lo que hace a la prueba **pericial**, no sigue el procedimiento convencional del juicio en vía tradicional, sino que, únicamente, se ofrece en forma de dictamen como si de una documental se tratara, y deberá adjuntarse a la demanda, ampliación o en su contestación.

No obstante lo anterior, el Magistrado Instructor, podrá citar a una audiencia de peritos, en donde les podrá hacer los cuestionamientos que considere pertinentes y las partes podrán acudir a esa audiencia a ampliar las preguntas. Dicha audiencia, se tramitará por la vía oral.

De igual forma, el Magistrado podrá nombrar perito tercero que desahogue su dictamen, únicamente respecto de las cuestiones controvertidas entre ambos dictámenes.

10.23.6. *Nulidad de la resolución impugnada*

La sentencia del Juicio de Fondo declarará la nulidad, siempre que:

1. Los hechos u omisiones que dieron origen a la controversia no se produjeron;

2. Los hechos u omisiones que dieron origen a la controversia fueron apreciados por la autoridad en forma indebida;

3. Las normas involucradas fueron incorrectamente interpretadas o mal aplicadas en el acto impugnado, o

4. Los efectos atribuidos por la autoridad emisora al incumplimiento total, parcial o extemporáneo, de requisitos formales o de procedimiento a cargo del contribuyente resulten excesivos o desproporcionados por no haberse producido las hipótesis de causación de las contribuciones determinadas.

Como podemos observar, se trata de la actualización de la fracción IV del artículo 51 de la LFPCA, esto es, asuntos que resuelvan el fondo.

Derivado de la natrualeza de este juicio, las causales para declarar la nulidad de la resolución combatida, atienden a aspectos substanciales, o bien, de forma pero que trascienden al fondo, al resultar sus consecuencias excesivas o desproporcionadas. La última causal que ha quedado indicada en el párrafo precedente, referente a los efectos desproporcionados atribuidos por la autoridad al incumplimiento de requisitos formales, resulta muy difícil de interpretar de manera contundente, de ahí la importante labor de los Magistrados de la Sala Especializada, para valorar si la inaplicación de esos requisitos formales o de procedimiento, constituyen o no, obstáculos para emitir un pronunciamiento de fondo del asunto.

De ahí, que ante una posible arbitrariedad, me decanto por promover el juicio en la vía tradicional, y no perder argumentos importantes "formales" que pueden tener una consecuencia de fondo.

10.23.7. Sentencia

La sentencia, podrá:

1. Reconocer la validez de la resolución impugnada.

2. Declarar la nulidad de la resolución impugnada.

3. En los casos en que la sentencia implique una modificación a la cuantía de la resolución administrativa impugnada, la Sala Regional Especializada competente deberá precisar, el monto, el alcance y los términos de la misma para su cumplimiento.

Tratándose de sanciones, cuando dicho Tribunal aprecie que la sanción es excesiva porque no se motivó adecuadamente o no se dieron los hechos agravantes de la sanción, deberá reducir el importe de la sanción apreciando libremente las circunstancias que dieron lugar a la misma.

Lo señalado en esta fracción III del artículo 58-28 de la LFPCA nos parece exagerado, ya que si bien es cierto que el TFJA cuenta con facultades de plenitud de jurisdicción, no puede sustituirse en las funciones o facultades de las autoridades para determinar contribuciones o imponer sanciones.

4. Declarar la nulidad de la resolución impugnada y además:

a) Reconocer al actor la existencia de un derecho subjetivo y condenar al cumplimiento de la obligación correlativa.

b) Otorgar o restituir al actor en el goce de los derechos afectados.

c) Declarar la nulidad del acto o resolución administrativa de carácter general, caso en que cesarán los efectos de los actos de ejecución que afectan al demandante, inclusive el primer acto de aplicación que hubiese impugnado. La declaración de nulidad no tendrá otros efectos para el demandante, salvo lo previsto por las leyes de la materia de que se trate.

d) Reconocer la existencia de un derecho subjetivo y condenar al ente público federal al pago de una indemnización por los daños y perjuicios causados por sus servidores públicos.

En ocasiones, no será suficiente que la Sala del TFJA declare solamente la nulidad del acto combatido, sino que —ejerciendo una facultad de plenitud de jurisdicción— reconozca al actor un derecho subjetivo y ordene a la autoridad su cumplimiento.

También observamos que cabe el juicio de resolución exclusivo de fondo, en contra de normas y acuerdos de carácter general diversos a los reglamentos, que con su entrada en vigor causen un perjuicio al contribuyente, caso en el cual no será necesario que provengan de alguna facultad de comprobación, a menos que se impugne con motivo de su primer acto de aplicación.

Las Salas Regionales Especializadas en materia del juicio de resolución exclusiva de fondo podrán apartarse de los precedentes establecidos por el Pleno o las Secciones, siempre que en la sentencia expresen las razones por las que se apartan de los mismos, debiendo enviar al Presidente del Tribunal copia de la sentencia.

En contra de las sentencias dictadas en el juicio de resolución exclusiva de fondo, si estas no favorecen a la autoridad demandada, podrá interponer el recurso de revisión previsto en el artículo 63 de esta Ley. Naturalmente, los particulares podrán promover juicio de amparo directo si la sentencia no satisface plenamente su pretensión.

Finalmente, mediante Acuerdo SS/8/2017 de 27 de junio de 2017, el Pleno General de la Sala Superior del Tribunal Federal de Justicia Administrativa determinó la creación de una única Sala Regional Especializada en Materia de Resolución Exclusiva de Fondo con sede en la Ciudad de México con competencia en todo el territorio nacional. De manera que la Cuarta Sala Regional Metropolitana, pasó a ser la nueva Sala Especializada y Auxiliar para seguir conociendo de los asuntos que ya formaban parte de su competencia.

Nos parece aduecuado que exista este tipo de juicio, más allá que —como todo en la vida— tiene áreas de oportunidad, y cuestiones que no quedan completamente claras ni seguras desde el punto de vista jurídico. Ahora bien, el hecho que limiten la posibilidad de hacer valer cuestiones de forma o procedimiento contra un acto administrativo, reduce considerablemente las posibilidades de defensa de los contribuyentes, razón por la cual, habrá que echarle una doble pensada antes de optar por esta modalidad del juicio contencioso administrativo federal.

10.24. RECURSOS

En términos generales, podemos decir que el juicio contencioso administrativo federal, es más sencillo que un juicio del orden civil, prueba de ello, es que solamente existen dos recursos en este juicio, y uno de ellos, se actualiza cuando se dicta sentencia favorable para el contribuyente, que es el denominado de revisión, y no es otra cosa que un "amparo" escondido a favor de la autoridad.

A continuación, nos referiremos al primer recurso contemplado en la Ley Federal de Procedimiento Contencioso Administrativo, a saber:

10.24.1. Recurso de Reclamación

Es importante comentar que dicho recurso, solamente procede contra las resoluciones del **Magistrado Instructor,** ya que contra las resoluciones (sentencias) de la Sala, Pleno o Secciones de la Sala Superior, procede el amparo directo, o en su caso, el recurso de revisión.

De esta forma, el recurso de reclamación, se encuentra regulado de los artículos 59 al 62 de la LFPCA.

10.24.1.1. Supuestos de Procedencia

Insistimos, procede contra las resoluciones del Magistrado Instructor, que:

1. Admitan la demanda.

2. Desechen o tengan por no presentada la demanda.

3. Admitan, desechen o tengan por no presentada la contestación de demanda.

4. Admitan, desechen o tengan por no presentada la ampliación a la demanda o la contestación a la ampliación.

5. Admitan o desechen una prueba.

6. Las resoluciones que decreten o nieguen el sobreseimiento, antes del cierre de instrucción.

7. Las resoluciones que admitan o rechacen la intervención del tercero.

8. Las resoluciones que concedan, nieguen, modifiquen o revoquen cualquiera de las medidas cautelares previstas en la LFPCA.

10.24.1.2. Plazo para su interposición

Regla General: Será de 10 días hábiles contados a partir del surtimiento de efectos del acuerdo respectivo y se interpondrá ante la Sala o Sección respectiva.

En el caso del supuesto de procedencia indicado en el numeral 8 del párrafo precedente, el término será de 5 días en lugar de 10.

También en los supuestos de juicio sumario, el recurso se interpondrá en el plazo de 5 días hábiles.

10.24.1.3. Trámite y Resolución del recurso

Una vez que se interpone el recurso, se correrá traslado a la contraparte, para que en el término de 5 días exprese lo que a su derecho convenga, y la Sala resolverá en el plazo de 5 días hábiles, en la inteligencia de que el magistrado que dictó el acuerdo recurrido, no podrá excusarse.

Por último, el Pleno del Tribunal podrá ejercer de oficio la facultad de atracción para la resolución de los recursos de reclamación a que se refiere el presente artículo, en casos de trascendencia que así considere o para fijar jurisprudencia.

10.24.2. Recurso de Revisión

Tal y como lo mencionábamos anteriormente, en contra de las sentenicas dictadas por el TFJA que sean desfavorables para la autoridad, procederá el Recurso de Revisión, que será estudiado y resuelto por un Tribunal Colegiado de Circuito, perteneciente al Poder Judicial Federal.

Se trata —a mi parecer— de una especie de "amparo" escondido a favor de la autoridad, que en realidad no tiene razón de ser.

Lo anterior, ya que en un tema estrictamente fiscal (tema del que hablamos a lo largo del presente libro), puede suceder que un asunto (determinación de un crédito fiscal) se somete en primer lugar ante la propia autoridad administrativa, vía Recurso de Revocación, posteriormente se interpone un juicio que será estudiado por un Tribunal que pertenece al Poder Ejecutivo. Siendo así, nos parece que hasta ahí ya tuvo oportunidades la autoridad administrativa para defender su asunto, y no nos parece justo que también tenga derecho a acudir al Poder Judicial de la Federación, a revisar una vez más el mismo tema.

Este recurso se encuentra regulado en los artículos 63 y 64 de la LFPCA.

10.24.2.1. Supuestos de Procedencia Genérica

Procede en contra de las resoluciones emitidas por el Pleno, las Secciones de la Sala Superior o por las Salas Regionales, que:

1. Decreten o nieguen el sobreseimiento,

2. Las que dicten en términos de los artículos 34 de la Ley del Servicio de Administración Tributaria y 6º de esta Ley.

3. Las que se dicten conforme a la Ley Federal de Responsabilidad Patrimonial del Estado.

4. En contra de las sentencias definitivas que emitan.

10.24.2.2. Autoridades competentes para interponer el recurso

Podrán ser impugnadas por la autoridad a través de la unidad administrativa encargada de su defensa jurídica o por la entidad federativa coordinada en ingresos federales correspondiente.

10.24.2.3. Ante quién se interpone y quién lo resuelve

Se debe interponer ante el Tribunal Colegiado de Circuito competente en la sede del Pleno, Sección o Sala Regional a que corresponda, mediante escrito que se presente ante la responsable (TFJA), dentro de los quince días siguientes a aquél en que surta sus efectos la notificación respectiva.

10.24.2.4. Supuestos de Procedencia Específica

I. Sea de cuantía que exceda de tres mil quinientas veces el salario mínimo general diario del área geográfica correspondiente al Distrito Federal, vigente al momento de la emisión de la resolución o sentencia.

En el caso de contribuciones que deban determinarse o cubrirse por periodos inferiores a doce meses, para determinar la cuantía del asunto se considerará el monto que resulte de dividir el importe de la contribución entre el número de meses comprendidos en el periodo que corresponda y multiplicar el cociente por doce.

II. Sea de importancia y trascendencia cuando la cuantía sea inferior a la señalada en la fracción primera, o de cuantía indeterminada, debiendo el recurrente razonar esa circunstancia para efectos de la admisión del recurso.

III. Sea una resolución dictada por la Secretaría de Hacienda y Crédito Público, el Servicio de Administración Tributaria o por autoridades fiscales de las Entidades Federativas coordinadas en ingresos federales y siempre que el asunto se refiera a:

a) Interpretación de leyes o reglamentos en forma tácita o expresa.

b) La determinación del alcance de los elementos esenciales de las contribuciones.

c) Competencia de la autoridad que haya dictado u ordenado la resolución impugnada o tramitado el procedimiento del que deriva o al ejercicio de las facultades de comprobación.

d) Violaciones procesales durante el juicio que afecten las defensas del recurrente y trasciendan al sentido del fallo.

e) Violaciones cometidas en las propias resoluciones o sentencias.

f) Las que afecten el interés fiscal de la Federación.

Sea una resolución dictada en materia de la Ley Federal de Responsabilidades Administrativas de los Servidores Públicos.

Sea una resolución dictada en materia de comercio exterior.

Sea una resolución en materia de aportaciones de seguridad social, cuando el asunto verse sobre la determinación de sujetos obligados, de conceptos que integren la base de cotización o sobre el grado de riesgo de las empresas para los efectos del seguro de riesgos del trabajo o sobre cualquier aspecto relacionado con pensiones que otorga el Instituto de Seguridad y Servicios Sociales de los Trabajadores del Estado.

Sea una resolución en la cual, se declare el derecho a la indemnización, o se condene al Servicio de Administración Tributaria, en términos del artículo 34 de la Ley del Servicio de Administración Tributaria.

Se resuelva sobre la condenación en costas o indemnización previstas en el artículo 6o de la Ley Federal de Procedimiento Contencioso Administrativo.

Sea una resolución dictada con motivo de las reclamaciones previstas en la Ley Federal de Responsabilidad Patrimonial del Estado.

Que en la sentencia se haya declarado la nulidad, con motivo de la inaplicación de una norma general, en ejercicio del control difuso de la constitucionalidad y de la convencionalidad realizado por la Sala, Sección o pleno de la Sala Superior.

10.24.2.5. Trámite del Recurso

Con el escrito de expresión de agravios, el recurrente deberá exhibir una copia del mismo para el expediente y una para cada una de las partes que hubiesen intervenido en el juicio contencioso administrativo, a las que se les deberá emplazar para que, dentro del término de quince días, comparezcan ante el Tribunal Colegiado de Circuito que conozca de la revisión a defender sus derechos.

10.24.2.6. Revisión Adhesiva e interposición Amparo Directo

En todos los casos en los que la autoridad interponga recurso, la parte que obtuvo resolución favorable a sus intereses, puede adherirse a la revisión interpuesta por el recurrente, dentro del plazo de quince días contados a partir de la fecha en la que se le notifique la admisión del recurso, expresando los agravios correspondientes; en este caso la adhesión al recurso sigue la suerte procesal de éste.

Este recurso de revisión deberá tramitarse en los términos previstos en la Ley de Amparo en cuanto a la regulación del recurso de revisión.

Ahora bien, si el particular interpuso amparo directo contra la misma resolución o sentencia impugnada mediante el recurso de revisión, el Tribunal Colegiado de Circuito que conozca del amparo resolverá el citado recurso, lo cual tendrá lugar en la misma sesión en que decida el amparo.

10.24.2.7. Plazo para su interposición

Será de 15 días hábiles contados a partir del surtimiento de efectos de la notificación de la sentencia respectiva, dictada por las Salas, Secciones o Pleno del TFJA, que se refiera a los supuestos que han quedado descritos.

10.24.2.8. Recurso de Revisión en Juicio Sumario

Por último, y tal y como lo hemos dicho en este apartado, en términos del artículo 63 de la LFPCA, el Recurso de Revisión únicamente resulta procedente en contra de las sentencias emitidas por el Pleno y las Secciones de la Sala Superior, así como por las Salas Regionales del TFJA, **y no en contra de las sentencias que sean dictadas únicamente por el Magistrado Instructor.**

Es por lo anterior, que podemos válidamente concluir que no resulta procedente el Recurso de Revisión en contra de las sentencias que resuelvan los juicios de nulidad tramitados en la vía sumaria, por lo que una resolución definitiva que favorezca a los intereses de los particulares en esta instancia, resulta incontrovertible.

10.25. JURISPRUDENCIA DEL TRIBUNAL FEDERAL DE JUSTICIA ADMINISTRATIVA

En palabras del Dr. Adolfo Arrioja Vizcaíno[53]: *"la jurisprudencia puede definirse como la interpretación habitual, constante y sistemática que llevan a cabo los tribunales con motivo de la resolución de los casos que son sometidos a su jurisdicción y que, por disposición de la ley, se convierte en precedentes de observancia obligatoria para fallos posteriores..."*

De esta manera, podemos válidamente afirmar que la jurisprudencia no solamente es una fuente formal del Derecho Fiscal, sino una herramienta de suma

---

[53]   ARRIOJA VIZCAÍNO, Adolfo. Derecho Fiscal. Themis. México, 2012, p. 70.

utilidad para interpretar el texto de la ley y el sentido que le han dado los juzgadores al respecto.

Ahora bien, el Tribunal Federal de Justicia Administrativa, por formar parte del Poder Ejecutivo tiene la naturaleza de un órgano formalmente administrativo pero materialmente jurisdiccional, mismo que a través del ejercicio de su facultad jurisdiccional, puede crear jurisprudencia, y de esta forma emite derecho objetivo.

En efecto, el TFJA es un órgano facultado para emitir jurisprudencia, misma que las Salas de dicho Tribunal están obligadas a aplicar, salvo que se encuentren emitidas en contravención a jurisprudencias del Poder Judicial Federal, en términos del artículo 79 de la LFPCA.

Así las cosas, el artículo 75 y siguientes de la LFPCA establecen las siguientes reglas para que el TFJA emita jurisprudencia, a saber:

a) Por reiteración. Para fijar jurisprudencia, el Pleno de la Sala Superior deberá aprobar tres precedentes en el mismo sentido, no interrumpidos por otro en contrario. Lo anterior, siempre que las tesis sean aprobadas por lo menos por 7 Magistrados, para que puedan constituir un precedente.

b) Por reiteración. También se fijará jurisprudencia por alguna Sección de la Sala Superior, siempre que se aprueben cinco precedentes no interrumpidos por otro en contrario. Lo anterior, siempre que las tesis sean aprobadas por lo menos por 4 Magistrados, para que puedan constituir un precedente.

c) Por contradicción. En el caso de contradicción de sentencias, interlocutorias o definitivas, cualquiera de los Magistrados o las partes involucradas en los juicios en las que tales tesis se sustentaron, podrán denunciarla ante el Presidente del Tribunal para que éste la haga del conocimiento del Pleno, mismo que con un quórum mínimo de 7 Magistrados, decidirá por mayoría cual debe prevalecer, constituyendo jurisprudencia.

Ahora bien, es importante mencionar que las Salas y los Magistrados Instructores de un Juicio en la Vía Sumaria, podrán apartarse de los precedentes establecidos por el Pleno o las Secciones, siempre que en las sentencia expresen las razones por las que se apartan de los mismos, debiendo enviar al Presidente del Tribunal copia de la Sentencia.

10.25.1. Suspensión de la Jurisprudencia

El Pleno podrá suspender una jurisprudencia, cuando en una sentencia o en una resolución de contradicción de sentencias, resuelva en sentido contrario a la tesis de la jurisprudencia. Dicha suspensión deberá publicarse en la revista del Tribunal.

Las Secciones de la Sala Superior podrán apartarse de su jurisprudencia, siempre que la sentencia se apruebe por lo menos por cuatro Magistrados integrantes de la Sección, expresando en ella las razones por las que se apartan y enviando al Presidente del Tribunal copia de la misma, para que la haga del conocimiento del Pleno y éste determine si procede que se suspenda su aplicación, debiendo en este caso publicarse en la revista del Tribunal.

Los magistrados de la Sala Superior podrán proponer al Pleno que suspenda su jurisprudencia, cuando haya razones fundadas que lo justifiquen. Las Salas Regionales también podrán proponer la suspensión expresando al Presidente del Tribunal los razonamientos que sustenten la propuesta, a fin de que la someta a la consideración del Pleno.

La suspensión de una jurisprudencia termina cuando se reitere el criterio en tres precedentes de Pleno o cinco de Sección, salvo que el origen de la suspensión sea jurisprudencia en contrario del Poder Judicial Federal y éste la cambie. En este caso, el Presidente del Tribunal lo informará al Pleno para que éste ordene su publicación.

10.25.2. *Obligación del TFJA de aplicar la jurisprudencia*

Las Salas del Tribunal están obligadas a aplicar la jurisprudencia del Tribunal, salvo que ésta contravenga jurisprudencia del Poder Judicial Federal.

Cuando se conozca que una Sala del Tribunal dictó una sentencia contraviniendo la jurisprudencia, el Presidente del Tribunal solicitará a los Magistrados que hayan votado a favor de dicha sentencia un informe, para que éste lo haga del conocimiento del Pleno y, una vez confirmado el incumplimiento, el Pleno del Tribunal los apercibirá. En caso de reincidencia se les aplicará la sanción administrativa que corresponda en los términos de la ley de la materia.

De ahí que prácticamente siempre, los Magistrados del TFJA, aplican la jurisprudencia emitida por el propio Tribunal.

Esperando que todo el estudio, análisis y consideraciones aquí vertidas, sean de utilidad, tanto para los profesionistas que se dedican al apasionante tema impositivo, como para los alumnos que se encuentren en la disyuntiva de encontrar la materia a especializarse en el amplio e interesante mundo jurídico, o bien, ya la hayan elegido.

BIBLIOGRAFÍA

ARRIOJA VIZCAÍNO, Adolfo. *Derecho Fiscal*. 11a. ed., México, Themis, 1996, p. 70.

GARCÍA MÁYNEZ, Eduardo. *Introducción al Estudio del Derecho*. 41a. ed., México, Porrúa, 1990, p. 90.

GÓNGORA PIMENTEL, Genaro David. *La Suspensión En Materia Administrativa*. 7a. ed., México, Porrúa, 2004, pp. 41-44.

GONZÁLEZ PÉREZ, Jesús. *Derecho Procesal Administrativo*. 2a. ed., Madrid, Instituto de Estudios Políticos, 1963, p. 75.

GORJÓN GÓMEZ, Francisco Javier, *Métodos Alternativos De Solución De Controversias*. 1a. ed., México, Oxford University Press, 2008, pp. 18-22.

KAYE, Dionisio J. *Derecho Procesal Fiscal*. 6a. ed., México, Themis, 2000, pp. 121-123.

LAFERRIERE, Édouard, citado en el ensayo *El Fundamento Constitucional de la Jurisdicción Administrativa*, publicado en Tribunal Federal de Justicia Fiscal y Administrativa a los LXV Años de la Ley de Justicia Fiscal, México, 2001, p. 69.

MARTÍNEZ ROSASLANDA, Sergio. *La Autonomía y la Plena Jurisdicción de los Tribunales Contenciosos Administrativos*. El caso del Tribunal Federal de Justicia Fiscal y Administrativa, México, 2004. p. 7

TOLEDO JIMENO, Miguel. "Debida Regulación de la Queja Prevista en el Artículo 239-TER del Código Fiscal de La Federación", *Revista de la VIII Reunión Nacional de Magistrados*, México, p. 304.

LEYES Y REGLAMENTOS CONSULTADOS

Acta de Reformas de 1847.

Código Civil para el Distrito Federal (CCDF).

Código Federal de Procedimientos Civiles (CFPC).

Código Fiscal para el Distrito Federal (CFDF).

Código Fiscal de la Federación (CFF).

Constitución de Apatzingán de 1814.

Constitución Política de los Estados Unidos Mexicanos (CPEUM).

Ley Aduanera (LA).

Ley de Depuración de Créditos (LDC).

Ley de Justicia Fiscal (LJF).

Ley del Impuesto al Valor Agregado (LIVA)

Ley del Impuesto Sobre la Renta (LISR).

Ley del Instituto del Fondo Nacional de la Vivienda para los Trabajadores (LINFONAVIT).

Ley del Seguro Social (LSS).

Ley del Servicio de Administración Tributaria (LSAT).

Ley Federal de Entidades Paraestatales (LFEP).

Ley Federal de los Derechos del Contribuyente (LFDC).
Ley Federal de Responsabilidades Administrativas de los Servidores Públicos (LFRASP).
Ley Federal de Responsabilidad Patrimonial del Estado (LFRPE).
Ley Federal de Procedimiento Contencioso Administrativo (LFPCA).
Ley Federal de Procedimiento Administrativo (LFPA).
Ley Orgánica del Tribunal Federal de Justicia Administrativa (LOTFJA).
Ley Orgánica del Tribunal Federal de Justicia Fiscal y Administrativa (LOTFJFA).
Ley Orgánica del Tribunal Fiscal de la Federación (LOTFF).
Reglamento de la Ley Aduanera (RLA).
Reglamento Interior del Servicio de Administración Tributaria (RISAT).

TRATADOS INTERNACIONALES

Convención Americana Sobre Derechos Humanos (CADDHH).
Declaración Universal de Derechos Humanos (DUDDHH).
Pacto Internacional de Derechos Civiles y Políticos (PIDCP).

JURISPRUDENCIA

Tesis I.1o.A.150 A (10a.), *Semanario Judicial de la Federación y su Gaceta*, Décima Época, t. IV., junio de 2017, p. 2857. *(TMX 1247513)*

Tesis I.8o.A.70 A (10a.), *Semanario Judicial de la Federación y su Gaceta*, Décima Época, t. II, julio de 2014, p. 1118. *(TMX 337866)*

Tesis 2a. XXXVII/2014 (10a.), *Semanario Judicial de la Federación y su Gaceta*, Décima Época, t. I, abril de 2014, Libro 5, p. 1007. *(TMX 314323)*

Tesis VII-TASR-8ME-39, *R.T.F.J.F.A.*, Séptima Época, Año III., No. 29., diciembre 2013, p. 373. *(TMX 407756)*

Tesis 2a./J. 73/2013 (10a.), *Semanario Judicial de la Federación y su Gaceta*, Décima Época, t. I, julio de 2013, p. 917. *(TMX 98377)*

Tesis I.16o.A. J/2 (10a.), *Semanario Judicial de la Federación y su Gaceta*, Décima Época, t. IV, octubre de 2012, p. 2266. *(TMX 229683)*

Tesis VII-TASR-7ME-4, *R.T.F.J.F.A.*, Séptima Época, Año II, No. 12, julio 2012. p. 216. *(TMX 409169)*

Tesis: 2a./J. 90/2012 (10a.), *Semanario Judicial de la Federación y su Gaceta*, Decima Época, t. II, septiembre de 2012, p. 1176. *(TMX 31526)*

Tesis XXI.1o.P.A. J/27, *Semanario Judicial de la Federación y su Gaceta*, Novena Época, t. XXXIII, marzo de 2011, p. 2167. *(TMX 48887)*

Tesis 1a IV/2008, *Semanario Judicial de la Federación y su Gaceta*, Novena Época, t. XXVII, enero de 2008, p. 421. *(TMX 96331)*

Tesis P. XXXVII/2007, *Semanario Judicial de la Federación y su Gaceta*, Novena Época, t. XXVI, diciembre de 2007, p. 23. *(TMX 54508)*

Tesis P./J. 81/2007, *Semanario Judicial de la Federación y su Gaceta*, Novena Época, t. XXVI, diciembre de 2007, p. 9. *(TMX 54507)*

Tesis 2a./J. 165/2006, *Semanario Judicial de la Federación y su Gaceta*, Novena Época, t. XXIV, diciembre de 2006, p. 202. *(TMX 132236)*

Tesis 2a./J. 166/2006, *Semanario Judicial de la Federación y su Gaceta*, Novena Época, t. XXIV, diciembre de 2006, p. 203. *(TMX 45731)*

Tesis P./J. 149/2005, *Semanario Judicial de la Federación y su Gaceta*, Novena Época, t. XXII, diciembre de 2005, p. 5. *(TMX 28243)*

Tesis I.7o.A.432 A, *Semanario Judicial de la Federación y su Gaceta*, Novena Época, t. XXIII, enero de 2006, p. 2385. *(TMX 218835)*

Tesis 2a./J.205/2004, *Semanario Judicial de la Federación y su Gaceta*, Novena Época, t. XXI, enero de 2005, p. 598. *(TMX 131680)*

Tesis I.7o.A.114 A, *Semanario Judicial de la Federación y su Gaceta*, Novena Época, t. XIX, febrero de 2004, p. 1172. *(TMX 224815)*

Tesis 2a./J. 1/2004, *Semanario Judicial de la Federación y su Gaceta*, Novena Época, t. XIX, enero de 2004, p. 268. *(TMX 43656)*

Tesis V-J-2aS-9, *R.T.F.J.F.A.*, Quinta Época, Año II, No. 23, noviembre 2002, p. 7. *(TMX 419000)*

Tesis VI.2o.A.29 A, *Semanario Judicial de la Federación y su Gaceta*, Novena Época, t. XIV, diciembre de 2001, p. 1783. *(TMX 29326)*

Tesis P. CLV/2000, *Semanario Judicial de la Federación y su Gaceta*, Novena Época, t. XII, septiembre de 2000, p. 25. *(TMX 52877)*

Tesis 2a./J. 41/2000, *Semanario Judicial de la Federación y su Gaceta*, Novena Época, t. XI, mayo de 2000, p. 226. *(TMX 42563)*

Tesis 2a./J. 59/97, *Semanario Judicial de la Federación y su Gaceta*, Novena Época, t. VI, diciembre de 1997, p. 333. *(TMX 32627)*

Tesis II.2o.P.A.36 A, *Semanario Judicial de la Federación y su Gaceta*, Novena Época, t. IV, agosto de 1996, p. 643. *(TMX 226179)*